KB096734

사랑의 발견 2

민속촌의 겨울 ... 더치

사랑의 발견 2

발　행 │ 2024년 06월 07일
저　자 │ 김용수
펴낸이 │ 한건희
펴낸곳 │ 주식회사 부크크
출판사등록 │ 2014.07.15.(제2014-16호)
주　소 │ 서울특별시 금천구 가산디지털1로 119 SK트윈타워 A동 305호
전　화 │ (02) 1670-8316
이메일 │ info@bookk.co.kr

ISBN │ 979-11-410-8845-3

www.bookk.co.kr

사랑의

발견

2

김용수 지음

이 책 쓰면서

-또 다른 '젊은 나' 꿈꾸며-

　올해로 사회생활을 하다 퇴직한 후 글쓰기를 시작한 지 12년이 된다. 그간 겪었던 많은 변화와 어려움을 돌아보면서 나는 왜 이 길을 가고 있는가, 이 길에 어떤 의미가 있는가를 생각해 본다.

　생태계는 조화로움을 통해 건강해진다. 어느 한 부분이 건강해진다는 것은 전체가 건강해지는 것임을 알아야 한다. 생태계는 독립적인 한 종만을 위해 존재하는 것이 아니다. 남·여 간의 사랑도 마찬가지다. 여성이 강해진다고 해서 남성이 위축되는 것은 아니다. 조화를 통해 전체가 성장하는 것이다.

　요즘 사랑에 뛰어든 청년들을 보면 젊은 날의 나를 보는 것 같다. 나는 이들에게 이런 얘기를 해주고 싶다. 지금껏 우리가 배워온 이분법적 사고에서 벗어나 다양한 색깔로 세상을 보아라. 나와 다른 사람과 사고가 존재하는 것이지, 그것이 틀림은 아니다.

　신은 내게 왜 이렇게 가혹한 운명을 예비한 걸까? 그분이 바라는 것은 도대체 무엇인가. 파우스트는 무너지는 가슴을 부축하고 걷고 또 걸었다. 파우스트는 인간과 자연에 대한 오랜 연구 끝에 삶에는 두 가지 길이 있다는 것을 발견했다. 하나는 눈으로 보고 이득을 따지며 평범하게 사는 길이고, 다른 하나는 눈으로는 볼 수 없고 이득도 따질 수 없지만 신의 가호 속에서 영광되게 사는 길이었다. 파우스트는 곰곰이 궁리하다가 후자를 택했다. 파란만장하더라도 더 큰 자유로 나가고 싶었던 것이다.[1] 그러나 그 길은 예측할 수 없는 고통으로 가득 차 있었다. 하지만 파우스트(Faust)는 그레첸(Gretchen)의 영혼의 사랑으로 승화시켰다.

항상 호기심을 가져라. 책을 통해 상상력을 키워라. 어제와 똑같이 생각하고 행동하면서 내일은 더 나아질 것이라고 생각해서는 안 된다. 오늘은 어제와 다르게 생각하고 행동하도록 노력하는 것, 그것이 중요하다.

부정하는 것보다 긍정하는 법을 배워라. 생각이 말이 되고 말이 행동이 된다. 스쳐 지나는 사람, 꽃, 날씨 하나에도 호기심과 경이로움을 멈추지 않는 것이 중요하다. 경이로움은 주변에 대한 사랑을 만든다. 미래는 예측할 수 없지만 그래도 만들어가는 것이다.[2]

글을 쓴다는 건 어떤 직업을 갖든 필수적으로 지녀야 할 기본소양이다. 글쓰기에 자신이 없다면 자신 의견을 설득력 있게 표현할 수 없다는 얘기다. 하물며 그것이 오랜 기간 교직 밥을 먹어 온 교사라면 두말할 나위 없다.

솔직히 글을 쓴다는 게 쉬운 일이 아니다. 어휘는 물론이고 맞춤법과 문맥에 이르기까지 늘 신경을 곤두세워야 한다. 더구나 신문의 사설이나 칼럼 등은 눈앞의 현안과 이슈에 대한 깊이와 통찰을 필요로 한다. 문장 하나를 쓰더라도 머릿속 창고에서 최적의 표현을 찾아내는 작업이 녹록지 않다. 그러니 글을 쓰는 과정서 늘 심리적 압박에 휘달리기 일쑤다. 잘 써지지 않을 땐 몇 줄의 진척도 없이 글은 천리 밖으로 달아나고 만다. 심지어 마감에 쫓겨 전전긍긍하는 꿈에 부대끼는 것도 숱하다.

또한 글을 쓸 땐 사람들에게 좋은 영향을 주고, 생각할 거리를 주자는 마음이었다. 현업서 뛸 때 나름 절제한다고 했지만 본의 아니게 비판의 칼을 휘둘렀을 수 있다. 당사자들에게 상처가 됐을 수 있기에 회한으로 다가온다.

100세 시대라는데 그저 반갑지만은 않다. 나이 육십이 되고 보니

항산(恒産)은 불안정해지고 고뇌는 깊어진다. 은퇴 시점을 종착역으로 받아들여야 할지, 이모작을 시작하는 출발점으로 잡을 것인지는 오롯이 나의 몫일 터다.[3]

돌이켜 보면 20대 후반 패기 하나로 홀로 섰다. 이순(耳順)이 된 지금은 마음을 나눌 내 편이 곳곳에 포진해 있지 않은가. 이쯤에서 만절(晚節)이라는 말을 반추해 본다. 나이 들어서도 절개를 잃지 않고 더욱 소중히 여긴다는 그 의미를 가슴속에 새긴다.

정년 후 오늘 십 년 동안 습작해 온 글을 끝으로 펜을 내려놓고 사랑이야기를 썼다. 오랫동안 초름한 저를 성원해준 가족과 친구, 동료 여러분 그리고 독자들께도 감사드립니다.

우리가 인생을 살면서 반드시 거쳐야 할 바로 그 길목에서 마주쳐야 하는 사랑, 그곳을 지나면서 느낀 작은 생각들을 모은 것입니다. 길의 중요한 통로가 되는 그곳을 지나려면 그때마다 풀어야만 하는 난제들이 기다리는 법. 넓은 길에서 좁은 길로 들어서는 첫머리에 도달할 때마다 정말이지 많은 인연과 도움, 그리고 은혜 덕에 기적처럼 희망과 행복을 얻게 되었습니다.

난 한 여인을 사랑하게 되었다. 소위 '영혼(靈魂, 육체 속에 깃들어 생명을 부여하고 마음을 움직인다고 여겨지는 무형의 실체)의 일치를 느끼게 해 준 여인' 이라고 명명(命名)하면서, 춘매(春梅)가 순수한 사랑으로 예쁜 꽃을 피우기를 기다리는 마음으로......

그럼에도 불구하고 사랑합니다. 내 일생 최대의 행운이 있다면 당신을 만난 것이요. 내 일생 가장 고마운 사람이 있다면 바로 당신이기 때문입니다.

2024년 6월
海東 김용수 씀

차례

눈 깜박이는 순간에도 그리운 당신

당신 발치에서 내 생애를 보낼 수 있다면
낮엔 태양 빛으로 밤엔
별빛으로 존재하고 싶습니다.
그 어떤 빛으로든 당신을 비추고 싶습니다.
흔적도 없이 증발해 공기가 되고 싶습니다.

늘 당신 주변 맴돌 수 있게
당신의 호흡을 통해
당신 몸 속 하나하나 여행하고 싶습니다.
심장도, 폐도.

비가 되고 싶습니다.
아파오는 이 사랑에
눈물짓는 내 맘 당신이 아시도록
작은 돛단배 위협하듯
 출렁이는 폭풍 같은 내 사랑이
바다와 닮았으므로
당신 발치에서 내 생애를 보낼 수 있다면
세상의 그 무엇이 된다 해도 좋습니다.

모래 알갱이가 된다 해도 사랑합니다.
당신의 숨결 하나하나 모습 하나하나 눈빛

하나하나 사랑합니다.

사랑합니다.
잠시 눈 깜박이는 순간에도 그리운
당신을 사랑합니다
사랑합니다. 심장이 멎는 그 순간까지
아니 그 후에도 영원히 당신을 사랑합니다.
사랑합니다. 사랑합니다.

당신 보낸 후 밤새 잠들고 싶지 않습니다.
꼬박 당신을 그리며 밤을 새우고 싶습니다.
무뇌증이고 싶습니다.
당신 떠올리지 않게
그리워하지 않도록 심장이 조여 오는 듯한 이 그리움
당신 보낸 후 난 아무 것도 할 수 없습니다.
사랑해요!

다음 생에 태어나면 꼭 당신으로 태어날 겁니다.
다시는 헤어지는 일이 없도록…

Ⅰ. 들어가는 글

인간은 사회를 이루면서 지금까지 생존해왔다. 서로 아끼고 사랑하고 의존하면서 삶을 풍요롭게 했다. 사회를 제대로 이루지 못한 동물들은 사회를 이룬 인간보다 환경에 효율적으로 적응하지 못했고, 인간은 사회를 통해 만물의 영장(靈長; 영묘한 능력을 가진 우두머리)이 됐다.

인간의 삶은 먹는 것과 사랑하는 것으로 이루어져 있다. 과고에는 이들을 잘 해결하기 위해서는 젊은 힘이 필요했다. 그러나 시스템이 발달한 현대사회에서는 젊지 않더라도 해결할 수 있게 됐다. 나이가 들더라도 돈 등을 통해 힘을 비축할 수 있고, 평균 수명이 늘어나면서 젊은 사람 못지 않게 사랑하는 사람을 책임질 수 있게 되었다. 특히 나이가 들면서는 먹고사는 것보다는 사랑하는 쪽으로 관심이 옮겨갔다. 먹는 거야 하루 세 끼면 그만이지만 사랑은 우리에게 끝없이 우리 에너지를 소화해주기 때문이다.

사랑에는 이성의 만남뿐만 아니라 성욕을 승화하는 문화, 놀이 등 많은 것이 포함된다. 쾌락, 감동, 즐거움, 안정감, 영혼의 충만감, 신뢰성 있는 어울림 등이 모두 사랑에 포함되는 것이다.[4]

코끼리에게 긴 코가 있고 기린에게 긴 목이 있다면, 인간에게는 사회가 있다. 그래서 피치 못할 사정으로 사회에서 떨어져 홀로 남겨진 인간은 코가 잘려나간 코끼리나 목을 잃은 기린과도 같이 큰 아픔을 겪게 된다. 사회가 커질수록, 사회에 의존하는 것이 많으면 많을수록 인간 사이의 의존, 믿음 특히 사랑의 중요성이 커졌다. 마찬가지로 사랑으로 인해 받는 아픔도 커졌다. 그 아픔은 때로는 인생을 굴곡시키기도 한다. 나 역시 지난 삶을 돌이켜보면 사랑의 아픔에 사로잡혀 인생을 파괴적으로 산 나날이 많았다.5)

요즘처럼 사랑을 말하는 게 덧없어 보인 적이 없다. 2010년대 중반부터 한국 여성의 성의식은 급격히 변화했다. 페미니즘이 시대의 테제로 부상하고, 여자들은 동화 같은 이성애 판타지의 주술에서 풀려나고 있다. 다른 한편으로 세상은 아무것도 변한 게 없어 보이기도 하다. 여전히 텔레비전에선 연애 드라마와 짝짓기 예능 프로그램이 흘러나오고, 거리에는 사랑 때문에 울고 웃는 청춘이 있다.

이제 고희((古稀)를 넘긴 나이에 '사랑'이라는 이름으로 다른 사람을 애틋하게 그리워하고 열렬히 좋아하는 마음 또는 그런 관계나 사람 이야기를 쓰려고 한다. 공자 논어 위정편에 "일흔이 되어서는 무엇이든 하고 싶은 대로 하여도 법도에 어긋나지 않았다(七十而從心所欲 不踰矩)."고 한 말에 자신감을 갖게 되었다.

인간이라면 누구든, 언제 맞닥뜨릴 수 있고 끊임없이 반복되며 결코 내성이 생기지 않는 실존적 문제로서의 '외로움이 아니라 성애 관계의 상실로 인해 발생한 광란의 호르몬 파티 상태 말이다. 하지만 성애는 그 자체에 의미가 있는 것이 아니라 서로의 사랑을 확인하기 위해 수속으로서 있는 것이다.

사랑은 유리창과도 같다. 닫힌 문으로는 볼 수 없던 바깥의 풍경들을 보게 해주기 때문이다. 하지만 유리창은 애정의 통로이자 번뇌의 벽이기도 하다. 문을 열고 거리로 나서서 애정과 번뇌의 숨결을 직접 느끼는 것은 독자 여러분의 몫이다.

난 한 여인을 사랑하게 되었다. 소위 '영혼(靈魂, 육체 속에 깃들어 생명을 부여하고 마음을 움직인다고 여겨지는 무형의 실체)의 일치를 느끼게 해 준 여인'이라고 명명(命名)하면서, 춘매(春梅)가 순수한 사랑으로 예쁜 꽃을 피우기를 기다리는 마음으로······

II. 영혼(靈魂)을 함께하는 사랑

동양에서는 인·자비라는 사상이 사랑과 통한다. 인은 혈연에 뿌리를 둔 사랑에서 생겨나 인연이 없는 사람에게까지 확대된다. 불교의 '자'는 진정한 우정이며 '비'는 연민과 상냥함을 뜻하며 여기서 서로 상대를 연민·위로하는 사랑이 생겨난다.

그리스도교에서 예수는 참된 사랑이 자기희생으로부터 온다는 것을 스스로 보여주었다.

그리스어로 사랑은 에로스·아가페·필리아라는 3개의 단어로 표현된다. 에로스는 정애에 뿌리를 둔 정열적인 사랑이며, 아가페는 무조건적 사랑으로 대표되는 것으로 사람과 사람 간의 독립적 존재를 바탕에 둔 사랑이다. 필리아의 사랑도 독립된 이성간에 성립되는 우애를 의미하는데 상대방이 잘되기를 바라는 순수한 마음의 상태를 쌍방이 인지하고 있는 상태를 가리킨다.

벨 훅슨(bell hooks)는 저서 『올 어바웃 러브(All about Love)』에서 '러브(Love)'는 형용사가 아니라 동사라는 점을 강조한다. 그에 따르면 진정한 사랑이란 '솔직하고 열린 마음으로 상대를 보살피고 애정을 표현하고 상대에 대해 책임을 지고 상대를 존중하고 상대에게 충실과 헌신을 다하고 상대를 신뢰하는 것이다' 이다.

어느 날 갑자기 풍덩 빠지는 게 아니라 의지를 가지고 선택한 사랑이 더 진실할 수 있다고도 한다. 세상에 저런 사랑을 할 줄 아는 사람이 몇이나 될까 싶지만 지향점으로 삼기에는 충분해 보인다. 사랑이 단지 상태가 아니라 의지를 갖고 무언가를 실천하는 행위라면 사랑이란 달콤한 포장지에 쌓인 체를 감별하기가 한결 쉬

워진다.[6]

영혼(soul, 靈魂, spirit)은 육체 속에 깃들어 생명을 부여하고 마음을 움직인다고 여겨지는 무형의 실체로 몸이 죽은 뒤에도 영원히 존재한다고 여겨진다.

나는 다시 연애를 시작했고, 나를 잃지 않고 타인을 사랑하는 법을, 머리에서 가슴으로 스스로에게 가르치고 있다. 그래야만 사랑하는 사람과 건강한 관계를 맺을 수 있고, 설령 다시 혼자가 된다해도 잘 살 수 있다고 믿기 때문이다. 나 못지않게 나를 사랑해 줄 사람을 만나는 건 그게 누님이건 친구건 애인이건 연인이건 행운의 영역이다, 당신과 영혼(靈魂)을 함께하는 사랑이기 때문이다.

과연 당신이 원하는 전통적이고 낭만적인 로맨스(romance)는 페미니즘(Feminism)과 양립할 수 있을까?

영혼(靈魂)의 향기(香氣)로 사랑하여라

장시하

그대여 영혼의 향기로 사랑한 적 있는가
사랑하면 할수록 영혼의 향기가
그윽해 짐을 느껴 본 적 있는가

사람마다 지문이 다르듯 영혼의 향기가
다름을 느껴 본 적 있는가 영혼의 향기가
말하는 소리에 귀 기울려 본 적 있는가
그대 가슴에 난 영혼의 귀로 소리를 들어보라
그대 가슴에 난 영혼의 코로 향기를 맡아보라

영원히 시들지 않고 마르지 않는
영혼의 향기를 육체의 향기로 나눈 사랑

그 육신의 옷 벗으면 끝나지만 머리로 나눈 사랑
언젠가는 희미하게 지워지지만 가슴으로 나눈 사랑
영원히 시들지 않고 마르지 않음을 아는가

어떤 사람 살며 한 번도 영혼의 소리 못 듣고
어떤 사람 살며 한 번도 영혼의 향기 못 맡고
세상 옷을 훌훌 벗어버리지만....

그대여 영혼의 향기로 사랑하여라
영원히 시들지 않고 영원히 마르지 않는
가슴으로 사랑 하여라

세상 끝 넘어가도 변치 않는
영혼의 향기로 사랑하여라

1. 짝사랑

짝사랑(unrequited love, one-sided love, crush)은 한 사람에게 연애 감정이 있지만, 상대도 자신에게 그런 감정이 있지 않거나 명확히 알 수 없는 상황을 말한다. 양측이 서로 상대에 대한 짝사랑을 하는 경우도 있다. 현대사회에서는 한쪽이 홀로 누군가를 사랑한다는 의미로 해석되기도 한다.

메리엄 웹스터 온라인 사전에서는 짝사랑의 정의를 "not reciprocated or return in kind" 이라고 표현했다.[7]

짝사랑을 하여도 옥시토신과 같은 사랑을 할 때의 호르몬이 분비된다. 하지만 이 과정에서 고통이나 슬픔을 느낄 경우 노르아드레날린과 같은 호르몬이 분비된다. 주로 흔히 말하는 '짝사랑'은 옥시토신과 노르아드레날린이 동시에 분비된다고 한다.

한편, 뮤즈(Muse)는 그리스 로마 신화에 나오는 예술의 여신들. 멜포메네, 에라토, 에우테르페, 우라니아, 칼리오페, 클에이오, 탈리아, 테르프시코레, 폴리힘니아를 뜻한다. 이들은 제우스와 므네모시네의 딸들이며, 뮤즈라고도 불린다.

신화 속 이상적인 여신의 얼굴이라면 딱 이런 얼굴이 아닐까 싶다. 라파엘로가 르네상스 전성기 시대를 함께 이끌던 레오나르도 다 빈치나 미켈란젤로보다 뛰어났던 점은 인물을 여성스러울 정도로 온화하고 부드럽고 인간적이면서도 개성이 뚜렷하게 그렸다는 것이다.

현대의 뮤즈(Muse; 그리스 신화에 나오는 학예(學藝)의 여신)[8]는 자기 스타일(style)의 여성상을 의미하는 것인가? "그렇다." 자기 스타일의 여성상에 대한 짝사랑 여인(女人)을 일컫는다.

도계 전산정보고등학교 학교장으로 퇴직(2013. 2. 28) 후 새로운 길을 모색하고자 여러 분야에 관심을 가져보았다.

퇴직 전에 해보고 싶었던 소망은 전국 100대 산을 다녀보는 것이었다. 그들 산의 정상까지 오르기는 어려워도 아마 7부 등선쯤에는 사찰이 있을 거라는 기대였기 때문이다. 사실 목적은 절(사찰, 寺刹) 탐험이었다.

No	산 명	높이	100대 명산	인기 100산	위 치
1	가덕산	858 m		인기	경기 가평군, 강원 춘천시
2	가리봉	1519 m		인기	강원 인제군
3	가리산	1051 m	명산		강원 춘천시, 홍천군
4	가리왕산	1561 m	명산	인기	강원 정선군, 강원 평창군
5	가야산	1430 m	명산	인기	경남 합천군, 경북 성주군
6	가지산	1240 m	명산	인기	울산 울주군, 경북 청도군, 경남 밀양시
7	간월산	1083 m		인기	울산 울주군
8	감악산	675 m	명산	인기	경기 파주시, 양주시, 포천시
9	강천산	584 m	명산	인기	전북 순창군, 전남 담양군
10	계룡산	845 m	명산	인기	대전, 충남 공주시, 논산시
11	계방산	1577 m	명산	인기	강원 홍천군, 평창군
12	고대산	831 m		인기	경기 연천군, 강원 철원군
13	공작산	887 m	명산		강원 홍천군
14	관악산	629 m	명산	인기	서울 관악, 금천, 안양시, 과천시
15	광교산	582 m		인기	경기 수원시, 용인시
16	광덕산	1046 m		인기	경기 포천군, 강원 철원군
17	구병산	877 m	명산		경북 상주시, 충북 보은군
18	국망봉	1168 m		인기	경기 포천군, 가평군
19	금 산	681 m	명산	인기	경남 남해군
20	금수산	1016 m	명산	인기	충북 제천시, 단양군
21	금오산	977 m	명산	인기	경북 구미시, 김천시, 칠곡군
22	금정산	802 m	명산	인기	부산 금정구, 경남 양산시
23	깃대봉	368 m	명산		전남 신안군(홍도),
24	남 산	468 m	명산		경북 경주시,
25	남덕유산	1507 m		인기	경남 함양군, 거창군,
26	남한산	522 m		인기	경기 광주시, 서울 송파구
27	내연산	710 m	명산		경북 영덕군, 포항시
28	내장산	763 m	명산	인기	전북 정읍시, 장수군, 순창군,
29	노인봉	1338 m		인기	강원 강릉시
30	달마산	489 m		인기	전남 해남군
31	대둔산	878 m	명산	인기	충남 논산시, 금산군, 전북 완주군
32	대암산	1304 m	명산		강원 양구군, 인제군
33	대야산	931 m	명산	인기	경북 문경시, 충북 괴산군
34	덕숭산	495 m	명산		충남 예산군,
35	덕유산	1614 m	명산	인기	전북 무주군, 장수군, 경남 거창군
36	덕항산	1071 m	명산		강원 삼척시, 태백시
37	도락산	964 m	명산	인기	충북 단양군,
38	도봉산	740 m	명산	인기	서울 도봉구, 경기 의정부시, 양주군
39	두륜산	703 m	명산	인기	전남 해남군
40	두타산	1353 m	명산	인기	강원 삼척시, 동해시
41	마니산	469 m	명산	인기	인천 강화군
42	마이산	686 m	명산	인기	전북 진안군,
43	매화산	954 m		인기	경남 합천군
44	명성산	923 m	명산	인기	경기 포천군, 강원 철원군
45	명지산	1267 m	명산	인기	경기 가평군, 포천군
46	모악산	794 m	명산	인기	전북 김제시, 전북 전주시
47	무등산	1187 m	명산	인기	광주, 전남 담양군, 화순군
48	무학산	761 m	명산	인기	경남 마산시,

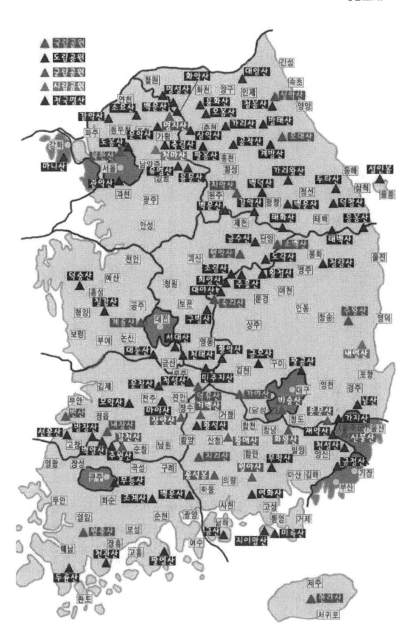

사찰 탐험이 여의치 않자 운동 쪽으로 시야를 돌렸다. 먼저 수영장을 답사하였다. 종합운동장 아래쪽에 있는 수영장을 방문하였다. 수열 강습 및 자유 수영 신청 인원이 워낙 많아 3개월 이상 기다려야 한다는 것이다.

다시 발길을 돌렸다. 이제는 댄스스포츠(Dance Sports)나 쇼셜댄스(Social Dance)를 알아보기 위해서였다.[9]

먼저 조주란댄스스포츠와 위너스댄스스포츠를 방문했다. 그후 후배 정교가 운영하는 정교댄스스포츠사교클럽을 방문하여 수업 방법 및 회비 등을 알아보았다.

얼마 후 동네를 산보하다 탁구장을 간판을 보게 되었다. '드림 탁구장'이었다. 탁구장 관장을 만나 문의 과정에서 나이(?) 탓인지 60대 이상은 한 블록(block) 뒤에 '시니어 해핑 탁구장'을 가보란 것이었다. 영리를 목적으로 하는 탁구장에서 다른 탁구장을 소개해 준다는 것이 의아스럽기도 했지만 지하에 설치되어 있는 '해핑 탁구장'으로 발을 옮겼다.

2018년 8월 중순경(中旬頃) 회원 신청을 마치고 탁구 운동을 하기 시작했다.

그러던 어느 날 탁구장 트레이너(trainer) 겸 회원 신청을 접수하는 한 여인을 목격(目擊)하게 되었다. 그야말로 내 취향에 딱 떨어지는 스타일(style; 사물의 존재 양태나 사람의 행동에 드러나는 독특하고 일정한 방식)의 여인과 마주하게 된 것이다. 말 그대로 나의 뮤즈(Muse)라고나 할까. K라는 여인이었다.

그렇게 만나 내 마음을 송두리째 앗아가 버렸다. "아! 저런 여인과 한번 살아봤으면" 아니 "한 번이라도 안아보고 키스라도 해봤으면" 하는 마음이 간절했다. 감히 도전에 보기에는 고고(高古; 세속을 초월하여 예스럽고 고상하다)하고, 고고(孤高; 속된 현실 사회에서 벗어나 홀로 깨끗하고 우뚝하다)했다. 게다가 예쁜 얼굴에 품위(品位; 사회생활 과정에서 형성된 사회적 관념으로서, 사회 성원들이 각각의 지위나 위치에 따라 갖추어야 한다고 생각되는 품성과 교양의 정도)도 있어 쉽게 접근하기가 어려웠다.

연상의 연인! 즉 연상연하(年上年下), 그런 관계로 소위 짝사랑을 하게 되었다. 한 가지, 처음 본 순간 몸 자체에서 광체가 발산한 듯한 환상을 지금도 잊을 수 없다.

그후 해평 탁구장 트레이너로 선발되어 같이 한 팀으로 근무하는 행운을 얻기도 했으며, 강릉에서 주관한 강원도탁구대회 심판도 그 여인과 같이 참가하게 되었다.

몇 가지 기억나는 일이 있다. 점심 도시락을 나누어 주시던 일, 탁구장 커피 사주시던 일, 떡을 먹여주시던 일, 유니폼을 주시던일, 겨울용 빵모자, 자색 잠바 주시던 일 등 많은 부문을 내게 챙겨주시곤 했다. 참 정이 많으신 분으로 늘 감사해 하곤 했다.

2020년 7월 건강이 좋지 않아 병원생활을 하게 되었다. 그리고는 그 여인을 만날 수가 없었다.

그렇게 좋아했던 환상적인 연상의 K여인과 잠정적 이별을 하게 되었다.

하나님이 계시다면 나에게 이럴 수 있을까 그러나 어떤 일이 일어난다면 반드시 그만한 이유가 있다고 했다. 세상 어떤 일에도 우연은 없다. "신은 주사위를 던지지 않는다"고 아이슈타인이 말했다. 정해진 법칙대로 간다. 삶은 오해도 받고 누명도 쓰는 것이다. 실수와 시행착오를 통해 배우는 것이다. 그런데도 나는 아직도 자존감에 상처로 남아 있다. 좌절과 모멸감이 스멀스멀 스며든다. 상처에 고통은 잘 아물지 않는다.

반 고흐는 꿈을 꾸듯 그림을 그린다. 본질적인 것을 잡아내기 위해 캠퍼스를 메워나간다. 고통은 광가보다 강한 법이라면서, 그림을 통해서만 말한다. 그에게 있어서 그림은 과거와 현재를 이어주는 유일한 고리였다 "진정한 화가는 캠버스를 우려워 않는다" 면서 남의 눈치보다는 자기 눈으로 본 것만을 그렸다. 밤을 보는 방식을 바꾸었다. 나도 고흐를 보면서 밤을 새롭게 느꼈다. 내 눈으로 보는 밤을 알게 되었다.[10]

"짝사랑!

"나 봄 타나 봐요." 봄앓이하는 분들이 많아. 외롭디야~. 뭔 똥차 앞에서 방귀 뀌는 소리. 난 살짝 모자란 반거충이(야무지지 못한 사람) 같아. 성격조차 모나고 까슬까슬해. 주머니 사정이 언제는 좋았더냐. 눈먼 돈 생기면 책과 음반을 친구 삼아. 길을 잃으면 운명처럼 왼쪽으로 가. 평생 외로운 좌파 아웃사이더. 슬픈 노래에 울면서 그나마 잔잔하게 살 수 있었던지도 몰라. 분주한 '인싸' 나 '그럴싸' 보다 친구가 적으면 또 어때. 녹색 사막 골프장은 근처에도 안 가. 지난 봄날 앞뜰 청보리밭이 내 눈엔 컨트리클럽. 마당에 공을 던지면 우리 개들이 다 찾아서 물어와. 도무지 어떤 게임도 할 수가 없어. 스스로 왕따 되어 혼자서 휴일을 보내기도 해. 누군가 꼭 봐줬으면 하고 피는 봄꽃이 핀다. 외롭게 핀 꽃들에게 반가운 친구가 되어준다.

외로움이란 작별이나 결별, 또는 '모쏠' 상태에서 나오는 슬픔일진대, 그걸 이겨낼 방도를 배운 바가 없지들. 이스라엘판 삼국지 성경에도 보면 대체로 만남은 드라마틱해. 하지만 작별 하면 '배신, 배반', 저주를 퍼붓다가 칼부림까지 해. 봄 타는 이들의 외로움 극복책은 짝사랑뿐인 거 같다. 짝사랑의 장점이 무려 3가지나 있는데, 첫째 연애경비 절약. 둘째 절교당할 일 없음. 셋째 상대를 맘껏 고르고 또 바꿀 수 있음. 연예인을 향한 팬심도 짝사랑의 곁가지.

며칠 전 광화문 네거리를 친구들과 걸었다. 짝사랑 여인이 보이질 않자 애간장이 녹았는지 주여~를 외치는 신자들 집회에 놀라 도망쳤다. 주머니 사정에 맞는 김치찌개를 먹고, 사진작가 임채욱 형의 초대로 '북한산길' 전시 구경. 이 날라리 목사보다 한 뼘 높은 '찍사'의 달콤하고 지독한 북한산 사랑 얘기는 감동적이었다. 하지만 나는 짝사랑만 할래. 서울의 뒷길은 먹먹하고 혼잡해라. 지방에, 낮고 심심한 산자락에도 사람이 살고, 앞으로도 살아야 않겠는가. 이도 어쩌면 짝사랑일지 모르겠다만.[11]

가. 연상의 여인

연상연하(年上年下)는 서로 연인 사이인 두 남녀 중에서 여성이 남성보다 나이가 많은 경우를 뜻한다. 이런 나이 관계인 커플 자체는 이전부터 있었지만, '연상연하'라는 네 글자 조어법은 21세기 들어서 널리 퍼졌다.

남자들이 연상의 여자를 만나는 이유는 또래나 연하의 여자에서 느끼지 못한 매력이 있기 때문이다. 연상 특유의 연륜과 매력 내지는 사회적 지위나 경제적 풍족함 그 외 여러 이점(利點)이 있기 때문이다.

남자의 감정을 이해할 수 있는 연륜. 연상의 여성은 연하남 혹은 그 남자가 만날 법한 어린 여성보다 사회 경험이 많다. 그래서 남자들이 싫어하는 표현이나 분위기를 깨는 말투 등을 잘 하지 않는다. 또한 사회경험이 있기 때문에 연하남의 직업, 학업을 이해해줄 수 있다.

연상녀만의 매력이 있다. 연하남은 일반적으로 연하 및 동갑과의 만남에 지쳐있는 경우가 많다. 데이트 코스 설정, 차 운전, 요리, 사진찍기 등을 보통 남자가 다 해줘야 하는 경우가 많아 지치는 면이 있기 때문. 반면 연상녀의 경우 예를 들면 차를 소유하여 운전을 해봤기 때문에 장거리 여행에서 남성의 입장을 연하녀보다 더 잘 이해해줄 수 있다.

남성의 성향 자체가 누군가의 위에 서는 것을 불편해하는 경우. 사회 통념과는 달리 꽤 보이는 유형인데, 연상의 매력이니 연륜이니 다 필요 없고 그냥 누군가의 위나 앞에 서서 상황을 이끌어가는 것을 피곤해하는 성향의 남성의 경우 다른 남성보다 연상을 만날 확률이 높아진다. 여성 쪽이 어지간히 당찬 성격이 아닌 이상 연하녀 연상남의 경우는 남성 쪽이 관계를 리드하는 경우가 자연스레 성립되는 경우가 많은데, 가부장적 정서가 많이 타파된 젊은 층의 경우 나이가 많으면 남녀 상관없이 그 쪽이 리드하는 정서가 나오게 되기 때문이다.

'누나'가 나를 챙겨주면 좋겠다는 로망(roman)이 있으면 연상녀를 만나고 싶어한다.

많은 경우 경제적 이유가 작용하기도 한다. 특히 젊은 층일수록 (주로 군 문제 때문에) 남성보다 여성이 경제 활동을 빨리 시작하기 때문에 경제적 여유가 더 클 가능성이 높다.

여성의 평균수명이 남성보다 길다는 점을 감안하면 결혼생활에서 걱정이 준다. 부부 중 한 명이 먼저 사망하면 심리적 외로움과 경제적 궁핍함이 커진다. 남편이 아내보다 나이가 많은 부부는 생명 보험 등 노후 준비에 더 투자를 많이 해야 한다.

한편, 연상녀가 어린 남자에게서 무엇을 기대하는지 여자의 입장에서 서술하면 다음과 같다.

연상남들이나 동갑 남성들한테서는 못 느끼던 귀여움. 특히 이게 가장 큰 편이다. 그나마 동갑들한테서는 귀여움을 느끼는 경우도 있긴하나, 연하남한테서 느끼는 것과는 차원이 다르다. 똑같이 귀여움을 느껴도 그 상대가 동갑인 경우랑 연하인 경우는 서로 그야말로 천지 차이다.

'누나' 로써 자신이 리드하고 챙기고 싶은 마음. 이건 상술한 연상녀 입장에서 자기보다 어린 남자를 귀여워서 좋아하는 것과도 연관이 있는 경우가 많다.

나이 차가 10살 이상을 가볍게 넘길 경우, 일종의 모성애와 비슷한 감정이 생겨서 좋아하는 경우도 있다.

상술했듯이 연하남들 중 동갑여성이나 연하녀와의 만남에 지쳐있어서 연상녀한테 기대는 경우도 많듯이, 연상녀 또한 동갑남성이나 연상남과의 만남에 지쳐있어서 연하남한테 기대는 경우도 많다.

연상의 여인

윤민호 노래/김성신 작사/안치행 작곡

이제는 잊어야 할 당신의 얼굴에서
수줍던 지난 날의 내 모습을 봅니다

내 젊음을 엮어서 내 영혼을 엮어서
사랑했던 여인 연상의 여인
못다 한 사랑이 못다 한 내 노래가
그리운 마음에서 당신 곁을 스치네
내 젊음을 엮어서 내 영혼을 엮어서
사랑했던 여인 연상의 여인
못다 한 사랑이 못다 한 내 노래가
그리운 마음에서 당신 곁을 스치네
당신 곁을 스치네

연상의 여인

황민호 노래
서석현 채보

'운명의 붉은 실' 이야기를 아는가. 사람은 태어날 때 새끼손가락에 보이지 않는 붉은 실을 묶고 태어나 실의 반대쪽에 새끼손가락에 엮여 있는 운명의 상대와 만나게 된다는 일본의 오래된 민담 말이다.

운명의 붉은 실이란 붉은 색의 실이 사람 간, 특히 연정을 품은 두 남녀간의 인연을 이어 준다는 중국의 설화와, 여기에서 유래되어 동아시아에서 널리 믿어지고 있는 미신적 문화요소를 가리킨다. 중국어로는 '훙셴(紅線, 홍선)', 일본어로는 '아카이이토(赤あかい糸いと)' 라 부른다.

언젠가 맺어질 남녀는 보이지 않는 운명의 붉은 실로 서로 이어져 있다는 믿음으로, 월하노인(月下老人)이라 불리는 노인이 있어 그가 붉은 끈으로 발목을 묶은 남녀는 아무리 원수지간이라 하여도 반드시 맺어진다는 이야기에서 비롯되었다.

운명적 상대라는 소재는 오랫동안 낭만적 사랑의 강력한 기제로 이용되어 왔다. 낭만적 사랑을 지나 합류적 사랑의 단계에 접어든 현대 사회와 모순되게 최근 로맨틱 코미디 영화에서는 '단 하나뿐' 인 운명적 상대를 찾아 나서는 이야기가 자주 발견된다.

「청담보살」의 여주인공 태랑은 스물여덟 살이 되기 전에 운명의 남자를 만나야만 액운을 피할 수 있는 사주를 타고났다. 어느 날 우연한 교통사고로 승원으로 만나게 되고, 태랑은 가진 것 하나 없는 승원이 운명의 남자라는 이유로 사랑을 구걸한다.

「김종욱 찾기」 역시 여주인공 지우는 여행지에서 우연히 만나 함께 여행을 한 첫사랑을 운명의 상대로 여기며 오랜 시간 잊지 못하고 지낸다. 우여곡절 끝에 그 사람을 찾아 나서기에 이른다. 사주와 운명이라는 다소 전근대적인 요소가 현대 로맨스에 끼어들게 된 이유는 무엇일까. 구시대적 사랑의 화법을 우리는 아직 벗어나지 못한 것일까.

운명은 절대적이지 않다. 운명은 유동한다. 현대의 개인은 하늘이 내려 준 운명을 수동적으로 수용하며 살아가지 않는다. 물론 운명이 여전히 사랑의 고귀성과 낭만성을 더해주는 요소로 인식되는 것은 사실이다. 그러나 개인의 운명을 고정된 형태로 받아들이기보다는 의지나 노력에 결합해 수용한다. 그래서 오늘날 개인이 찾는 운명의 상대는 하늘이 내려 준 사람이 아닌 '취향이 일치하는 사람'을 의미한다.

운명의 레토릭(rhetoric)을 압도하는 개인의 노력과 믿음은 한겨울 꽁꽁 얼어 버린 철문마저 녹인다. 가만히 앉아 나의 Mr. Right을 기다리는 시대는 저물었다. 지금 내 앞에서 나와 관계를 맺고 있는 사람을 믿고 관계를 이어 나가기 위한 노력을 기울이는 과정이 현대의 운명적 사랑이다.[12]

나. 다시 사랑할 수 있다

알랭 드 보통(Alain de Botton)의 책 제목대로 '왜 나는 너를 사랑하는가(Essays in Love)' 라는 질문에 답해보자.

'왜 나는 너를 사랑하는가(Essays in Love)' 는 사랑을 시작하기 직전, 사랑과 행복의 한가운데에서, 아픈 이별로 가슴이 저밀 때, 어떤 상황에서든 큰 울림을 주는 내용이다.

'사랑-이별-사랑' 의 오묘한 순환 고리에 빠지다

(1) 뜨거운 사랑과 죽음 같은 고통

〈왜 나는 너를 사랑하는가〉의 주인공 '나'는 일면식도 없는 '클로이'와 비행기에 나란히 앉아 두서없는 얘기를 나누게 된다. "짐을 챙겨서 세관을 통과했을 때 이미 클로이를 사랑하고 있었다"는 나의 고백처럼 사랑은 불시에 찾아온다. 두 사람은 곧 서로의 집을 오가며 사랑하게 되고 사소한 일로 다투기도 한다. 두 사람의 상태를 여러 고전에 반영하고 접목하면서 알랭 드 보통은 주옥같은 문장들로 사랑을 표현한다.

"자신이 다른 사람의 사랑의 대상이라는 것을 인식하는 것만큼 기쁘면서도 무시무시한 일은 드물다"고 말하는 알랭 드 보통은 "누군가로부터 사랑을 받는다는 것은 둘 다 똑같은 의존적 요구들을 공유하고 있음을 깨닫는 것이다"라고 정의한다.

연인들은 사소한 일로 다투기 십상인데 그는 "나는 너에게 관심이 있기 때문에 네 속을 뒤집어 놓는다"는 심리에 빗대 "우리는 사랑만이 아니라 사랑의 이면인 독설에도 감염되었다"고 상황의 진전을 알린다. 드디어 첫 말다툼이 불붙었는데 그 계기를 "나는 너를 안다, 따라서 너를 소유한다"라는 문장으로 대변한다.

둘은 티격태격하며 사랑을 하던 중 서로의 친구들과 어울린다. 나는 혼들리는 마음을 추스르지만 클로이는 나의 친구 윌을 만나면서 변심하고 만다. "절대 애인을 친구에게 소개하지 말라"는 연애 철칙이 떠오르면서 〈왜 나는 너를 사랑하는가〉가 공감받는 이유를 다시금 확인하게 된다.

클로이를 만나자마자 사랑했다가 1년 만에 헤어지고 죽음 같은 고통을 겪지만, 나는 몇 달 뒤 '불가피하게' 그간의 사랑을 잊기 시작한다. 그 대신 '대책이 서지 않는 사랑의 고통 때문에 비관적이 된 나는 사랑으로부터 완전히 떠나버리기로' 결심한다. '간소한 서재에 처박혀서 아무도 만나지 않고 소박하게' 살아갈 작정이었다.

어느 날 디너 파티에서 레이철이라는 여자를 만나면서 "사랑에 고통이 없을 수 없고, 사랑이 지혜롭지 못한 것일 수는 있지만 그렇다고 잊을 수 있는 것은 아니었다. 사랑은 비합리적인 만큼이나 불가피했다"고 인정한다. 레이철이 자신의 초대를 받아들이자 '마음이 떨리기 시작한' 나는 '내가 다시 한번 빠지기 시작했다는 것'을 깨닫는다.

(2) 마치 나의 이야기 같아 놀랍다

독서를 하다 보면 세 가지 포인트에서 놀라게 된다. 첫째 스토리가 너무도 평이하고 일상적이라는 점이다. 사랑과 이별 코스가 마치 나의 경험인 듯 너무도 똑같아 저절로 빨려 들어가게 된다. 둘째, 24세 알랭 드 보통의 독서력이 상황과 접목하면서 뿜어내는 통찰력이 어마어마하다는 점이다. 나는 이 나이에 이런 독서량과 이런 생각을 할 수 있을까, 그 부분에서 자칫 자책감이 들 수도 있다. 셋째, 사랑은 쉽게도 달아올랐다가 쉽게도 식으면서 죽을 만큼의 고통과 함께 사람을 성장하게 만든다는 점, 얄밉지만 끝내 달려가 봐야 할 행보라는 점을 다시금 깨닫게 된다.[13][14][15][16][17]

알랭 드 보통(Alain de Botton)은 왜 '나는 너를 사랑하는가'에 대해 무의식적 욕망 때문이라고 답을 내린다. 사람들은 사랑에 빨리 빠진다. 그것은 아마도 사랑하고 싶은 마음이 사랑하는 사람에 선행하기 때문이 아닐까요? 즉 사랑하는 사람의 출현은 누군가를 사랑하고 싶어 하는 무의식적인 요구가 먼저 있고, 그 요구가 그 사람을 해결책으로 발명한 결과일지 모른다는 거다. 사랑에 대한 욕망이 사랑할 사람의 특징을 이리저리 먼저 빚어내고서는, 그가 출현하자 그를 중심으로 그 형상이 구체화되고 운명적인 사랑인

양 빠져들게 된다는 것이다.

이 설명대로라면 우리 눈을 덮은 콩깍지가 벗겨진 이후 비로소 사랑하는 이의 진실 앞에 실망하게 되는 일이 조금은 설명될 것 같다. 우리가 꿈꿔온, 실재하지 않는 이상형을 투사한 결과이니 말이다. 그래서 알랑 드 보통은, 사랑은 보답받을 수 없는 감정이기 때문에 욕망이 더 커진다는, 아주 우울하게 오랫동안 전해 내려오는 전통들이 있다면서 이렇게 소개한다.

> 이러한 관점에 의하면 사랑은 방향일 뿐 공간은 아니다. 몽테뉴는 이렇게 말했다. "사랑에는 우리를 피해 달아나는 것을 미친 듯이 쫓아가는 욕망밖에 없다." 아나톨 프랑스 역시 "우리가 이미 가진 것을 사랑하는 것은 관례적이지 않다" 는 말로 입장을 보여주었다. 스탕달은 사랑은 사랑하는 사람을 잃는 것이라는 두려움을 기초로 해서만 생길 수 있다고 생각했다. 드니 드 루주몽은 이렇게 말했다. "사람들은 가장 넘기 힘든 장애를 가장 좋아한다. 그것이 정열을 강하게 불태우는 데 가장 적합하기 때문이다."
> -알랭드 보통, 『왜 나는 너를 사랑하는가』 (청미래, 2007)중에서-

저 주체들은 사랑을 욕망으로, 욕망을 소유로 등치시키는 어리석은, 혹은 어쩔 수 없는 어린아이나 짐승같다. 그들에게 욕망은 유예될수록 더 강렬해진다. "키스해도 될까요?" 는 말에 "아니오" 보다는 "다음에요" 라는 답이 돌아올 때 온몸을 바칠 각오를 한다. 그 '다음', 또 그 '다음' 을 향해 충실히 달려가는 거다. 이것이 알랑 드 보통이 이야기한 '사랑은 방향일 뿐' 이라는 말의 뜻이다.

문제는 불타던 뜨거운 욕망이, 사랑이라고 생각한 그것이 그만 식어서 사라져버린다는 것이다. 성취된 욕망은 이미 욕망이 아니기 때문이다. 그리하여 마치 북극의 정점에 온 듯 더 이상 나아갈 방향도 없이 멈춰버린다. 그러나 이에 대해 정신분석학자 에리히 프롬은 이렇게 말한다.

> 갑자기 친밀해지는, 이 기적은 성적 매력과 성적 결합에 의해 시작되는 경우, 대체로 더욱 촉진된다.
> 그러나 이러한 형태의 사랑은 본질적으로 오래 지속될 수 없다. 두 사람이 친숙해질수록 친밀감과 기적적인 면은 점점 줄어들다가 마침내 적대감, 실망감, 권태가 생겨나며 최초의 흥분의 잔재마저도 찾아보기 어렵게 된다. 그러나 처음에 그들은 이러한 일을 알지 못한다. 사실상 그들은 강렬한 열중, 곧 서로 '미쳐버리는' 것을 열정적인 사랑의 증거로 생각하지만, 그것은 기껏해야 그들이 서로 만나기 전에 얼마나 외로웠는가를 입증할 뿐이다
> 　　　　　　-에리히 프롬,『사랑의 기술』(문예출판사, 2019)중에서-

다행이다. 미쳐버린 상태에서 정상적인 상태로 돌아온 것이니까. 영화 제목처럼 '연애의 온도' 가 몇도이든, 결혼의 온도보다는 확실히 높지 않을까? 결혼을 하면 다들 사랑이 식는다고들 하니까 말이다. 하지만 무조건 온도가 높은 게 정상은 아니지 않다. 39도에서 36.5도가 된 것은 참 다행이지 않는가. 열병이 나은 것이니까. 열병이 가시지 못하면 욕망은 금기를 향하게 될 뿐이다.[18]

사랑이란 말 줄임표가 아닐까 생각한다. 뭐라고 한마디로 답하기 어려운…. 말이 잠시 끊겼던 침묵 같은 것이 사랑 아닐까?

분명한 것은, 남녀가 사랑에 **빠질** 때는 다양한 종류의 기대감이 작동하지만, 그 기대가 결코 완벽하게 충족되지 않으리라는 사실이다.[19]

☞ 당신에게 썼던 편지

사랑하기.

사랑이라는 말을 하기 위해서는 얼마나 많은 조건들이 필요한 걸까?

숱한 연애를 해 왔지만 나는 아직 사랑이 뭔지, 사랑한다는 상태가 뭔지 잘 모르겠어요. 세상의 많은 사람들이 책이나 잡지의 칼럼, 강연과 대중 매체들을 통해서 '사랑이란 이런 것'이다 하고 설명해주는 데도 도무지 진지하게 와닿지 않아요. 어떤 사람들 사이에 사랑이 존재한다면 그것을 에로스(Eros)적 사랑이 30만큼, 동반자적 사랑이 50만큼, 이렇게 얘기할 수 있을지도 몰라요. 하지만 사랑이 존재한다는 걸 어떻게 알 수 있는 건지 의문이 돼요. 영화 클로저(Closer)[20]에서 앨리스(Ellis), 그러니까 제인(Zain)이 댄(Dan)에게 외쳤듯이 말이어요.

> "Show me! Where is this love? I can't see it, I can't touch it, I can't feel it, I can't hear it. I can hear some words but I can't do anything with your easy words."

사랑이라는 거 그렇게 대단한 게 아닐지도 모른다고 생각하면서도, 지난 연애들에서 사랑이라고 생각했던 것들이 사실은 사랑과는 뭔가 다른 거라는 걸 뒤늦게 깨달으면서도, 나는 당신을 사랑했으면 좋겠어요. 그리고 당신도 나를 사랑했으면 좋겠어요. 그리고 우리는 사랑일까, 하는 의심을 하지 않을 수 있으면 좋겠어요. 그런 게 가능할 리가 없다고 생각하지만.

누군가를 사귄다고 하면 다들 어디가 좋냐고 물어보지요. 옛날에 나는 그 사람이 그 사람이어서 좋다고 생각했었어요. 그런데 알고 보니까, 그 사람이어서 좋다는 것은 나에게 있어서 그 사람을 이루는 조건들이 좋다는 뜻이 더라구요. 그 사람을 이루는 것들 중에서 내 눈에 보이는 것들은 조건들이 우선이었으니까. 시간이 갈수록 느껴지는 다른 조각들이 날 아프게 했었어요. 그래서 이제는 어떤 관계들 속에 있는 당신을 좋아하려고 해요. 나는 아직 미숙한 사람이라 당신의 관계들을 보는 게 쉽지 않지만 옛날보다 내가 좋아하는 사람의 본질에 가까워지고 있다는 생각이 들 때가 있어요.

하지만 솔직히 말하자면, 내가 당신을 좋아하는 아주 큰 이유 하나는 당신이 나를 좋아한다는 거예요. 나를 좋아하는 사람 모두를 내가 좋아하는 건 아니어요. 하지만 네게 있어서는, 나를 향한 당신의 애정이 내 애정에 밑거름이 되어줬어요. 이제는 싹튼 내 애정이 스스로 자랄 수 있는 시기에 이르렀지만, 처음에는 그랬어요. 그땐 순수하게 애정을 믿고 받아들였었어요. 지금은 그게 조금 어려워요.

나는 자존감이 낮은 사람이라서 끊임없이 당신의 애정을 의심하고 혼자 괴로워하지요. 당신이 나를 좋아하는 걸 느끼면서도 나는 누가 좋아해 줄 만한 사람이 아니라고 생각하니까요. 그러다 보면 이런 생각이 들어요. 누가 나를 좋아해 주는 게 그렇게 중요한가? 그렇다고 답하는 내가 다시 스스로 질문을 하지요. 왜? 내가 나를 좋아하지 않으니까, 대신 나를 좋아해 주는 사람이 있었으면 좋겠어요, 그리고 그 사람은 아주 완벽한 사람이면 좋겠어요.

그래, 나는 사실 아직 사춘기 청소년의 혹은 그보다 더 어린아이들의 유치한, 하지만 원초적인 욕구에서 벗어나지 못하고 있는 것이지요. 이 문제를 해결할 방법도 세간에 널리 알려져 있어요. 심지어 딱히 계몽적인 가사는 아닐지라도 유명한 노래 제목도 있지요. Love yourself. 하지만 그게 그렇게 쉬운 일이라면 왜 많은 사람들이 나와 비슷한 이유로 고민을 하겠어요.

그런데 당신은 어떨까? 나는 항상 궁금해요. 애태우는 내 모습을 바라보면서 당신은 무슨 생각을 할까, 당신도 불안할 때가 있을까, 당신은 나의 좋아하는 감정을 신뢰하고 있을까, 뭘 믿고 그럴까? 항상 차분한 당신의 모습을 보면서 가끔은 나 혼자 바보가 된 기분이 들어요. 왜 내가 먼저 우리의 관계의 앞날을 그리는 사람이 되는지요, 그게 마음에 들지 않지만 멈출 수가 없어요. 나는 여전히 사랑을 믿는 사람이니까요. 언젠가는 당신을 사랑할 거라고 믿으니까요.

당신을 사랑한다는 건 나에게 있어서 나를 사랑하는 일이기도 해요. 사랑하고 싶어요. 당신이 나와 함께 사랑했으면 좋겠어요.[21]

에로스(Eros)적 사랑 무엇을 의미할까요?[22]

사랑에는 여러 가지 종류가 있다는 사실을 알고 계실 텐데요. 오늘은 그 중에서도 '에로스적 사랑'에 대한 이야기를 해보려고 합니다.

에로스는 사랑을 의미하는 단어이며, 충동적이고 쾌락을 추구하는 사랑이라고 합니다. 에로스는 그리스 로마 신화에 등장하는 천사의 날개를 가지고 하트 모양의 화살을 쏘는 아기, 미소년의 형태의 천사입니다. 때문에 인간뿐만 아니라 그리스 로마의 신까지 사랑에 빠지게 되고, 당시 그리스인들은 에로스가 사랑을 담당한다고 생각했죠. 그래서, 이번 포스팅에서는 에로스의 사랑을 주제로 이야기를 해보면서, 정확한 의미와 어떤 의미가 있는지 등을 살펴보도록 하겠습니다.

에로스적인 사랑은 앞서 언급한 그리스 로마 신화의 에로스에서 유래되었다고 볼 수 있으며, 남자와 여자 각자에게 서로에게 미흡한 부분을 채워줄 수 있는 이상적인 존재가 되고 싶음에서 시작했습니다. 그리고 이와 같은 욕구를 충족하기 위해 사랑으로서, 육체적, 쾌락적인 사랑을 시작하게 되었다고 합니다. 여기까지만 이야기를 들었을 때는 정말 상대방의 육체를 탐하는 본능적인 사랑이라고 생각할 수 있는데요.

하지만 에로스 사랑은 이상적인 상태를 추구하는 사랑이라고 할 수 있습니다.

철학자 플라톤이 이야기를 한 사랑의 본질에 대한 이야기를 해보면, '사물에는 이데아라고 하는 상태가 있으며, 이 이상적 상태를 추구하는 열망을 에로스' 라고 불렀다고 합니다. 그렇기 때문에 한편으로 순애라고 할 수 있으며, 서로에게 부족한 부분을 채워주고, 충족감을 느낄 수 있는 것이라고 할 수 있습니다.

본래의 남자와 여자 성향에 차이가 있으며, 서로에게 부족한 부분이 있다는 사실을 알고 있습니다. 그래서 서로에게 부족한 부분을 채워주기 위한 완벽한 존재가 되고 싶다는 열망이 있는데요. 때문에 이와 같은 이야기에서는 에로스 사랑은 상대방보다 자신을 우선적으로 사랑하고 있음을 알 수 있죠.

가끔 에로스의 사랑이 죄악시 여기는 풍조가 있는데요. 기본적으로 순수한 사랑 중 하나가 에로스이며, 사랑의 종류에서는 결코, 죄악시 여길 수 있는 것은 존재하지 않습니다. 이는 사람마다 추구하는 방식과 생각에서 차이가 있을 뿐이며, 어떤 것이 옳고 그름을 판단하는 건 개인이 될 수 없기 때문입니다.

그래서 에로스 사랑은 나쁜 것이 아니라며, 오히려 자신을 더욱 사랑하는 것이라고 할 수 있습니다. 그렇기 때문에 부정적인 시각으로 바라보지 않았으면 하는 마음입니다.

당신의 생각은?

오늘은 에로스적 사랑에 대한 이야기를 해봤는데요. 저는 결국 이상적인 사랑으로 구분할 수 있다고 생각합니다. 그리고 결코 부정적인 사랑이라고 생각하는 것이 아니라, 사랑하는 연인, 부부끼리는 반드시 필요하다고 생각하는 사랑의 형태이죠.

하지만 각자의 신념과 가치관, 종교 등에 따라 자신이 추구하는 사랑의 형태는 크게 달라진다고 할 수 있어요. 다만 자신이 생각하는 사랑의 형태를 타인에게 강요하거나, 자신이 무조건 옳다는 식으로 이야기를 하지 않았으면 하는 마음이죠.[23]

아리스토텔레스 (Aristoteles) 이후, 보편화하여 사랑의 일반적 개념을 대표하게 되었다. 그러나 그 뜻이 전락하여 "자아의 행복을 추구하는 성적(性的), 육체적 사랑을 표현하는 것"으로 그 의미가 축소되었다. 남·여 간의 사랑은 조건적이고 이해 감정이 섞인 사랑이므로 결합도 속히 하게 되고 떨어지기도 손쉽게 하는 것이다.

필리아(Philia)는 "친구"로 번역되는데, 어디까지나 인정적인 사랑이다. 부드러운 애정이며, 직관적이고 정서적이며 감정적인 사랑이다. 가장 가까운 형제와 친구간의 사랑을 의미한다.

스톨게(Storge)는 자애(慈愛)을 의미한다. 특별히 부모와 자식 간의 사랑을 의미한다. 어머니와 이가의 모성애(母性愛)와 친척간의 사랑이다.

"기든스(Giddens)의 합류적 사랑(conflueent love)!"

사랑과 연인에 정박해 안정감을 되찾고 싶어 하는 개인에게 현실 조건은 가혹하다. 개인은 두 가치를 충돌하고 분열하는 과정을 반복하며 같은 고민을 하는 또 다른 개인을 만난다. 두 개인은 사회에서 경쟁력을 잃지 않으면서도 사랑을 갈구하는 존재로 따로 또 같이 고군분투하며 삶을 조율해 나간다.

두 개인은 각기 다른 곳에서 흐르기 시작한 두 개의 지류와 같다. 낭만적 사랑이 경고한 바위라면 합류적 사랑은 흘러가는 강물과 같다. 아무 상관 없는 삶을 살아온 두 개인은 지류가 어느 합류점에 만나 하나의 강물로 흘러가듯 어떤 계기로 만나 한 방향으로 함께 나아간다. 강물은 바다가 될 수 있고, 어떤 시점에서 다시 갈라져 각자의 방향으로 흘러갈 수도 있다. 사랑하는 두 주체는 현재를 유대하고 공유하지만 미래의 시간은 열린 결말 그대로 받아들인다. 영원하고 유일무이한 낭만적 사랑을 탈각한 대신 현대 사회의 유동성을 수용한다.

네가 나를 사랑하는 만큼 나도 너를 사랑한다. 감정의 '기브 앤 테이크(give and take)'는 합류적 사랑의 기본 형태다. 합류적 사랑은 두 개인의 관계 외적 요소에는 구애받지 않고 오로지 감정에 의해서만 규정된다. 사랑의 동기는 오직 사랑이다. 두 개인이 서로에 대해 충분한 사랑을 느끼고 상대의 사랑으로부터 충분한 만족을 느끼는 동안에만 합류적 사랑은 지속된다. 사랑 그 자체가 동력이 된 관계는 합의가 아닌 일방적 의지에 따라 언제든 깨어질 수 있다. 사랑을 잃고 싶지 않은 개인은 관계를 유지하기 위해 감정의 기브 앤 테이크에 민감하게 반응해야 한다. 낭만적 사랑은 '특별한 존재(the one and only)'를 전제하지만 합류적 사랑에는 생애 단하나의 운명적 상대는 없다. 노력의 기울기에 따라 관계는 변화하고, 특별한 존재 역시 변할 수 있다.[24]

다. 사랑하는 마음으로

인간들 속에는 보이지 않지만 사랑의 산이 존재한다. 사람들은 저마다 그 산을 오르고 있다. 사랑의 산은 특이해서 사람마다 오르는 길도, 산의 높이도 다 다르다. 각자의 사랑의 업이 다르기 때문이다.

어떤 사람은 굽이굽이 길을 돌아가기도 하고 어떤 사람은 똑바로 난 길을 편안하게 가기도 한다. 길이 뚝 끊겨 천길만길 낭떠러지기가 앞을 가로막는 경우도 있고, 바로 눈앞이 정상인 경우도 있다. 그러나 아무리 막막하고 길이 안 보인다고 하더라도 포기하지 않고 끈기 있게 찾으면 길은 발견할 수 있다.

사랑의 산을 오르다 보면 여러 가지 사랑의 경험을 하게 된다. 또 사랑의 산에는 사랑의 지혜라는 꽃도 피어 있고, 사랑의 갈증도 해소해 주는 옹달샘도 있다.

생각에 잠겨 산을 오르는데 저 앞에 원숭이들이 모여 있었다. 커다란 바위 늙수그레한 한 원숭이가 앉아 있었고 그 앞으로는 두 마리 원숭이가 무릎을 꿇고 앉아 있었다. 그들은 서로 싸웠는지 얼굴에 할퀸 자국들이 있었다. 그들 뒤로 여러 마리의 원숭이가 앉아 있었다. 늙은 원숭이는 그 싸운 두 원숭이에게 교훈을 주고 있는 것 같았다. 그 원숭이는 신기하게 인간의 말을 하고 있었다.

"생명체는 에너지 덩어리야. 에너지는 퍼져가는 성질이 있어 항상 새로운 곳을 찾지. 그래서 생명체는 수컷이건 암컷이건 항상 새로운 것을 지향하게 되어 있어. 상대가 내 것이다 싶으면 심드렁해지지. 그런 경향은 수컷이 더 심해. 수컷의 에너지는 좀더 밖으로 향해 있어 안에 있는 것에는 잘 에너지를 쏟지 않지. 그런 수컷을 구슬려 평생 내 것으로 데리고 살려면 지혜가 필요해. 왁왁거리면서 싸우면서 억울해하면서 원숭이도 아니라며 분해할 게 아니라, 스스로 나에게 봉사하게끔 만드는 지혜가 있어야 해. 그 지혜는 관대함이야. 상대방을 내 것으로 영원히 만드는데 관대한 것만큼 훌륭한 지혜는 없어. 관대함 속에는 자유가 있으니까. 수컷 원숭이는 관대한 암컷 원숭이를 절대 떠날 수 없어. 떠나봤자 그만한 자유를 누릴 수 없으니까 니들도 따지고 싸우지만 말고 관대함을 키워봐.

스스로 알아서 다 내 발밑으로 기어들어 올 테니까."

  하늘을 바라보니 구름이 한쪽으로 걷히면서 맑게 개이고 있었다.
그 하늘 위에 새들이 날아가면서 지저귀는데 이렇게 들렸다.

  "관대해, 관대해, 관대하라고……." [25]

사랑을 위한 아름다운 시

내게 비록 잊기 어려운 일이 생겨도
내—
마음속에 사랑이 자리 잡고 있으면
모든 것을 용서해주는 것입니다.
함께 손을 잡은 후에는 결코
잡은 손을 놓지 않는 것입니다.
내일도 오늘만큼이나 좋은 날이 되길 바라며
내—
가슴속에 있는 비밀을 함께 나누고.
함께 속삭이면서

밤이 되면 나란히 앉아
밤하늘을 올려다보며
빛을 발산하면서 떨어지는
별똥별을 손가락으로 헤아리며
함께 하는 것입니다.
그리고 서로가 서로에게
언제까지나 함께 하는 것이

소중하다고 깨우쳐 주게
하는 것입니다(은빛날개).

수많은 인생 드라마들이 한 치 앞을 모르는 삶의 이야기를 들려 주고 실제로 누구나 이런 순간이 있지만, 대개의 인생은 그리 드라마틱하지 않다.

과거의 내 행동과 환경이 지금의 내 삶을 만들었고, 지금의 내 행동과 환경이 미래 예측의 핵심 요소다. 오늘과 일주일 후의 삶이 크게 다르지 않듯이 오늘과 십 년 후의 삶도 대개는 아주 다르지 않다. 직업이 바뀌고 삶의 공간과 곁에 있는 이들이 바뀔 수는 있지만, 살아가는 틀과 형태는 유사할 확률이 높다.

그렇다면 내가 지금 빨강도 파랑도 아닌 보랏빛 사랑을 부여안고 비틀거리는 육체는 드라마틱(dramatic--; 연극처럼 놀랍거나 갑작스러워서 감격적이거나 인상적이다)을 벗어나 그냥 이야기일 뿐인가. 내 행동과 환경이 과거로부터 흘러들어와 지금의 내 삶이란 말이다.

오늘과 내일, 그리고 십수 년 후의 삶도 변하지 않는다면 여기 멈춰서 삶의 공간을 휘저어, 진정한 보라색 형태를 만들어 보자. 내 마음이 가는 대로, 내 감정이 이끄는 대로 그렇게 살아요.

'행복은 남의 행복을 바라볼 수 있는 데서 생기는 즐거움이다.' '에로틱하다(erotic--)는 느낌이나 분위기 따위가 성적 욕망이나 감정을 자극하는 데가 있다.'

당신에게!

"두 연인이 서로 밀고 당기고를 할 때, 한쪽이 굽혀올 때 상대쪽이 포근하게 포용을 하지 못하면 그 사랑은 가늘고 옅어 지리라"

이성 간의 사랑이 결실을 맺을 확률은 사람이 번개를 맞을 확률보다도 작다고 하지요. 그러나 그 실 같은 희망에라도 걸 수 밖에 없는 것이 우리의 운명이 아닐까?

애초부터 정(精; 오랫동안 지내 오면서 생기는 사랑하는 마음이나 친근한 마음) 따위는 남기지 않겠다고 맹세해 왔지요. 사람에게 정을 준다는 것이 얼마나 초라하게 만드는 것인지? 그리고 정으로 인해서 얼마나 많은 날을 고민과 번민으로 지새우게 될지?

인생은, 아무도 신의 섭리는 아무리 피해 가려고 해도, 피할 수 있는 것이 아니라고 했어요. 어디서건 힘센 놈이 항상 더 큰 욕심을 부리는 법이지. 그래도 지극한 사랑은 어렵고 힘겨울 때 피어나는 것이라고 했던가?

"바쁠수록 돌아가라. 인내(忍耐; 괴로움이나 어려움 따위를 참고 견딤)" 하라.

사람이 태어나 한 번쯤 죄짓지 않고 사는 사람이 어디 있겠소?

"어리석은 자는 자기 마음을 혓 바닥에 두고 현명한 자는 자기의 혀를 마음속에 둔다" /인도 격언이 있지요

사람은 그냥 보고 있는 모습 그대로 이해하고 그대로를 느끼는 것이 진실이라고….

사람을 상대함에 있어 그 사람의 과거, 그 사람의 환경, 그런 것은 거추장스러운 장식에 불과할 뿐이고, 그 사람을 느끼고 이해하는 데 방해만 될 뿐이라고 하지요. 진실된 가슴으로 당신을 바라보고 있습니다. 이 말 만은 믿어 주시기 바랍니다.

라. 또다시 사랑으로

사랑은 역사가들이 '정서적 개인주의'라고 부른 것의 형성에 중요한 역할을 했지만, 현대의 러브스토리는 주로 노예에서 자유를

향해 나아간 영웅적 이야기로 사랑을 꾸며 보이려는 경향을 보인
다. 이런 독법에 따른다면, 사랑의 승리란 목적과 계산에 따른 결
혼이 사라지고 개인주의와 자율 그리고 자유가 중시되는 것을 뜻
한다.

사랑이 가부장제는 물론이고 가정이라는 제도 역시 문제 삼았다
는 점에는 나도 동의하지만, 그럼에도 지적하지 않을 수 없는 것은
'순수한 관계'가 사적 영역을 규범적으로도 불안하게 만들었으
며, 특히 낭만을 꿈꾸는 의식을 불행한 의식으로 내몰았다는 점이
다.

무엇이 사랑을 불안감과 막연함, 심지어는 절망의 만성적 원천이
되게 만들었는지 풀어야 할 문제다.[26)

사랑을 하는 사람들은 순리를 따를 줄 알아야 한다. 기다려야 할
때는 기다리고, 받아들일 것은 받아들이고, 양보할 것은 양보해야
한다. 그러나 사랑한답시고 모든 걸 완벽하게 지배하고 소유하려고
하면 상대는 숨 막히게 되고 결국은 되돌아보지 않고 도망가게 된
다. 순리를 따를 수 있는 사람이 진정한 사랑을 할 수 있는 것이
다.

첨밀밀(甜蜜蜜, Comrades: Almost a Love Story, 1996) 영화[27) 카
피에 이런 글이 있다.

'10년을 기다렸다. 그리고 영원히 사랑했다.'

시작보다 끝이 아름다운 사랑을 꿈꿔야 한다. 살다 보면 우리는
헤어져야만 할 때를 여러 번 만날 수 있다. 현실 때문에, 또 정리
되지 않은 마음 때문에 헤어져야 할 때도 있다. 그때마다 헤어지는
것을 못 견뎌 삶의 과제를 덮게 된다면 그 삶은 발전할 수 없다.
그리고 헤어져야 할 때 헤어질 수 없게 되면 서로의 마음에 상처
만을 더할 뿐이다. 나이는 들었지만 감정은 여전히 어린애로 머물

기 때문이다.

　헤어져야 할 때가 되면 쿨하게 헤어질 수 있을 때, 기다려야 할 순간에는 인내심 있게 기다릴 수 있을 때, 사랑은 우리에게 미소지을 것이다.[28]

　　甜蜜蜜
　　첨밀밀

　　甜蜜蜜 `你笑得甛蜜蜜
　　甜蜜蜜 `你笑得甜蜜蜜
　　Tiánmìmì `Nǐ xiào dé tiánmìmì
　　달콤해요, 그대 미소는 달콤하지요
　　好像花兒開在春風裡 `開在春風裡
　　好像花儿开在春风里 `开在春风里
　　Hǎoxiàng huāér kāi zài chūnfēng lǐ, kāi zài chūnfēng lǐ
　　봄바람 속에서 꽃이 피는 것처럼, 봄바람 속에 피는 것처럼

　　在哪裡 `在哪裡見過你
　　在哪里 `在哪里见过你
　　Zài nǎlǐ, zài nǎlǐ jiàn guò nǐ
　　어디에서, 어디에서 그대를 만났더라?

　　你的笑容這樣熟悉 `我一時想不起
　　你的笑容这样熟悉 `我一时想不起
　　Nǐ de xiào róng zhè yàng shú xī, wǒ yī shí xiǎng bù qǐ
　　그대 미소는 이렇게 낯익은데, 도무지 생각이 안 나요

啊 、在夢裡
啊 、在梦里
A, zài mèng lǐ
아, 꿈속에서였군요

夢裡、夢裡見過你
梦里、梦里见过你
Mèng lǐ, mèng lǐ jiànguò nǐ
꿈에서, 꿈 속에서 그대를 만났군요
甜蜜笑得多甛蜜
甜蜜笑得多甜蜜
Tiánmì xiào dé duō tiánmì
달콤한, 달콤한 그 미소

是你、是你、夢見的就是你
是你、是你、梦见的就是你
Shì nǐ, shì nǐ, mèng jiàn de jiùshì nǐ
그대군요, 그대였어요, 꿈에서 본 사람이 그대였군요

在哪裡、在哪裡見過你
在哪里、在哪里见过你
Zài nǎlǐ, zài nǎlǐ jiàn guò nǐ
어디에서, 어디에서 그대를 만났더라?

你的笑容這樣熟悉、我一時想不起
你的笑容这样熟悉、我一时想不起

Nǐ de xiào róng zhè yàng shú xī, wǒ yī shí xiǎng bù qǐ
그대 미소는 이렇게 낯익은데, 도무지 생각이 안 나요

啊﹑在夢裡
啊﹑在梦里
A, zài mèng lǐ
아, 꿈속에서였군요

在哪裡﹑在哪裡見過你
在哪里﹑在哪里见过你
Zài nǎlǐ, zài nǎlǐ jiàn guò nǐ
어디에서, 어디에서 그대를 만났더라?

你的笑容這樣熟悉﹑我一時想不起
你的笑容这样熟悉﹑我一时想不起
Nǐ de xiào róng zhè yàng shú xī, wǒ yī shí xiǎng bù qǐ
그대 미소는 이렇게 낯익은데, 도무지 생각이 안 나요

啊﹑在夢裡
啊﹑在梦里
A, zài mèng lǐ
아, 꿈속에서였군요

夢裡﹑夢裡見過你
梦里﹑梦里见过你
Mèng lǐ, mèng lǐ jiànguò nǐ

꿈에서, 꿈 속에서 그대를 만났군요

甜蜜笑得多甛蜜
甜蜜笑得多甜蜜
Tiánmì xiào dé duō tiánmì
달콤한, 달콤한 그 미소

是你ˋ是你ˋ夢見的就是你
是你ˋ是你ˋ梦见的就是你
Shì nǐ, shì nǐ, mèng jiàn de jiùshì nǐ
그대군요, 그대였어요, 꿈에서 본 사람이 그대였군요
在哪裡ˋ在哪裡見過你
在哪里ˋ在哪里见过你
Zài nǎlǐ, zài nǎlǐ jiàn guò nǐ
어디에서, 어디에서 그대를 만났더라?

你的笑容這樣熟悉ˋ我一時想不起
你的笑容这样熟悉ˋ我一时想不起
Nǐ de xiào róng zhè yàng shú xī, wǒ yī shí xiǎng bù qǐ
그대 미소는 이렇게 낯익은데, 도무지 생각이 안 나요

啊ˋ在夢裡
啊ˋ在梦里
A, zài mèng lǐ
아, 꿈속에서였군요
"매년 기적을 만나고 있다!"

구부정한 허리를 펴다가 소나무 뒤에 숨어있는 하얀 것을 발견했다. 이번에는 처녀 귀신인가 싶었더니, 최선을 다해 만개한 목련이었다.

꽃보다 종류가 워낙 많은 산마을이라 소나무 사이에 목련이 있다는 것을 처음 알았다. 누가 보지 않아도 이맘때면 부지런히 만개했을 하얀 것을 내내 쳐다보았다.

아름다운 것을 보는 눈도, 미안한 마음을 담든 시선도 한곳에 오래 머무는가 보다. 칠십을 넘어 봄을 만나는 일은 기적이라 말했다. 매년 기적을 만나고 있다.[29]

또다시 깊은 사랑

사랑 하나 갖고 싶네
언덕 위의 사랑
태산준령 고매한 사랑
곧추서서 서로의 키를 재며
경계도 없이 이웃하며 사는 사람
웃음으로 넉넉한

사랑 하나 갖고 싶네
매섭게 몰아치는 눈보라의 사랑
강하게 쏟아지는 장대비 사랑
우뚝 솟은 산등성이
온 누리를 적시며 내리는 이슬비
아무것도 휘감은 적 없는 듯
온 마음을 휘감는 깊은 사랑

사랑 하나 갖고 싶네
이제 마를대로 마른 뼈
그 옆에 갸우뚱 고개를 들고 선 참나리
꿀 좀 핥을까 기웃대는 일벌
한오큼 언은 꿀로 얼굴 한번 훔치고
하늘로 날아가는

사랑 하나 갖고 싶네
가슴이 뛸 만큼 다 뛰어
고래 한 마리 등허리를 훌쩍 넘어
개펄로 휘돌아
동해 큰 항구를 젖어 드는 물살
마침내 큰
바다를 이루는

   이 세상 완전한 사랑이 어디에 있을까. 장대비 치는 사랑과 눈보라치는 격정적인 사랑이라고 해도 꽃에서 한 움큼의 꿀을 언어 가면 그만인 꿀벌처럼 그것이 순수함에서 시작되었든 외로움에서 비롯되었든 지나친 집착이나 소유개념이 돼 버리면 이상적인 사랑은 멀어지기 마련이다. 한 움큼의 꿀을 훔치는 순간 마치 속박이 되어 버리는 것처럼.
   식지 않는 사랑을 하려면, 변하지 않는 '깊은 사랑'을 하려면은 어떻게 해야 할까. 무엇인가 서둘러 이루려 할 욕망을 갖지 않은 채 기다림의 미학도 배워볼 일이고, 온 누리를 적시며 내리는 이슬비처럼 온 마음을 휘감되 아무것도 휘감은 것 같지 않은 내면의 아름다움도 키워볼 일이다.

 사랑보다 소중한 인연!

 현실적 입장에서는 상황에 따라서 사랑이 가치를 다양하게 생각할 수 있다. 그러나 '사랑' 은 함부로 취급당할 대상은 아니라고 본다. 사랑은 돈이 줄 수 없는 많은 것을 줄 수 있고 사랑의 인연은 계산으로 함부로 다룰 수 있는 게 아니다. 이기적인 사람은 욕심만 많아 상대가 내 사람이다 싶으면 함부로 대하고 딴 데 눈 돌리곤 한다. 그러다 정작 상대가 떠나려고 하면 '정말 소중한 걸 놓쳤구나' 하는 뒤늦은 깨달음에 울고불고 매달린다. 사랑을 잘하려면 사랑의 연을 소중히 해야 한다. 상대의 가치를 충분히 인정하고 고마워할 수 있고 또 사랑에 힘입어 열심히 살 수 있어야 한다. 사랑을 소홀히 해 사랑을 놓치면 평생 불행하고 되돌이킬 수 없기도 하다.

 사랑의 인연을 소중히 하고 감사하는 자가 사랑에 성공할 것이다. 사랑의 인연은 아마도 그 사람을 고귀하게 드높여 줄 것이다.

 당신을 만난 것은 행운일까? 불행일까? 모든 건 다 나에게 달렸겠지? 천사도 악마도 다 내 마음이 만드는 거니까요. 당신은 내 많은 업을 차단해줬어요. 내 모진 업들을 정리해줬지요. 그리고 내가 진정한 내가 돼서 애 영광을 위해 살게 도와줬어요. 당신이 아니었다면 나는 모질게 끌려다니고 찢기다가 저 아래로 퇴락해버렸을 거야요. 지치고 갈기갈기 찢겨서. 내가 더 망가지기 전에 나타나줘서 고마워요. 내가 더 망가지기 전에 날 잡아줘서 고마워요. 삶은 모질고 우리 앞에 놓인 시련은 만만치 않겠지만 우리는 최고의 감성을 유지할 수 있을 거야요. 당신의 선택이, 새로 태어난 나의 선택이 그리고 지향할 테니까요.

 당신을 만난 것은 행운일까? 불행일까? 모든 건 다 나에게 달렸겠지요. 천사도 악마도 다 내 마음이 만드는 거니까요. 당신과 함

께 하는 세월, 영광으로 가득 차도록 노력할게요. 그래서 당신은
천사가 되고 나는 빛나는 존재가 돼서 한껏 드높아 볼게요.[30]

그대가 별이라면

이동순(1950~)

그대가 별이라면
저는 그대 옆에 뜨는 작은 별이고 싶습니다
그대가 노을이라면 저는 그대 뒷모습을
비추어 주는 저녁 하늘이 되고 싶습니다
그대가 나무라면
저는 그대의 발등에 덮인
흙이고자 합니다
오, 그대가
이른 봄 숲에서 우는 은빛 새라면
저는 그대가 앉아 쉬는
한창 물오르는 싱싱한 가지이고 싶습니다

봄은 무엇이든 시작하기 좋은 계절, 생동감이 기대되는 계절이
다. 바람의 냄새와 온도는 이미 바뀌었다. 초록색 새싹이 움을 틔

운다. 다소 쓸쓸했던 겨울을 지나 봄이 되면 우리는 이유 없이도 희망할 수 있다. 이런 봄을 노래하는 시는 대개 설렘이나 사랑의 시다. 맞다. 지금만큼 사랑의 연가를 읽기 좋은 때는 없다.

이 시를 읽었을 때 '그대'의 자리에 누구를 넣느냐에 따라 읽는 이의 나이, 상황, 시대를 짐작해 볼 수 있다. 사랑에 빠진 청춘은 자신의 연인을 떠올릴 것이고 많은 어머니는 자식을 떠올릴 것이다. 시인은 특정한 누군가를 생각하며 시를 썼을 수 있다. 그러나 시가 독자에게 가는 순간, 이 시에 등장하는 '저와 그대'는 제각기 다른 사람이 된다. 우리는 사랑하는 대상을 위해서라면 무엇이든 할 수 있다. 그대가 잘 되도록 돕는 역할만 한대도 충분히 기쁠 수 있다. 물론 그대가 꼭 사람이라는 법은 없다. 그대의 자리에 조국의 이름을 적었던 사람들이 있었기에 삼일절이 생겨났다. 사랑의 계절이 시작되는 첫날, 우리의 조상들은 대단히 큰 사랑을 외쳤던 것이다.[31]

안아주고 싶다

전승환

당신의 차가워진 마음이
내 온기를 녹일 수 있게
따스하게 품어 안아주고 싶다.

당신의 깊은 슬픔을
알 수도 없고 가늠할 수도 없지만
당신을 품어 안아주고 싶다.

당신의 가슴 저리게
당신의 온몸 부서지게
그렇게 꼭 안아주고 싶다.

아무 말 하지 않아도 된다.
그저 내가 그대를 안아줌에
잠시 마음 한편 맡겨 놓으면 된다.

비가 내린다.
웬지 모르게 당신이 더 보고 싶다. 열망의 끝은 어딘가.
너 다운 사랑을 해봐.
네가 하고 싶은 사랑을 해봐.
자존심 같은 거 다 버리고
잡고 싶을 때 잡고 울어가며 매달려 봐.
욕심처럼 보여도 나를 위해 악착같이 챙기란 말이야.

마음껏 사랑도 하고
가고 싶은 곳도 가고
생각대로 움직인다면
적어도 후회는 없을 테니까.

지금 일어나 길을 떠나
승용차에 몸을 싣고
보고 싶은 걸 봐
사랑한다 말해
비가 쏟아지고 있다. 이내 눈이 오려나. 내 감정처럼 이랬다 저

랬다 한다.

누가 그랬는가.

"사랑하는 사람이 사랑받는 사람보다 행복하다."고....

삶+사랑=살다. 영어에도 놀라울 정도로 똑같은 식이 있다. life+love=live. 삶에 사랑을 더하면 산다는 뜻이 된다. 다르게 말해 삶에 사랑이 없으면 살아도 사는 게 아니다. 동사 '살다'에 살을 입히면 사람이라는 구체 명사가 된다. 즉, 살다와 사람은 품사는 다르지만 뜻이 같은 하나의 낱말이다. 때문에 살다의 자리에 사람이 와도 의미상 아무런 걸림이 없다. 삶+사랑=사람. 사람은 사랑하는 삶을 살 때 비로소 사람이 된다는 뜻이다. 존 레논이 노래한다. "Love is Wanting, Asking, Needing to be Loved." 사랑하는 것은 곧 사랑받는 것이니 사람은 사랑받는 삶을 원하고, 요구하고, 갈구할 때 진정한 사람이 된다.

사랑은 사람과 사람이 서로의 살을 맞대고 사는 일에 다름 아니다. "Love is touch, touch is love." 살과 살의 만남이라는 사랑의 실재에 온갖 긍정적인 혹은 그 반대되는 속성을 덧입혀서는 안 된다. 소망, 욕망, 원망, 희망, 절망에 함몰되어 어느 하나만 투영하는 것은 이상이나 관념이지 실재가 아니다. 살은 따뜻하고 부드럽다. 하지만 세월과 관계의 풍화가 살을 차갑고 거칠게 만들기도 한다. 살은 따스하고 촉촉한 남풍이 되어살을 보듬고 마음을 환히 열게도 하지만, 싸늘하고 메마른 북풍이 되어 상처를 입히고 마음을 엄히 여미게도 한다.[32]

하늘과 땅을 분간할 수 없는 눈보라였다. 길이 아니라 허공을 걷는 듯했다. 시간의 흐름도 아리송했다. 몸이 날아갈 것같아 웅크리고 앉을 때마다 얼마나 헤맸는지 기억하려 애썼다. 세 시간이 지났는지 석달 열흘이 흘렀는지 아득하기만 했다.

 여기가 어디인가, 에베레스트인가. 매킨리인가, 정상을 오르는 중인가. 산 아래로 향하고 있는 것인가. 폭풍 속에서 헤매는 자신이 사람인지 눈보라인지조차 혼란스러워지기 시작했다. 어디선가 두런두런 이야기를 나누는 사람들의 목소리가 들려왔다. 날카로운 바람 소리 속에서 구원의 동아줄을 붙잡듯 목소리를 따라 걸었다.

 눈앞에 뻥뚫린 둥굴 입구가 나타났다. 동굴 안은 좁고 어둡고 축축했다. 눈보라치는 바깥이 아무리 위험해도 선뜻 발을 들여놓고 싶지 않은 곳이었다. 사람들은 동굴바닥에 모여 앉아 제각각 떠들고 있었다.

 여기 어디죠? 우리가 왜 여기에 있나요? 우리는 사람인가요, 귀신인가요, 기계인가요? 등골이 오싹했다. 이제 동굴을 나갑시다. 함께 산 아래로 가요. 큰 소리오 외치며 서둘러 밖으로 나왔다. 눈보라 속에서 목소리가 뒤쫓아 왔다.

 우리가 왜 사랑했는지 알려주오.

 우리 사랑의 고통에 대한 의미가 무엇인지 알려주세요.

 그래야 우리가 산에서 내려갈 수 있어요. 꿈이었다.[33]

마. 이 마음 어쩌지요

 젊은 날의 슬픈 해동(海東)이……

 "전 성격이 내성적이에요. 내성적인 애가 그렇듯이 저도 염세적이고 부정적이고 친구가 거의 없고 하루에 한마디도 안 해요. 학교에서요. 그건 왜냐면요. 남들이 저를 무시하는 것 같아요. 사람을 보면 우선 전…… 이렇게 생각하는 버릇이 생겼어요. '쟤는 나보다 얼굴도 못생기고 키도 작고 공부도 못해. 그래서 쟤랑 친구를 하면 애들이 나도 그런 애로 보겠지.' 도 다른 경우는 '쟨 공부도 잘 하고 얼굴도 나보다 잘생겼어. 집도 부자고. 저런 애랑 사귀면 친구들이 부러워 하겠지!' 이렇게 말이죠.

실제로 알면 아무것도 아닌 걸 가지구요. '쟨 나보다 싸움을 잘해. 날 건드릴지도 몰라. 그럼 어떻게 하지? 난 싸움을 해 보질 않아서 할 수도 없는데. 하지만 날 건드리면 죽여 버리겠어.' 하고 괜히 긴장돼요.

이러지도 저러지도 못한 채 하루 종일 불안과 초조함에 살아요. 남들의 시선을 지나치게 의식해서 남들이 날 한 번 쳐다보면 나를 무시하는 것 같고, 나한테 무슨 말을 하면 일부러 ㄱ러는 거라고 생각해요. 하루 종일 그런 강박관념에 사로잡히다 보니까 요즘은 이상한 병이 걸리더라구요. 배가 답답하고 더부룩하고 한여름인데도 코가 계속 나오고…… 정말 말로 할 수가 없군요.

제가 이런 건 초등학교 때부터인 것 같아요. 초등학교 사학년 때 전학와서 친구들과 잘 어울려 다녔어요. 얘기도 많이 하고 친구도 썩 많았구요. 하지만 그때에도 걱정되는 게 있었다면 학년이 바뀌어서 친구가 없어지면 어떻게 하나였어요. 그래도 어떻게 학년이 바뀌어도 친구가 많았어요.

육학년 때인가 담임 선생님이 이런 얘기를 하나 했어요.” 숫제 안 할 사람 손 들어. 그럼 숫제 안 해 와도 안 때리겠어. 니가 알아서 공부 안 하는 걸고 알고 상관 않겠어.” 전 저 혼자 할 수 있을 것 같아서 손 들었어요. 그렇지만 일 주일이 지나서는 제가 잘못했다고 울기까지 했어요. 선생님을 봐 주질 않더군요. 아마 그때부터 제 성격이 삐뚤어진 것 같아요. 딴 친구들한테는 상당히 잘 해 주는 것 같은데 이상하게도 그런 느낌을 많이 받았어요. 심지어는 차 사고나, 간첩들이 와서 안 잡아가나 할 정도였어요.

육학년 때 생활 기록부 보니까 이렇게 써 있더군요. “맡은 일은 잘 하지만 성격은 내성적이다." 라구요. 전 외향적이라고 생각했는데 남의 눈에 비치는 게 그게 아닌가 봐요. 중학교 일학년 때까지는 말도 많이 했고 친구도 많았어요. 학교 다니면 싸움 조금 잘 한다고 뒤에서 건드리는 애들이 있잖아요. 전 누가 건드리는 걸 어렸을 때부터 무지 싫어했어요.

근데 제 뒤에 앉은 A라는 애는요. 원래 성격이 그런 줄은 알았지만 힘이 없어 보이니까 자꾸 건드리더라구요. 그때부터 저는 '말을 안 하면 건드리지 않겠지.' 라고 생각했어요. 그래서 이학년 때는 말을 줄이기로 했어요. 그러다가 제 짝꿍을 만났는데요, 걔는 완전히 말이 없더군요. 같이 한 달간 말없이 지내다가 제가 말을 많이 하니까 친해지게 됐어요. 그래서 이학년 때는 둘이 거의 어울려 다녔지요. 수학여행도 둘만이 가고, 삼학년 올라갈 때도거정이 '친구가 없으면 밥은 누구하고 먹지?' 하는 거였어요. 애들이 이상하게도 절 싫어한다는 느낌을 받으면서 말수는 점점 줄고 그때부터 제 성격에 변화가 왔어요 공상에 빠져들었고 무슨 말을 하고 싶었지만 말을 하면 저보고 나쁘게 말하는 애들이 있더라구요. 지금은 그게 성격 탓인 줄 깨달았지만 그때는 몰랐어요.

고등학교에 들어가서는 밥도 저 혼자 먹었고 얘기는 하는 친구가 몇 있었지만 그렇게 친하지는 않았어요. 재미로 당구장도 가고 그랬어요. 전 당구장에 가는 게 참 좋았어요. 왜냐면요. 남들이 부러운 시선으로 보는 것 같아서요. 그저 부러운 시선이 갖고 싶었거든요. 이러다가 엄마하고 많이 다퉜어요. 밖에서 화를 못 내니까 집에서 푸는 식이죠. 생활고(生活苦; 경제적 빈곤 때문에 생기는 생활상의 어려움과 괴로움)를 엄마 혼자서 감당하기 어려웠을 거예요. 게다가 제가 워낙 힘들게 했거든요

이런 고통을 벗어나려고 운동을 했어요. 중국무술(십팔기), 태권

도 등을 했어요. 처음에는 저의 말을 다 할 수 있고 그 대가로 친구도 사귀니까 기분이 날아갈 것 같더군요. 우아! 이런 세상도 있었구나. 싸움에는 자신이 생기더라구요.

제 성격이 이상한 건지 아니면 강박관념 때문인지 저도 제 자신을 잘 모르겠어요. 이렇게 보낸지 삼년이 되니 이제는 말을 하려고 해도 할 수 없어요. 그리고 가출 아닌 가출을 해서 일 년 동안 선·후배, 친구들과 다니고 나서 더욱더 가중됐구요. 당신은 저 같은 당사자가 아니라서 이해하실 수가 없을 거예요. 한 달 전만 해도 희망을 가졌는데 지금은 말이죠. 포기했어요. 절망적이죠. 대학 진학하는 것도 포기했어요.

공부를 하려고 해도 남들에 비해 너무 초라하다는 생각이 들어요. 친구라도 있었으면 그런 생각이 안 들 텐데 제가 말을 하지 않으니 친구도 생기지 않고 말을 삼년 동안 안 해서 입이 떨어지지 않고 오늘 아침에는 거의 죽고 싶은 심정으로 학교로 갔어요. 밥도 혼자 먹고 애들이 보는 시선도 좋지 않은 것 같구. 괴로워요. 그래서 오늘 죽어 버릴까 생각도 했데 5층에서 뛰어내리려고 하니까 그것도 쉽지가 않더군요. 하지만 언젠가는 그럴 거예요. 현실적 아픔이 5층의 고통을 넘을 날이 오면요.

이런 말 드리면 어떨지 몰라도 사실대로 말하자면 거의 포기한 상태예요. 그러니까 그렇게 살아온 이야기를 글로 쓰는 것도 저에겐 별로 의미가 없어요. 이걸 고칠 수 있는 사람은 오직 저란 것 알고 있어요. 당신께서는 이론식 대답이나 현명한 방법을 내려 주시겠죠. 하지만 별로 기대는 하지 않습니다. 이런 식으로 산다는 건 저한테는 너무 힘드는 일인 것 같아요. 어머니께서는 저의 이런 심각한 문제를 그저 성격 탓으로만 생각하시는 것 같아요. 하루에도 죽는 생각을 많이 해요. 그렇지만 죽기도 쉽지 않더군요. 무섭

기도 하구요. 그래서 죽어야 한다는 걸 보면 세상 허무하다는 생각
이 드는군요."

젊은 날의 슬픈 해동(海東)이를 회상하면서……

글을 읽으면서 해동님은 작가가 되면 참 좋겠다는 생각이 들었
습니다. 자기의 섬세한 감성을 이렇게 글로 표현할 수 있는 사람도
드물기 때문이죠. 해동님과 같은 고통은 해동님뿐만 아니라 이 세
상 인구의 절반이 똑같은 고통을 안고 산다고 해도 과언이 아닐
겁니다. 바로 내성적인 사람들이 성장하는 과정에서 받아야 하는
고통이기 때문이죠. 해동님의 글을 읽으면서 저와 참 비슷하다는
생각을 많이 했습니다. 저 또한 내성적이라 교우 관계에서 어려움
을 어려움울 많이 겪었거든요. 친구들 모임에 끼어드는 것을 힘들
어 하는 것, 점심 도시락을 행여 혼자 먹게 되지 않을까 두려워 하
는 것, 그냥 자기 혼자만의 생각에 충실하다가 선생님한테 혼나는
것 등등이 모두 비슷합니다. 그래서 저는 해동님께 제 성장 과정을
얘기하면서 대화를 나눠 볼까 해요.

초등학교 사학년인가 오학년 때 애들이 모여서 웅성거리고 있
었습니다. 뭐 하나 하고 가서 봤더니 어떤 애가 개구리인가 올챙이
인가를 갖고 와서 자랑하는 거였어요. 그 애는 평소 돈을 좀 밝히
는 애라 저는 올챙이가 얼마냐, 팔라고 물었죠. 그러자 걔는 애들
이 많은 가운데 저를 막 놀리는 거예요. 친구끼리 뭐 뭐 돈 받고
파냐 이거죠. 참 무안했는데 걔가 나쁘다는 생각이 안 들었어요.
그저 내가 뭘 잘못했구나 하는 생각만 들었죠. 교우 관계에서 제
스스로 자신감을 갖지 못하고 활발한 애들을 부러워하고 추종하고
그들의 방식을 모방하는 것은 오랜 버릇이 되었어요. 그 버릇이 없
어지기 시작한 것은 군대 생활을 하는 동안 많이 달라졌으며 나이

삼십이 훨씬 넘은 후에야 비로소(어떤 일이나 현상이 다른 어떤 계기로 말미암아, 또는 꽤 오랜 기다림 끝에 처음으로 이루어짐을 나타내는 말) 줄어졌던 것 같아요.

내성적인 사람들은 외향적인 사람들의 방식을 흉내내다가는 평생 그들의 놀림감밖에 될 것이 없어요. 내성적인 사람들은 결국 내성적인 사람들은 결국 내성적인 자기 길을 가야 해요. 그러다가 남들 보기에 껄끄러운 짓을 해서 야단을 맞으면 그러려니 해야지 자기가 무조건 나쁘고 잘못했으니 고쳐야겠다고 생각하면 스트레스만 더 받을 뿐이에요. 예를 들어 해동님이 선생님께 솔직하게 손 들었다가 혼난 것이 그래요. 그건 이러니저러니 해도 내성적이라 분위기 파악에 미숙했거나 재수가 나쁜 경우라고밖에 볼 수 없어요. 그래서 야단을 맞았으면 그냥 그러려니 해야지 그것을 따지고 분석하고 자책하고 원망하다가는 상처의 골만 깊어질 뿐이에요.

해동님과 비슷한 제 경험을 한 가지 더 말씀드릴게요. 초등학교 육학년 일학기 때 선생님이 저에게 학급 간부를 시키는 거였어요. 그 때 전 반에서 이등을 하고 있어 선생님한테 기대를 받고 있는 터였죠.

그러나 저는 어린 마음에 공부만을 해야겠다 마음 먹고 시키는 족족 안 한다고 그랬는데 선생님한테 불려나가 지독히 얻어맞았어요. 그리고 한 학기 내내 미운털이 박혀 마치 죄수처럼 살았죠 그러다가 이학기가 되어 그 선생님을 다른 데로 가시고 다른 선생님이 왔어요. 새로 오신 선생님은 저를 참 귀여워해 주셔서 저는 일학기 때의 쓰라림도 있고 해서 반장도 맡고 선생님 말씀을 열심히 따랐어요. 여기저기서 떠들고, 떠들지 말라고 하면 왜 나만 갖고 그러냐, 쟤들도 떠들지 않느냐, 줄 서라 그러면 자기들끼리 시끌벅적대면서 비뚤비뚤하게 서고……. 아무튼 쩔쩔맸었는데 선생님은 저를 한번도 야단치지 않았어요.

일학기 때의 쓰디쓴 경험 때문에 제가 다소 약아진 것도 있었겠지만 제 생각에는 사람을 잘 만난 거였어요. 해동님도 그때의 기억을 자기가 잘못해서, 바보 같아서 그랬다고 생각하지만 말고 사람을 잘못 만난 거라도 생각해 보세요. 만일 해동님이 그 선생님이 이학기 때 제 담임 선생님 같았으면 해동님을 그렇게 고문하진 않았을 테니까요.

해동님은 어렸을 때부터 누가 건드리는 걸 무지 싫어한다고 그랬는데 내성적인 사람들의 특징이에요. 내성적인 사람들은 자기만의 공간에서 편안히 있기를 좋아하기 때문에 누가 건드리는 것을 못 견디죠. 그렇다고 노골적으로 싫다고 표현을 한다든가 싸움을 하지도 못해요. 해동님같이 혼자 속으로만 끙끙 앓죠.

외향적인 사람은 에너지가 밖으로 뻗치기 때문에 누가 건드리면 싸움을 하든가 장난을 치지만 내성적인 사람들은 외적 대응을 잘 못 하면서 속으로만 부글부글 끓어요. 그래서 내성적인 사람들의 또 하나의 특징은 싸움을 잘 못 한다는 거예요. 저도 제 기억에 자라면서 누구와 싸움다운 싸움을 한번도 해 본 적이 없었던 것 같아요. 주로 화해를 하거나 비굴하게 굽히고 살거나 혼자 공상 속에서 죽도록 패 주는 게 일이었죠. 그래서 저도 청소년기 때 그렇게 마음 편하게 행복하게 지냈던 적은 별로 없었던 것 같아요.

단지 해동님과 차이가 있다면 저는 제가 못 하는 것을 잘 하려고 바꾸려고 하기보다는 그저 제 안에 틀어박혀서 공상하기를 좋아했어요. 책을 읽거나 영화를 보거나 마음에 맞는 한두 친구와 계속 붙어다니거나 성적 공상을 하는 등으로요. 젊었을 때는 성적 공상으로 고민을 많이 했는데 요즘 생각해 보니 내성적인 사람은 성적 공상이 많을 수밖에 없는 것 같아요. 말이나 행동으로 화끈하게 풀어 버리지 못하고 안으로만 기어들면서 꿍꿍 앓다 보니 공상만 많아지는 거지요.

사회에 적응을 해야 하는 청소년기에는 해동님이나 저 같은 내성적인 사람은 무지 마음 고생을 해요. 그러나 그 고생이 평생을 가는 것은 아니에요. 나이가 들어 기반도 어느 정도 잡히고 굳이 세상에 아득바득 적응하지 않아도 될 때는 내성적인 사람이 훨씬 유리해요. 외향적인 사람은 나이가 들어도 사회에서 자기를 확인하려고 아득바득하지만 내성적인 사람은 조용히 자기 내면을 들여다보면서 고고하게 지내기 때문이죠.

그래서 인생의 전반기에는 외향적인 사람이, 후반기에는 내성적인 사람이 유리하다고 해요. 그러나 그렇다고 해서 내성적인 사람이 인생의 전반기에 죽어지내라는 법은 없어요. 내성적인 사람은 그렇데 많은 친구나 인간 관계가 필요한 것이 아니니까 욕심만 내지 않는다면 또 외향적인 사람들을 부러워하지만 않는다면, 나름대로 적응할 수 있는 길은 얼마든지 있으니까요.

해동님도 대기만성을 생각하며 좀더 인생을 기다려 보면 어떨까요. 사람은 죽으란 법은 없고 또 내성적인 사람은 내성적인 대로 이 삶에서 자기 역할을 할 수 있게끔 요구되고 있으니까요. 마음의 신비를 파헤치는 작가나 예술가 등의 작업은 아무래도 내성적인 사람들에게 더 잘 어울리겠죠. 아마도 그래서 수십억 년 생명의 진화에서도 내성적인 사람들은 여전히 남아 있는 걸 거예요. 전인류의 절반이 내성적인 사람일 정도로요.[34]

당신은 게으른 것이 아니라 지쳐있을지 모른다. 익숙하게 하던 일도 더뎌지고 즐겁게 하던 일들도 재미가 없다. 무엇을 해야 하는지 알고 있지만 아무것도 할 수 없을 때가 있다. 점점 무기력해지고 사람을 만나는 것도 귀찮게 느껴지고 세상의 어떤 것도 즐겁지가 않다.

숨은 쉬고 있지만 힘겹게 잠든 밤 아침이 오지 않기를 바라기도 한다. 당신은 게으른 것이 아니라 마음이 아픈 것인지 모른다. 열심히 노력한 것들에 대해 생각과 다른 결과에 지쳐 모든 게 의미 없다는 생각이 든다.

당신은 게으른 게 아니라 우울한 것일지도 모른다. 아무것도 안 하고 가만히 있어도 기분이 나아지지 않는다면 혼자 길을 나서라. 그리고 누군가를 만나라. 그 사람은 가까운 사람일 수도 처음 보는 낯선 사람일 수도 있다.

사람은 사람 때문에 우울해지기도 하지만 사람으로 치유받을 수 있다. 갑자기 쓰러진 사람이 스스로 심폐소생술을 해서 살아날 수는 없다. 그러니 쓰러지기 전에 살펴주고 보듬어 주어야 한다.

바. 어찌 살아야 합니까?

찰스 3세 시대가 막을 열었다. 영국의 국왕 대관식이 지난 6일 웨스트민스터 사원에서 거행됐다. 찰스 3세는 낮은 자세의 왕을 자처했지만, '21세기에 왕이 웬 말이냐'는 군주제 폐지 여론도 만만치 않다. 가족이 해체되기까지 하는 판국에 아직도 왕을 모셔야 한다니, 모두가 수긍할 수는 없을 것이다.

만약 찰스 국왕 옆에 다이애나가 함께했다면? 그간 왕실에 대한 영국인의 긍정적 평가는 대부분 다이애나에 대한 신뢰와 지지에 기반을 둔 것이었다.

서민의 친구 같던 그의 성정과 풍격을 감안하면 군주제도 조금은 달리 생각되었을 것이다. 영국 작가 힐러리 맨텔은 "그 자체로 아이콘이었던 다이애나가 세상을 떠나면서 왕실에 새로운 현대식 군주제를 선물했다" 라고 했다. 군주제 폐지의 위협으로부터 왕실을 구한 것도 그였다.

부끄러워 금방이라도 달아오를 듯한 그의 표정 속에 천진과 열정이 동시에 배어 나오는 듯하다. 수줍은 듯하면서도 속내를 분명히 밝히는 강건함이 숨어 있다. 다이애나(Diana Frances Spencer)는 에이즈 환자를 만나거나, 지뢰 폭발로 다리를 잃은 흑인 소녀를 무릎에 앉히는 등 사회적 약자를 진심으로 감싸 안았다. 가식이나 연출 없는 자연스러움 속에서도 우아함을 잃지 않던 그의 언행은 많은 이들을 감동시켰다.

2021년 7월, 살아 있다면 환갑이 되었을 어머니를 위해 윌리엄과 해리는 가족들이 살았던 켄싱턴 궁전의 선큰 가든에 그의 동상을 세우고 작은 정원을 조성했다. 3명의 어린아이를 품 안에 거느린 그의 동상은 '서민들의 왕세자빈' 이었던 그의 심상(心相)을 보여준다. 정원에는 그가 평소 가장 사랑했던 물망초를 중심으로, 장미·튤립·달리아·라벤더 등으로 꽃밭을 장식했다.

물망초는 꽃잎이나 잎사귀가 매우 작고 앙증스럽다. 쉽게 눈에 띄지 않고 유심히 살펴야 자신을 드러낸다. 마음속에 온기가 없는 사람은 사랑하기 쉽지 않은 꽃이다. 햇빛이 직접 비추는 곳보다 반그늘과 다소 서늘하고 촉촉한 땅을 좋아한다. 물망초의 생태도 그의 성품을 닮았다. 진실한 사랑과 존경을 상징하는 물망초. 누군가가 이 작은 꽃을 선물할 때는, 당신이 항상 그것을 기억하고 간직하라는 메시지이다.

다이애나는 자신의 운명을 알았던 걸까. 물망초의 영어 이름은 'forget me not(나를 잊지 마세요)'. 그의 물망초에 대한 화답으로, 아직도 많은 영국인은 외치고 있다.

"우리의 여왕은 다이애나." [35]

사람 관계에서 상처받지 않는 법은 '그럴 수도 있지' 하고 생각하는 것이다. 내가 좋아하지 않는 사람이 있듯 어떤 이는 내가 마음에 들지 않을 수도 있고 보고 싶은 사람에게 연락을 했는데 기대했던 반응이 아닐 수도 있다.

정성들여 무언가를 만들었는데 누군가에게는 그게 별로일 수도 있다. 꼭 모든 것이 내 마음에 들 수도 항상 내가 원하는 대로 사랑받을 수도 없다는 사실을 인정해야 한다.

내가 누군가를 미워할 수 있듯 남도 나를 미워할 수 있다. 세상에는 다양한 사람들이 존재하고 상황들이 내 생각과는 다르게 흘러갈 수 있다. 살아가면서 느끼는 작은 일들을 곱씹어 마음에 담아 두지 말자. '그럴 수도 있지' 하며 넘어가자.

사람들은 무수한 인연을 맺고 살아간다. 그 인연 속에 고운 사랑도 엮어가지만 그 인연 속에 미움도 엮어지는 게 있다. 고운 사람이 있는 반면 미운 사람도 있고 반기고 싶은 사람이 있는 반면 외면 하고 싶은 사람도 있다.

우린 사람을 만날 때 반가운 사람일 때는 행복함이 충족해온다. 그러나 어떤 사람을 만날 때는 그다지 반갑지 않아 무료함이 몰려온다.

나에게 기쁨을 주는 사람이 있는가 하면 나에게 괴로움을 주는 사람도 있다. 과연 나는 타인에게 어떤 사람으로 있는가 과연 나는 남들에게 어떤 인상을 심어 주었는지 한번 만나면 인간미가 넘치는 사람이 되어야겠다. 한번 만나고 난 후 다시 만나고 싶은 사람이 되어야겠다.

진솔하고 정겨운 마음으로 사람을 대한다면 나는 분명 좋은 사람으로 인정을 받을 것이다. 이런 사람이야말로 다시 만나고 싶은 사람이 아닐까 이런 사람이야말로 다시 생각나게 하는 사람이 아닐까?

　한번 만나고 나서 좋은 감정을 얻지 못하게 한다면 자신뿐만 아니라 타인에게도 불행에 속할 것이다. 언제든 만나도 반가운 사람으로 고마운 사람으로 사랑스러운 사람으로 언제든 만나고 헤어져도 다시 만나고 싶은 그런 사람이 되자.

　까불지도 말고 애쓰지도 말아라. 얻었다 좋아 말고, 잃었다 슬퍼 말아라. 인연 따라 왔다가 인연 따라 가는 것이지. 오늘 해는 내일도 뜬다.

　오늘은 내일과 다르지만, 그 해는 어제 떴던 바로 그 해이다. 같지만 다르고, 다른데도 같다. 산이 물이 되고, 물이 산이 되는 이치를 네가 알겠느냐? 산은 산이요 물은 물인 까닭을 너는 알겠느냐? 있지도 않은 마음을 잡았다고 하지 말아라. 허공 속의 연기를 보았다고 하지 말아라. 좋을 때만 종소리를 어이 쫓아 잡으리. 오늘 인연 막지 말고 가는 인연 잡지 말아야지.

　하나 속에 없는 것이 없고, 그 많은 것들 속에 든 것도 기실은 하나 뿐이니라. 그렇다면 하나가 곧 전체요. 전체가 다름 아닌 하나가 아니냐? 티끌 하나 속에서도 시방 세계를 머금었으니 흐르는 물처럼 순리를 따라 이치를 본다면 네 마음이 허공처럼 맑아질 것이니라. 텅빈 산에 사람 없고, 물은 흘러가고 꽃은 피었다. 손가락을 들어 흐르는 물을 가르켜 보렴. 네 손가락 끝에서 흰 구름이 피어오를 것이니라. 네가 세계가 되고, 향기가 되고, 허공이 되고, 우주가 될 것이니라. 네가 세계가 되고, 향기가 되고, 허공이 되고 우주가 될 것이니라. 제자야! 네가 이 뜻을 정녕 알겠느냐?

　만남은 만남이다. 누구든 일생에 잊을 수 없는 몇 번의 맞난 만남을 갖는다. 이 몇 번의 만남이 인생을 바꾸고 사람을 변화시킨다. 그 만남 이후로 나는 더 이상 예전의 나일 수가 없는 것이다.

　물론 모든 만남이 맞난 것은 아니다. 만남이 있으려면 그에 걸맞은 마음가짐이 있어야 한다. 고장난명(孤掌難鳴; 한쪽 손뼉은 울리지 못한다는 뜻으로, 혼자서는 일을 이루기가 어려운 것을 비유적으로 이르는 말)이라고, 왼손바닥으로는 소리를 짝짝 낼 수가 없다.

　"피하지 마라, 사랑을, 그것은 당신에게 내린 신의 선물이니까."

　비가 내린다. 비오는 날이면 괜스리 마음이 쓸쓸하다. 혼자 서재에 앉아 책장을 뒤척이는 내가 ......이런 때 내 어깨 뒤에서 (뭔가) 아무 말이나 한 마디 하며 살짝 웃어주는 사람이 있다면 내 마음(심장)이 펑 뚫릴 것을, 하지만 내가 이 상황에서 뭐가 문제인가. 의·식·주에 걱정 없는 삶을 살고 있는 것을.....

　이 코로나 시대에 얼마나 많은 사람들이 고통을 받고 있는가. 그래, 난 아쉬울 게 없는 사람이다. 이 모두 '완벽에의 충동' 때문이다.

　그래 흐르는 물처럼 살고 싶다. 내 방식대로 행복하게 산다고, 글은 그렇게 쓰면서도 행동으로 옮기지 못하고 있던 나에게 또 다른 배움의 길을 열어주고 있다.

　그네는 앞으로 갔다가 내가 있는 뒤쪽으로 다시 돌아온다. 다시 앞으로 막 움직일 때 그네를 미는 것이 좋다. 이렇게 반복하면 그네는 점점 더 높이 오르고 그녀 얼굴에 미소가 번진다. 파란 하늘을 배경으로 맑은 웃음소리가 들린다. 그녀보다 내가 더 즐거웠던 시간이다. 꿈이다. 이제 밤.

　그네 미는 나와 그네 탄 당신의 진동수가 같아야 함께 공명(共鳴), '함께 울리는 껴울림'이 껴울려 큰 움직임이 생긴다. 목놓아 불러도 당신이 돌아보지 않는 이유는 내가 당신의 진동수를 아직 꿈쩍없다면 다르게 노력할 일이다. 세상 탓보다 먼저, 마음 속 작은 떨림을 눈여겨 살필 일이다. 가만히 살펴 나를 먼저 바꿀 일이다(들여다 보고 변화시켜야 할 일이다).

사랑의 힘을 소중히 여기고 간직하도록 하라. 그것이 이뤄낸 창조의 세계를 보고 기뻐하라. 거기에는 꿈틀거리는 생명이 있다. 이것이야 말로 아름다운 촉매이며 무한이다. 여기에서 행복의 꽃이 피어나는 것이다.

가벼운 마음으로 시작했었는데 점점 일이 커지고 있다. 이러려고 한 건 아니었는데 점점 어깨가 무거워지고 있다. 편하게 하고 싶었는데 마음대로 할 수 없게 되었다. 가볍고 자유롭게 내 마음대로 하고 싶었으나 또 이렇게 내 마음속 누군가에 의해 틀에 맞춰지고 있다. 나 자신의 틀을 깨고 큰 바다의 고래처럼 유유히 헤엄치고 싶다.

이 시간이 나를 가로막는다. 가슴에서 치밀어 오르는 칼끝 같은 예리한 아픔이 있다.

아무도 모른다. 심장을 도려낼 듯한 고독의 숫자가 어제보다 오늘이 다가오는 것을. 홀로 외발로 서기를 10년이 넘는데 자꾸 두 발을 기대하는가.

다, 부질없는 생각. 그 속에 도취되어 술취한 망아지 마냥 비틀거리는 몰골.

어쩌란 말인가 신이 아닌 인간이기에 그 시궁창의 내음이 달콤한 향수인 것을. 두 발을 기대하지 마라. 그저 시간이 마음을 가로막고 있을 뿐이다.

당장 싫다고 떠난 사람에게 가장 멋있게 복수해 주는 길은, 당신 스스로를 위해 그 사람을 잊고 새로운 사람을 만나서 당신 스스로가 행복해지는 것이다.

아름다운 모습은 눈에 남고 멋진 말은 귀에 남지만 따뜻한 배려는 가슴에 남는다고 합니다.

향기 있는 사람은 세월이 지나도 늘 그리움으로 남아 있습니다. 따뜻한 사랑 나누며 즐겁고 언제나 행복한 날이 되세요.

내가 서 있는 자리는 언제나 오늘입니다. 오늘 나의 눈에 보이는 것이 희망이고 나의 귀에 들리는 것이 기쁨입니다

짧지 않은 시간들을 지나면서 어찌 내 마음이 흡족하기만 할까요. 울퉁불퉁 돌부리에 채이기도 하고 거센 물살에 맥없이 휩쓸리기도 하면서 그러면서 오늘의 시간을 채워 갑니다

그럼에도 웃을 수 있는 건 함께 호흡하는 사람들이 곁에 있기 때문입니다.

오늘 내 마음의 문을 활짝 열어 긍정의 눈을 떠서 시야를 넓히고 배려의 귀를 열어 소통의 귀를 열어 둡니다. 그리고 제게 말합니다. 오늘 내 이름 불러 주는 이 있어 감사합니다.

내가 부르는 소리에 대답해 주는 이 있어 감사합니다. 내 곁에 당신 같은 이가 있어 감사합니다. 셀 수 없는 수많은 사실이 있지만 이런 이유 하나만으로도 오늘이 감사합니다(성철스님 어록 중에서)

멈추면 비로소 보이는 것들!

행복은 생각이 적을수록 함께 같이 나눌수록 지금 바로 이 순간에 마음이 와 있을수록 더해집니다.

눈을 감고 숨을 깊게 쉬고 마음으로 내주면 사람들이 모두 평안하길 기도해 보세요. 이 말과 함께 평안이 곧 밀려옵니다.

당신은 바로 지금 이 자리에 있는 그대로 존귀하고도 온전한 사람입니다. 이 존귀하고 온전함을 보지 못하는 것은 내가 나 자신에게 만들어 부여한 나에 대한 고정관념 그것에 대한 집착 때문입니다. 나 자신의 존귀함과 온전함을 발견하십시오(혜민스님).

갑자기 비가 내리기 시작한다. 가뭄에 단비다. 한동안 제자리에 서 있었다. 비를 맞아 본적이 언제였는지 도통 기억이 나지 않는다. 몸을 움직이니 비도 맞는구나, 비를 맞는 감각을 몸에 다시 새길 수 있구나, 새롭지는 않아도 충분히 새롭구나.

여름비의 시원함에 흠뻑 젖은 채 집으로 돌아왔다. 움직이지 않았으면 불가능했을 것이다.

관계의 기본 마음가짐!

첫째, 사람 한 명 한 명을 난로 다루듯 해야 한다.

둘째, 고개를 숙이면 부딪치는 법이 없다.

셋째, 다른 사람으로부터 도움이나 선물, 칭찬을 받았다면 잊지 않고 은혜를 꼭 갚아야 한다.

문학평론가 신형철은 시에 대해 다음과 같이 말했다.

"나로 하여금 좀 더 나은 인간이 되고 싶다는 생각을 하게 만드는 사람은 내가 '사랑하는' 사람들이다. 그리고 훌륭한 시를 읽을 때, 우리는 바로 그런 기분이 된다." 훌륭한 시는, 내가 사랑하는 사람처럼 나로 하여금 좀더 나은 사람이 사람이 되고 싶게 만든다. 좀 더 나은 사람, 오늘보다 나은 내일, 모두 희망의 언어이다.

많은 사람들이 희망보다 절망을 얘기한다. 삶에 지친 우리를 늘 다시 일어나게 하는 것은 마음에 품은 작은 희망 하나이다. 누군가를 사랑하는 마음, 헤아릴 수 없는 열정과 그리움이 있기에 희망을 품을 수 있다. 좋은 시는 우리 안에 움츠리고 있는 희망이란 이름의 씨앗을 싹 틔우게 한다.

한 치 앞도 안 보이게 안개가 자욱한데 편히 마음을 갖을 수가 없어요. 그러나 아둔한 나 자신이 미워 보이기까지 했어요.

아마 그저 그렇게 시간에 몸을 기대고 하염없이 가다 보면 숨

쉴 공간을 찾을 수 있겠지요.

그런 날이 있어, 오늘 같은 날 마음을 달래지 못하고....

그런 날에는 사랑의 열병이라고 하면 돼. 혼자 조용히 머물다 일어설 수 있도록 나에게 꿈과 희망을 주십시요.

그럼에도 불구하고, 시작보다 끝이 아름다운 사랑을 꿈꿔야 한다. 살다 보면 현실 때문에, 또 정리되지 않은 마음 때문에 헤어져야 할 때가 있다.

그때마다 헤어지는 것을 못 견뎌 삶의 과제를 접게 된다면 그 삶은 발전할 수 없다. 그리고 헤어져야 할 때 쿨하게 헤어질 수 있을 때, 기다려야 할 때 인내심 있게 기다릴 수 있을 때, 사랑은 우리에게 미소 지을 것이다.

영화 '첨밀밀(甜蜜蜜, 톈미미; 천밀밀은 꿀처럼 달콤하다는 의미를 가진 형용사이다')의 카피에 이런 글이 있다.

'10년을 기다렸다. 그리고 영원히 사랑했다.' 수치화 하기 힘든 사랑을 쉽게 보여주는 대목이다.

세상의 연인들이여! 사랑을 소중하게 여기라. 사랑을 고귀하게 간직하라. 그게 행복한 추억과 행복한 세월을 간직하는 비결이니까. 아픔이 있어 희망이 생기고, 슬픔을 알아야 행복할 수 있다.

有緣千里來相會(유연천리래상회) 인연이 있다면, 천리 멀리에 떨어져 있어도 만나지만

無緣對面不相逢(무연대면불상봉) 인연이 없다면, 얼굴을 마주하고 살지라도 만나지 못한다.

"사랑하는 사람이 가장 아프게 한다"

사랑하는 상대의 배신이나 죽음의 의미도 포함한다. 그러나 더 큰 문제는 상대에 대한 집착이다. 사랑할수록 상대방에게 집착, 더욱 완벽하게 지배하려 들고 나아가 공생적으로 하나가 되려 한다.

"그렇게 다가가면 조금만 어긋나도 크게 분노하게 되고 상처를 입게 된다. 사랑하면 할수록 하나 되어 일치하려는 것이 아픔의 씨앗, 비극의 씨앗이 되는 것이다.

사랑할 때 상대와의 일치만 강조하기 보다는 상대를 독립적인 인격으로 존중하면서 어우러지기를 바란다면 보다 풍요로운 사랑을 경험할 수 있을 것이다."

사랑! 긴 예열 뒤의 운명적인 충동은 격렬하고 황홀하다. 그러나 아쉽게도 그 불길 생각보다 그리 오래 지속되는 것도 아니다. 시차에 의해서, 환경에 의해서, 제도에 의해서, 사소한 의견과 습관의 차이에 의해서 다가오는 어찌할 수 없는 이별, 그리고 남는 것은 서로 사랑했던 이들 내부에 절대로 지워질 수 없는 흔적으로 새겨지는 상처이다.

이 길은 내가 피하려고 해도 피할 수 없는 숙명의 길인지도 모른다. 하지만 마음 깊숙이 뿌리내린 사랑과 험난한 인생을 살 자신이 없어서인지 모르지. 그러나 더 이상 피할 수 없어! 영혼의 피폐함. 정말 견디기 어려워 번민을 피하려 해도 그럴수록 더 험한 고통에 부딪히곤 하니 차라리 이 길이 더 편할지도 몰라.

어젯밤 꿈에 나타났다. 잠깐, 아주 잠깐, 내 방에 누워서 빨리 오라는 손짓을 하면서 뭐라고 한 마디 했는데...... 머뭇거리는 사이에 꿈이 깨고 말았다. 이런 환상이 나타나다니 종잡을 수 없는 생각에 한참 동안 멍하니 천장만 바라봤다.

연애가 있으므로 세계는 늘 신선하다. 연애는 영구적 음악으로서 노인에게는 후광을 주는 것이다. 그것은 배후에 비치는 빛으로 현재를 밝히고, 전방을 비추는 빛으로 미래를 밝힌다.

그렇다. 이 세상을 밝게 해 주는 것은 상대방에게 애정을 주고 가꾸고 꽃피우는 연애이다. 거기에는 서로 주고자 하는 마음이 사랑을 받는다.

서로 아껴 주고자 한다. 서로가 서로에게 잘 보이고자 노력한다. 따스한 대화가 오고 간다. 그러기에 항상 생기가 있다. 이런 곳에 어이 행복이 스며들지 아니 하겠는가.

만화가 히로카네 겐시(弘兼憲史)는 행복해지는 여섯 가지 비결을 어딘가에 썼다.

하나. 작은 욕심을 부리자. 싸고 맛있는 세계에 즐거움이 있다.

둘. 좋지 않은 과거는 빨리 잊어버릴 것. 이제부터 시작되는 인생만 바라보고, 그날의 감정은 그날 정리할 것.

셋. 즐거운 것은 진심으로 즐기자. 취미와 놀이를 진지하게. 고행이 아닌 쾌락과 재미에 도전.

넷. 방황하고 있다면 한 발짝 앞으로. 좋아하는 일을 하는 사람의 인생은 멋져!

다섯. 모든 걸 주어도 아깝지 않은 존재를 마음에 두자. 무엇을 받을까가 아니라 무엇을 줄까 생각할 것.

여섯. 인생은 일장춘몽임을 깨닫자. 사진 앨범을 정리할 것. 병에 걸리면 적극적으로 치료할 것. 휩쓸리지 않고 예의를 즐길 것. 작별을 두려워하지 말자.

만화가 '히로카네 겐시(弘兼憲史)'는 인생은 잘 사는 6가지 비법을 소개했는데,

하나. 작은 욕심 부리기(예컨대 따뜻한 찌개를 안주 삼아 마시는 술 한 잔의 즐거움. 싸고 맛있는 세계의 즐거움이 있음),

둘. 과거 따위 돌아보지 않기(묵은 감정 깨끗이 정리하고 이름조차 잊기. 가슴 뛰지 않는 물건 버리기),

셋. 망설임 없이 즐거움으로 향하기(언제 죽을지 모르니 매일을 진지하게 즐기고, 오래 살지 모르니 배우는 일에도 새삼 도전하기),

넷. 방황하지 않기(제발 좋아하는 일만 찾아서 하고, 피차 좋아하는 사람만 만나기),

다섯. 감정 온화하게 다스리기(섭섭한 마음이 들지 않도록 뭘 줘도 아깝지 않은 존재를 갖기. 뭘 받을까가 아니라 뭘 줄까에 관심 쏟기. 자식이 있다면 부모 품을 떠나도록 놓아주기),

야섯. 인생은 일장춘몽임을 깨닫기(평소에 유서쓰기. 가급적 이별은 산뜻하게). 나나 당신이나 버릴 것 하나 없이 6가지가 빠짐없이 필요하겠다.

잘살고 있는 사람을 보면 "저도 당신과 닮은 살고 싶어요" ....하는 마음이 되는 것이다.

우리가 살아가야 할 삶이란 조금도 더 타인을 인식하는 일, 당신은 언젠가 내가 삶을 살고 있다고 고백하는 일.

맑은 날은...

당신께 눈물을 드렸는데, 오늘은 내가 잔잔한 기쁨이 있으므로 당신께 화사한 웃음을 지을 수가 있어요.

터널을 뚫고 나올 때 아직도 환한 하늘 가운데 별 하나 그리고 내 손을 힘 있게 잡은 당신의 손이 계속 끄덕이며 뭔가를 다짐하는 당신의 모습이 결과야 어떻든 뭐, 내가 당신 삶의 중요한 몫임이 새삼스레 느껴지면서 뿌듯합니다. 사랑해요.

뮤즈!

그래 그런 것이라도 가슴속에 간직하고 마음이 편할 것 같다. '외롭다.' '고독하다' 하다는 말이 어쩌면 사치일지도 모른다. 각자 처해 있는 상황을 극복하기 위해 노력하면 되는 것이지 거창하게 미사여구를 섞어가며 자신을 동정하는 게 얼마나 어리석은가.

아침, 점심, 점심, 저녁 건강 회복을 위한 운동도 그리 쉽지만은 않다.

사랑이란 뭘까? 사랑은 우리 의지로 가능한 걸까? 언젠가 우리 마음은 심장이나 뇌 등의 우리 몸 안에 있는 것이 아니라 몸 밖에 있다는 말을 인상적으로 들은 적이 있었는데 사랑 또한 우리 밖에 있는 것은 아닐까? 그래서 우리 힘으로 모르게 사랑에 빠지고 자기도 모르게 이별을 하는 것은 아닐까?

그리고 그 몸 밖의 사랑 때문에 빚어지는 여러 가지 딜레마나 비극을 우리 힘으로 조정할 수 있다고 너무 진지하게 파고들기 때문에 스스로 비극과 고달픔 속으로 뛰어드는 것이 아닐까? 아마도 그럴 것이다. 나를 봐도 내가 사랑에 빠지는 것은 현실과 거리가 있으니 말이다.

그러나 이렇게 가슴이 차오르는 사랑과 저미는 미움도 세월이 지나면 한바탕 꿈에 불과하기도 하다. 이런 사랑과 미움에 유달리 깊이 빠지는 것은 아무래도 날씨 탓이 큰 것 같다. 적당히 살기 좋으니 좀 더 완벽해지고 많이 가지려고 욕심내다 보니 인생이 고달파지는 것이다.

이상하게 미인 앞에서 주눅 들고 열등감을 느끼는 것은 예나 지금이나 마찬가지이다. 그러다 그 미인하고 사랑에라도 빠지면 어떨까? 아마 눈에 뵈는 게 없을 것이다. 그러다가 그 미인으로부터 상처를 받으면.........아마 지옥이나 무저갱(無底坑; 악마가 벌을 받아 한번 떨어지게 되면 영원히 나오지 못한다는 밑 닿는 데가 없는 구렁텅이)이라도 떨어진 듯이 아플 것이다.

그런데 문제는 특정된 여인만 그렇게 예쁜 여자는 아니라는 것이다. 세상에는 미녀도 많고 미남도 많다. 내가 아무리 예쁜 여자와 사랑에 빠지고 결혼했다고 하더라도 세상의 미녀들은 내 마음을 동하고 혹하게 된다.

세상의 비극은 예쁜 여자와 멋진 남자, 아니 여자와 남자가 너무 많고 주위에 가깝게 있다는 데 있다. 그만큼 마음은 많이 동하고 그로 인해 과거에 사랑을 맹세했던 사람들에게는 진한 아픔을 주게 된다. 내가 한 사람만을 사랑하고, 그 사람이 나만을 사랑한다면 사랑의 비극이 왜 생기겠는가? 그러나 그것이 내 의지대로 안 된다는 데 문제가 있다. 그리고 그러한 것은 나뿐만 아니라 다른 사람 또한 마찬가지이기에 나 또한 믿었던 상대로부터 상처 입는 일이 많은 것 같다.

나는 원한다. 당신의 일상이 별일 없기를. 당신의 하루에 걱정이 생기지 않기를.

나는 믿는다. 복잡하고 소란한 일들이 많이 일어나는 세상에서 당신의 하루가 편안하면 나도 편안할 거라고.

나는 바란다. 일상생활 속에 주어진 아픔이 없기를. 그렇게 당신의 하루가 무사하기를.

실수란 방심이라는 돌부리에 걸려 넘어진 셈이다. 넘어진 사람은 눈앞에 있는 바닥만 허망하게 바라보지 않는다. 뒤돌아 어디를 어떻게 걸어왔는지 파악할 수도 있다.

장미는 오래가는 국화를 부러워하고, 국화는 이쁜 장미를 부러워하는 게 인간사에서 똑같은 것이다. 인생은 어차피 채울 수 없는 빈 잔인 것을.

어차피 인생은 채워지지 않는 잔이다. 갈증은 늘 오게 마련이다.

밤이 어두울수록 아침은 눈부시게 다가온다. 밤은 낮보다 짧다. 이제 밤에 집착 말자. 또 다른 세계는 항상 당신에게 열려 있다.

사랑에는 사계절이 있다고 한다. 나비 날고 그저 막대기만 꽂아도 싹이 나는 춘풍의 꽃이 피는 봄이 있고, 열정과 노력이 필요한 여름이 있고, 그다음에는 풍요로움과 만족이 깃드는 가을이 있고, 허허로운 겨울이 있다.

사랑에 사계절이 있다는 것을 감안하지 않고 늘 봄 같은 마음만을 바란다면 그건 어리석은 나이 같은 것이다.

세상 한 구석에서 누군가가 나를 이해하는 눈길로 바라보고 있다는 것은 얼마나 행복한 일인지도 모른다.

서로가 서로에게 그런 존재가 되어 줄 수 있다면 "너와 나" 너무나 좋으련만.............

하지만 모든 걸 내려놓아야 할 시점에 온 것 같다. 밀어내고 있는데 그 상황을 그대로 받아들여야 한다.

브리다(Brida)는 연금술사로 유명한 파울로 코엘료의 작품이다. 태양전승과 달의 전승이란 두 가지의 전승에서 태양의 전승자인 마스터와 달의 전승을 배우는 주인공 브리다가 소울메이트란 형식으로 엮어짐으로 인해서 책이 전개되어 가면서 브리다 그녀 자신이 자아를 깨우쳐 가는게 책의 대략적인 내용이다.

스물한 살 브리다는 마법을 배우러 숲속의 마법사를 찾으러 간다. 마법사는 브리다가 자신의 소울메이트라는것을 알아보지만 브리다는 알아보지 못할 뿐만 아니라 자신을 이해해주는 남자친구가 있었다.

마법사는 소울메이트인 브리다에게 마법을 가르쳐주지만 자신을 이해해주지 못하는 마법사대신 달의 마스터 위카를 찾아가 그녀에게 지도를 받는다. 자신의 자아와 통찰력을 단련하고 어느새 마녀의 경지에 다다른 브리다는 숲속의 마법사가 자신의 소울메이트라는것을 깨닫는다.결국엔 남자친구를 배신하고 숲속의 마법사와 사귀는데...

첫 번째는 그녀에게 태양의 전통에 대해 가르치고 그녀가 두려움을 극복하도록 돕는 마그누스이구요. 브리다에서 마구누스는 자신의 소울 메이트, 본질적으로 자신의 영혼의 다른 절반을 봅니다.

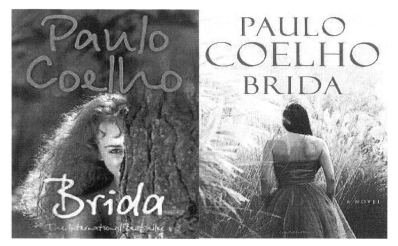

두 번째 교사는 브리다에게 달의 전통에 대한 지식과 의식을 가르치는 위카입니다.

이러한 의식을 수행하고, 타로 카드를 공부하고, 세상의 소리에 맞춰 춤을 추면서 브리다는 자신이 마녀임을 이해하기 시작합니다. 주로 브리다와 등장인물 간의 대화로 구성되어 줄거리의 진행이 다소 느리지만 브리다가 요새에서 캐사스와 함께 죽을 준비를 하는 여성인 전생에 대한 환상이 있을 때 이야기의 전개 속도가 빨라지기 시작합니다.

그런 다음 그녀는 자신의 비전에서 깨어나 마녀가 되기 위해 필요한 의식과 훈련을 진행합니다.

이 얘기와 여행은 브리다가 그녀의 소울 메이트로 여기는 두 사람에 의해 구체화됩니다.

첫 번째는 그녀의 선생님 매그너스입니다.

두 번째는 그녀의 연인 로렌스입니다. 그녀 내부의 이러한 갈등은 각 인간 안에 존재하는 이드(쾌락 추구)와 초자아(완벽함 추구) 사이의 미묘한 전투를 묘사하려는 작가의 시도를 나타냅니다. 완벽을 위한 브리다의 탐구는 간단합니다.

그녀는 계속해서 자신의 기술을 연습하면서 더욱 능숙해져서 마녀가 되는 목표를 달성하는 데 점점 더 가까워지고 있습니다. 그러나 그녀의 쾌락 추구는 더 모호합니다. 브리다는 로렌스와 불가분의 관계에 있지만 그가 진정으로 그녀의 소울 메이트인지 확신할 수 없습니다. 그녀와 마구스의 관계도 같은 감정을 느끼게 합니다. 브리다는 소울 메이트가 무엇인지에 대한 진실을 결정하기 위해 위카의 조언을 구해야 합니다. 궁극적으로 브리다는 사랑이 기쁨과 고통을 동등하게 가져다준다는 것을 발견합니다. 매그너스와의 인연은 결코 잊지 못할 것이지만, 그녀는 로렌스에게 묶여 결국 그를 선택합니다.

"우리는 연금술사들이 '아니마 문디', 즉 '세상의 영혼'이라 부르는 것의 일부를 이루고 있지. (...) 사실, 아니마 문디가 분화만 계속한다면 그 수는 늘어나겠지만, 또 그만큼 점점 약화되기도 해. 그래서 우리는 그렇게 나뉘는 것처럼, 다시 또 서로 만나게 되는 거야. 그리고 그 재회를 '사랑'이라 부르지. 영혼이 분화할 때 언제나 남자와 여자로 나뉘기 때문이야. (...) 매번 삶을 살아가면서, 우리는 다시 만나야 한다는 신비로운 사명을 지니지. 적어도 나뉜 조각들 중 하나는 꼭 만나야 해. 그것을 여러 조각으로 나눈 '위대한 사랑'은 그것들을 다시 하나로 결합하는 '사랑'에 기쁨을 느끼지. 하나의 길을 선택한다는 것은 다른 길들을 포기해야 한다는 의미였다.

그녀에게는 앞으로 살아갈 날들이 많았고, 지금 하고 싶은 일들 때문에 훗날 후회하게 될지도 모른다는 생각에 늘 시달렸다. '온몸을 던지는 게 두려운 거야' 그녀는 생각했다.

"꽃 속에 사랑의 진정한 의미가 들어 있기 때문에, 사람들은 꽃을 선물해. 꽃을 소유하려는 자는 결국 그 아름다움이 시드는 것을 보게 될거야. 하지만 들판에 핀 꽃을 바라보는 사람은 영원히 그 꽃과 함께하지. 꽃은 오후와 저녁노을과 젖은 흙냄새와 지평선 위의 구름의 한 부분을 담고 있기 때문이야."

브리다는 꽃을 바라보았다. 마법사는 그녀의 손에서 다시 꽃을 거두어 숲에게 돌려주었다.

누구든 배움을 갈구하고 자신을 찾기를 원하죠 . 그 과정은 꽤나 힘들고 지루하며 남의 도움을 받고 싶어하는 경우가 많습니다. 하지만 결국에는 모든것은 자기힘으로 이루어내야하는 현실에서 끊임 없이 선택하고 경험중에 고독과 혼란의 길을 걸으며 원하는 것을 계속 이루어야만 그 결과를 마주하는게 아닐까하는데요.

브리다는 마스터라는 사람들을 보며 그 경지에 이른 사람들이 또 새로운 배움을 이어간다는 것을 알게 되는데요. 무언가를 마스터했다는 생각 자체가 안일함과 편안함을 불러와 위험과 위태로움을 가져오는 게 아닐까요?

우리, 위험을 감수하기를. 영혼을 나눠 가진 누군가를 알아보기를. 끌어안고 하나가 되기를. 두려움을 이기고 나아가기를. 그리하여 우리 같이 영혼의 빈 곳을 채우기를. 비로소 완성되기를.[36)]

시인과 철학자들은 이미 오래전부터 사랑이 몰고오는 파괴적 결말을 잘 알고 있었으며, 그래서 사랑의 고통을 사랑과 아픔이 서로 교차하며 일어나는 낭만적 운동의 정점으로 비유해왔다. 그러나 나는 '현대' 에 경험하는 사랑의 고통에는 무엇인가 질적으로 새로운 점이 있음을 증명하고자 한다.

사랑의 아픔에서 특히 현대적인 점은 규제가 풀려버린 결혼시장이며, 작을 선택하는 구조의 변화이고, 사회적 자존감 형성에서 사랑이 차지하는 압도적 비중이며, 격정의 계산적 이성화이자, 낭만

적 사랑이 사용되는 방식이다.[37]

"낭만적 사랑을 위한 변혁이 필요하다!"

"마음의 에어백!"

보행보조기를 끌고 가는 할머니가 차선이 하나밖에 없는 길을 가로막아 움직일 수가 없었다.

아슬아슬 비켜선 할머니를 겨우 지나치고 달리는데, 뒤 차가 할머니 옆에서 보란 듯이 클랙슨(klaxon)을 울리더니 다른 골목으로 가버렸다. 그 못된 장면을 룸미러로 지켜보면서 문득 다행이라는 생각이 들었다. 할머니와 난폭 운전자 가운데 내가 있었던 것이, 그들의 사이에 껴 있었던 게 물론 난감했지만, 결국 다행이었다고.

모든 인간관계에서는 완충재가 필요한 것 같다. 부부 사이에는 자식이 그럴 테고 직장에서는 마음 맞는 동료가 그럴 테고, 계약 관계에서는 존이거나, 때로는 사랑과 의리 같은 감정도 완충 역할을 해줄 것이다.

중요한 건 완전한 타인 간에는 무엇이 그 역할을 할 것인가다. 여유와 배려를 에어백처럼 품고 사는 수밖에 별수 없지 않을까. 남을 위해서가 아니라 내 마음의 평온을 위하여 차량 점검하듯이 마음의 에어백도 점검하면서 살면 좋을 것 같다.[38]

어떤 여자 좋아해요?

남자를 학력이나 능력 따위의 수준이나 정도를 일정한 방법이나 절차에 따라 시험하는 방법은 무수하게 많지만 여자 취향을 물어보는 것은 그중 흥미로운 테스트(test)다. 여자에게 '어떤 남자 좋아해요?' 하고 물어보는 것과 남자에게 '어떤 여자 좋아해요?' 라고 묻는 것은 의미가 다르다. 여자가 묻느냐, 남자가 묻느냐에 따라서도 의미가 다르다. 그 다른 의미를 캐치할 수 있는 남자라면 '이제 비로소 남자가 되었다' 고 생각해도 좋다. "어떤 여자 좋아해요?" 하고 물어 보기는 좀 무엇하니, 쉽기는 "어떤 여배우 좋아하세요?" 라는 질문이다. 일종의 심리 테스트이자 정서 테스트다.

내가 발견한 것. 이 질문에 전혀 대답하지 못하는 남자는 믿어도 좋다. 이 질문에 금방 대답하는 남자는 또 믿어도 좋다. 그런데 답을 하고 싶은데 고민고민하는 남자는 한번 의심해 볼 필요가 있다.

그 어떤 사람에게 매력을 느낀다는 것은 다른 역학이다. 그 어떤 사람을 매혹시킨다는 것은 다른 역학이다. 자신만의 그 어떤 주체적인 시각을 가질 때, 그것에 솔직할 때 자기가 볼 수 있는 그 어떤 아름다움, 그 어떤 매력을 느끼게 된다.

아름다운 두 여자를 보고 어떤 여자에게 눈길이 간다는 것은 그만큼 훈련된 미감을 갖추었을 뿐 아니라, 그만큼 자신의 정서에 충실한 것이니 정말 좋다. 우리에게 필요한 것은 '살아 있는 느낌'이다. 멀리서 보는 환상이 아니라……. 아름다움의 절대적 기준이란 역시 절대로 없는 것 아닐까.

나의 생각이 맞는지 틀리는지 모르겠다. 그러나 아름다움. 특히 매력이란 맞고 틀림이 있지 않는 것 자체가 매력 아닌가. 아름다움을 느낄 줄 안는 자신만의 눈, 또한 매력을 느낄 수 있는 자신만의 감각을 갖춘다는 것은 역시 쉽고도 어렵다.

'어떤 여자 좋아해요?' 또는 '어떤 여배우 좋아해요?'에 대한 답에서는 분명 그 남자의 바탕이 나타난다. 그 남자의 생각이 나타난다. 무엇보다도 그 남자의 느낌이 나타난다.

언제 어디서 어느 여자가 이런 질문을 해올지 모르니 남자는 평소에 어떤 여자, 어떤 여배우를 좋아하는지, 특히 '왜' 좋아하는지, 잘 생각해 두는 게 좋을지도 모르겠다. 아예 관심을 두지 않으려면 모를까.

우리 문화에는 정말 멋있는 말이 있다. '풍류(風流)'. 정말 기막힌 말이다 '멋'이라는 말보다 멋있다. '유행(流行)'이란 말보다 격조 있다. '운치'라는 말보다 맛깔스럽다. '스타일'이라는 말보다 멋지다.

풍류를 알려면? 적어도 네 가지가 기본이다. 서예, 사군자치기, 가무 즐기기, 그리고 시 짓기. 그중 '시 짓기'는 가장 높은 경지의 풍류다.

풍류를 아는 손꼽히는 남자들 중에서도 김삿갓 김병연이 첫 손가락으로 꼽히는 것도 '시 짓기' 때문일 것이다.

혼자 있는 남자를 여자는 절대로 용납할 수 없다. 그런 남자는 유혹의 대상이다. 모든 여자의 야심이리라. 혼자 있는 남자를 혼자 있지 않게 만드는 것이. 남자가 '완벽하게' 혼자 있는 모습은 정말 매력적이다.

여하하든, 혼자 있는 남자에게서 여자는 그 무엇인가를 느낀다. 겉모습이건 또는 속모습까지건 말이다. 아마도 풍류를 아는 여자였던 기생 황진희가 화담 선생에게 무한한 매력을 느낀 것은, 화담 선생의 완벽하게 혼자 있을 수 있는 능력 때문 아니었을까. 확실히 혼자 있는 남자는 매력이 있다. 같이 있고 싶게 만든다.[39]

2. 플라토닉(Platonic love) 사랑

플라토닉(Platonic love) 사랑, 플라톤 사랑은 순수하고 강한 형태의 비성적(非性的)인 사랑을 말한다.

플라스틱 러브라는 용어의 의미는 플라톤의 '대화' 『향연』편에 따르면 다른 사람을 사랑하는 올바른 방법은 지혜를 사랑하는 마음처럼 사랑하는 것이다. 즉 아름답고 사랑스러운 진정한 플라토닉 러브란 마음과 영혼을 고무시키고 정신적인 것에 집중하는 것이다.

영어 표현으로서 플라토닉 러브를 처음 사용한 것은 윌리엄 대버넌트가 지은 '플라토닉 리버스(1636)'로 서슬러 올라간다. 그것은 플라톤의 대화편에서 덕목과 진실의 근거에 있는 최선의 사랑에서 유래된 것이다.

짧은 기간 안에 플라토닉 러브는 영국 왕궁에서 특히 찰스 1세의 아내인 헨리에타 마리와 그 주변에서 유행하였다. 플라토닉 러브는 캐롤라인 시대의 몇몇 가면무도회의 테마로 유행하였으나 정치 사회적 압력으로 쇠퇴했다.

가. 플라토닉 러브(Platonic love)

누구나 한번쯤 정신적 사랑과 육체적 사랑을 놓고 우리는 과연 어느 쪽일까. 골몰히 생각해 본 적이 있을 것이다.

정신적인 사랑을 의미하는 플라토닉 러브(Platonic love)는 고대 그리스 철학자 플라톤의 이름에서 유래됐다. 플라톤은 "여자와 동침하면 육신을 낳지만 남자와 동침하면 마음의 생명을 낳는다"고 말하며 동성애와 정신적인 사랑을 찬양했다.

플라토닉 러브(Platonic love)는 육체적 욕망에서 벗어난 정신적 사랑이야말로 참된 사랑이며, 육체적인 사랑은 사람을 짐승의 위치로 타락시킨다고 말한다. 그러나 현대에 와서 정신적인 사랑만으로는 힘들다는 것이다. 채워지지 않는 그 무엇을 포기할 수 없을 것 같다고 했다.

이와는 반대로 여자들은 섹스 없는 정신적인 사랑만 원하는 경우가 종종 있다. 여자들의 정신적인 사랑 속에는 '존경', '신뢰'와 같은 단어들이 들어있다.

우리들은 보통 정신적인 사랑을 먼저 경험한 뒤에 육체적인 결합이 가능하다고 말한다. 그러나 육체적 관계 이후 사랑의 감정을 경험하는 경우도 적지 않다.

그렇다면 후자의 경우는 사랑이 아니라고 말할 수 있을까. 중요한 것은 현재 우리는 사랑하고 있다는 것이니까. 사랑을 하게 되면 그 사람과 하나가 되고 싶고, 그 사람과 함께라면 마냥 행복하다고 느껴진다. 행복감을 느낀다는 것은 정신적인 것이든 육체적인 것이든 공통된 것이다. 상대와 정신적인 일체감을 맛보는 것과 뜨거운 육체적 결합을 나누는 것 중 무엇이 더 고귀하고 감동적인 것이라고 말할 수 있을까.

사랑하는 사람의 팔을 베고 누워있다가 문득 그의 몸속으로 빨려 들어가 그의 일부가 되고 싶다는 느낌을 받은 적이 있을 것이다. 이렇듯 사랑의 감정은 끝없는 목마름을 불러온다.

그러나 사랑하는 사람과의 섹스는 그러한 목마름을 채워주는 오아시스와 같다. 그 순간만큼은 하나가 되었다는 일체감과 안도감, 행복감만이 존재하며 이 세상에 오직 둘만이 존재하는 듯한 평화로움을 느끼게 된다. 그러나 모든 섹스가 당신의 목마름을 해결해 주는 것은 아니다. 사랑이 깊은 이들에게만 오아시스가 찾아오기 때문이다.

사랑하는 이와 하나가 된 그 순간 눈물이 쏟아질 것 같은 감동을 경험해 본 적이 있는가. 그 시간 속에서는 정신과 육체를 나눈다는 것이 무의미하다는 것을 알게 될 것이다. 바로 당신의 몸도 사랑을 하는 것이다.

'정신+육체조화', 백년해로 방정식이며 정신과 육체가 조화를 이룰 때 부부 사랑이 원만하다. 동물로서의 수컷과 암컷의 필요함이란 말해 무엇하랴. 인간도 여느 생물들과 다를 게 없다. 짝짓기를 위해서 서로를 필요로 한다. 성애를 위해서 절대적으로 필요하다.

새로운 역사가 시작되고, 사랑이 다시 피어오른다.

진심을 끼는 난 마음도 흔들리고 두 사람은 연인이 되는 길에 들어선다. 그러다 보면 특유의 승부욕이 발동하여 빼앗기지 않기 위해 안간힘을 쓰게 되는데, 그리고 집착과 더불어……

인연을 만나는 과정은 세상에서 가장 비합리적이고 복잡하다. 오해는 오해를 불러일으키고 단단해질 것만 같은 인연의 고리는 언제나 미약해진다. 그래서 마음이 향해 있는 유혹을 물리치고 스스로를 용서하겠지만....

모든 남자가 좋아하는 그런 여자가 나를 좋아할까요? 내가 싫은 게 아니라면, 계속 주위를 맴돌아도 되겠지요? 매력 따위는 별로 느끼지 못할게고, 그러면 끊임없는 '노력'이 필요하다. 그 과정에서 진심을 느끼겠지. 하지만 사랑의 결말에 이르면 불편하고 고된 과정도 녹아 넘치겠지.

인연이 되기까지 서로 간의 상처를 주고받을 테고 연인의 굴레에서 벗어나지 못해 방황하거나 질척거릴 수도 있겠지.

모든 게 헤어진 이성에 대한 미움과 미련에서 비롯되는지도 모른다. 누군가의 감정을 추론하고, 증오심을 갖게 되는 일은 스스로를 괴롭히는 과정이 된다. 사랑만이 가슴속에 간직하고 제대로 된 대화도 나누지 못하고 실수하지 않으려면, 위기의 순간에 마음의 감정을 추스르는 일이 무엇보다 중요하다.

"사랑은 누군가의 마음을 흔들고 빼앗는 것이 아니라, 감정에 집중하는 세밀한 교류라는 점을 명심해야 한다."

인연을 찾는 일은 목적지 없는 여정으로 향하는 것과 같다. 이상형은 쉽게 나타나지 않고 영영 만나지 못할 것이라는 불안감에 빠지기도 한다. 그 상대가 내 짝이라는 확신이 들 때까지 숱한 시행착오를 겪게 된다.

이제 실오라기 같은 희망을 가지고 곁을 맴돌아 본다. 싫어하지 않는다는 사실만으로 '승산' 있다 생각해 본다.

행복하게 사랑을 시작했을지라도, 아픔의 순간이 올 수 있다. 아픔의 순간을 직면하고 있을지라도, 행복한 순간이 다가올 수 있는 기대가 있기 때문이다. 인연을 만나는 과정은 불편하고 험난하다. 사랑에 모든 순간에 대비하여 갈등과 아픔의 순간을 늘 기억해야한다. 매력 넘치는 그녀 눈에 발에 채이는 남자 중 하나에 불과하다. 그러기에 마음을 사는 일은 쉽지 않을 게다.

앙드레 지드(André Gide)는 프랑스의 소설가이자 평론가. 신프랑스 평론지 주간의 한 사람으로서 프랑스 문단에 새로운 기풍을 불어넣어 20세기 문학의 진전에 지대한 공헌을 하였으며, 〈사전꾼들〉의 발표를 통해 현대소설에 자극을 줬다. 주요 저서에는 〈좁은 문〉등이 있으며 1947년 노벨문학상을 수상했다.

그는 일찍이 아르투어 쇼펜하우어·르네 데카르트·프리드리히

니체 등의 철학서와 문학서를 읽고, 로마 가톨릭 교회와 개신교의 영향을 받으며 종교적 색채가 강한 작품들을 썼으나 이후 자신의 동성애 경향과 부딪히며 결국 무교로 전향하였다.

사랑을 하는 자의 첫째 조건은 그 마음이 순결해야 한다.

상대방의 인격을 존중하지 않고는 진실한 연애를 할 수 없다. 그리고 그 마음과 뜻이 흔들림이 없어야 한다. 동시에 대담성이 있어야 한다. 장애물에 굴치 않는 용기를 지녀야 한다. 이와 같은 조건이 갖추어졌다면 그것은 참된 애정이고 진실된 연애라고 할 수 있을 것이다.

아니면 연인이나 행복이 없는 듯하면서도 또렷하게 보이는 존재, 가까이 있는 듯 하면서도 먼 빛으로 보이고, 먼 듯하면서도 피부로 느낄 수 있는 존재, 어렴풋하나 올바르고 밝고 간단하게 처리 되어 있는 마네(Edouard Manet)의 초상화 같은 존재, 더하거나 덜 하지도 않는 존재가 그렇다. 그런 존재야 말로 인생의 좋은 친구며, 사랑인 것이다.

"행복은 참으로 인간 존재가 고귀하게 느껴질 때 꽃피어 난다."

참된 애정이란 계산된 애정, 즉 이자까지 붙여 되돌려 받으려고 하는 이기적인 애정과는 합류할 수 없는 것이다. 계산된 애정의 그릇 속에 행복이 찾아올 리 만무하다.

혼자 살아도 괜찮지만 세상엔 짝들이 더 많다. 그러러까 이런 사회에서 이왕이면 작으로 등장하는 것이 훨씬도 유리하다.

부부란 영원한 동지가 아닐 수 없다. 안으로야 별별 싸움을 다 할지라 몰라도 일단 밖에 대해서는 똘똘 뭉친 동지가 되는 것이 상책이다. 이 가정이라는 같은 배를 타고 하나의 팀이 되어 험난한 세파를 헤쳐간다.

나. 외모의 사랑 방정식

사람이 가장 사람다운 것은 사랑을 할 수 있기 때문이다. 사랑을 하지 않고는 인생을 논할 수 없고 말할 자격도 없다. 사람이 가장 돋보일 수 있을 때는 다름 아닌 사랑에 빠졌을 때다. 사랑은 그런 힘을 가지고 있다. 사랑만이 가지고 있는 마법이며, 마법에 걸리게 되면 헤어날 수 없다. 그것은 운명이다.

사랑에는 아무런 자격 요건이 없다. 그러나 사람은 조건을 앞세우고 싶어 한다. 자신이 하는 사랑만큼은 다른 사랑하고는 다르다고 착각한다. 특별하다는 아집으로 집착에 빠지고 만다. 이런 고정관념을 부스는 소설이 있다. 사랑이 얼마나 위대한 것인지를 보여주는 이야기다.

소설 〈죽은 왕녀를 위한 파반느〉(위즈덤하우스. 2009) 박민규 장편소설이다. 419쪽에 이르는 짧지 않은 양의 이야기다. 그럼에도 불구하고 이야기에 빠져들게 되면 끝까지 놓을 수 없을 정도로 재미있는 소설이다. 저자의 글 솜씨에 자연스럽게 빠져들게 된다. 주인공의 내면의 변화를 통해 카타르시스를 얻을 수 있다.

　소설은 픽션이다. 저자는 허구의 장점을 최대한 살려 독자들의 마음을 잡고 있다. 주인공의 입장에서 바라보는 주관적인 시각에 의해 다른 결론을 끌어낸다. 허구가 아니라면 불가능한 전개이다. 그만큼 지은이의 상상력이 한 여름의 무더위를 잊게 해준다. 나오는 사람 4명의 독특한 시각에서 바라보는 사랑의 관점이 흥미롭다.

　어찌 보면 사랑이란 주제는 진부하다. 그만큼 사랑 없이는 살아갈 수가 없다. 누구나 갈망하는 것이 사랑이고 누구나 하는 것이 사랑이다. 모두가 하는 사랑의 이야기라면 독자의 시선을 잡을 수 없다. 사랑에 빠지면 누구나 자신의 사랑이 세상에서 제일 아름답고 가장 독특한 향을 가지고 있다고 믿는다. 그러나 사랑이 향을 갖는 것은 결코 쉽지가 않다.

　사랑을 시작할 때 편견을 가지고 있기 때문이다. 남보다 더 외모가 아름다워야 하고 우월한 사랑을 해야 한다는 생각을 하고 있기 때문이다. 사랑에 향을 가지기 위해서는 사랑하는 사람들의 영혼과 일치를 이루어야 한다. 영혼이 일치하지 않는 사랑이 어디에 있느냐고 반문하는 사람도 있다. 그러나 이 책을 읽게 되면 그렇지 못한 사랑이 있다는 것을 분명하게 알 수 있게 된다.

　얼굴은 세상에서 가장 못생겼지만 향기 나는 사랑을 하는 주인공들의 이야기를 읽고 있노라면 세상의 고뇌가 시나브로 사라지는 것을 알 수 있다. 사랑에서 相이 문제가 되지 않기 위해서는 주관적으로는 자신감을 가지고 있을 때이다. 그러나 다른 사람의 시선뿐만이 아니라 스스로 相의 굴레에서 벗어나지 못하게 되면 그 것은 심각한 문제가 된다.

　우리의 여주인공이 감수해야 하는 고뇌가 바로 여기에 있다. 미와 추는 상대적이다. 보는 사람의 주관에 따라 얼마든지 달라질 수 있다. 그러나 우리의 주인공은 이런 차원이 아니다. 사랑을 포기할 수밖에 없는 현실을 수용하는 아픔을 감내한다는 점이다. 이모든 어려움을 극복하고 사랑을 완성해가는 과정이 그렇게 아름다울 수가 없다.

작가의 섬세한 심리 묘사가 독자들의 마음을 잡는다. 변화하는 내면의 변화가 독자들의 마음을 잡는 매력이 있다. 한 가지 아쉬운 점이 있다면 제목과 책의 내용과 크게 연관이 되지 않는다는 점이다. 물론 추한 相을 죽은 왕녀라고 생각한다면 그럴 수도 있겠지만 필연적이란 생각은 들지 않는다. 이 가을에 읽어 볼 아름다운 사랑이야기다.[40)]

외모는 우리나라 사람들, 특히 청소년 젊은 층, 그중에서 여성들에게 지대한 영향을 미친다. 그러나 미래 사회에서 외모의 가치는 점점 떨어지게 될 것이다. 같모습만의 아름다움에는 점점 식상하게 될 테니 말이다. 우리나라는 특히 체면문화가 있어 남들에게 비춰지는 모습이 그동안 강세를 띠어왔으나 개성화 시대, 특히 주체성과 능력 중심의 미래 사회에서는 외모만으로 어필(appeal; 무엇이 사람에게 흥미를 불러일으키거나 매력을 느끼게 하다)하기 힘들 것이다. 그러나 외모는 문화적 측면과 경제적 측면에서 한동안 강한 영향력을 가질 것이다.

미래학자 토플러(Toffler, A)도 예견했듯이 미래에는 권력 중심이 어른에서 아이들로 이동해갈 테니까. 아이글과 청소년 중심의 상품이 각광을 받고 있는 것이 현 실정이다.

청소년들은 특히 일류, 최고급, 외모 등에 집착해, 한동안 그런 상품이 인기를 끌고 또 그런 측면에 문화·경제는 집중될 것이다. 그러나 어리고 젊은 쪽으로 문화의 흐름이 가는 경향이 있다고 도

전체적으로 주체성이 없고 외모에만 집중되는 문화로 흐르는 것 같지는 않다. 살아 있지 않은 외모는 빨리 식상하는 경향이 있기에 외모보다는 인간에 대한 믿음, 진실, 사랑을 갈구하는 경향이 늘어날 것이다. 젊고 싱싱한 외모에다 영혼과 진실이 함께 어우러져 있을 때 진정으로 강한 문화적·경제적인 힘이 발휘될 것이다.

사랑은 자기의 무의식이 투사된 상대와 결합하는 것이니 자기 존재와 유사한 이성에 끌리고 결국은 사랑의 상대로 선택하는 것이다. 그래서 객관적으로 아무리 예쁘고 매력이 있다고 해서 모두 사랑할 수 있는 것은 아니다. 그 이유는 사람의 미적 기준이 자기 자신에게 있기 때문이다.

아름다운 외모를 가진 사람에게 우리는 마음적·영혼적으로 끌릴 수는 있으나 현실적으로 사랑하는 것은 별개라고 생각한다. 그래서 세상에 다 기 짝은 따로 있다는 말도 있는 것이리라.

남자의 마음속에 떠오르는 무수한 성적인 공상은 생명이 씨를 뿌리기 위함이고, 여자의 마음속에 떠오르는 무수한 사랑의 공상은 생명이 좀더 나은 씨를 잉태하고 좀더 잘 가꾸고 잘 키우기 위함이다. 남자가 날씬한 여자를 여자를 선호하는 것은 그런 여자가 아기를 잘 낳기 때문이고, 여자가 돈 많은 남자를 선호하는 것은 그런 남자가 아기를 잘 키울 수 있는 환경을 제공하기 때문이다.

젊었을 때는 정말 아름답고 팔팔한, 아이 같던 여자가 나이 들어서는 전혀 그 자욱을 찾을 수 없게 늙어버리는 것도 그녀로부터 아이가 빠져나갔기 때문이다. 아이란 젊음과 생명의 핵심으로, 생명이 끓어오르는 환희를 느낀다. 그래서 부모는 자식의 어린 시절의 예뻤던 한때를 생각하면서 평생 희생한다고 하지 않던가. 아이가 그렇게도 큰 감동과 기쁨을 주기에.

아이다움은 예쁜 것을 앞선다. 남자들이 예쁜 여자를 좋아하는 것은 그 예쁨 속에 젊음이 응축되어 있기 때문이다. 아름다움을 찾는 이면에 아이다움을 찾는 것이다. 그래서 남자들은 예쁜 여자보다는 젊은 여자를 더 선호하는 것이다.

　마음에 꼭 드는, 그래서 죽어서도 놓치고 싶지 않은 남자가 있다면 수단 방법을 가리지 말고 붙들어야 한다. 남자들은 눈물 콧물 쏟아가며 여자를 곱게 떼어놓으려고 온갖 방법을 쓴다. 순진한 여자들은 냉큼 헤어져 주고 혼자 상처를 부둥켜안고 뒹굴지만 그렇게 살 이유가 없다. 소중한 건 수단 방법 가리지 말고 쟁취해야 한다. 세상에 별 여자가 있고 별 남자가 있나. 살다보면 정들고 좋아지는 거지.

　그런데 신기한 것은 협박해서 잡고 나니 남자가 더 좋아한다. 아예 바람피울 엄두도 안 내면서 가정에 충실하다. 아마도 남자도 당찬 여자를 좋아하는 것 같다. 이 험한 세상에 다리가 될 여자는 순진한 여자가 아니다. 순진한 여자는 그저 따먹고 버리기 좋은 노리갯감에 불과하지. 좋은 남자가 생기면 무조건 꼭 붙들어야 한다. 수단 방법 가리지 말고 당차게.[41]

다. 행복의 정복

　러셀(Henry Norris Russell)은 무신론자로 백작의 지위를 계승하고 반전 반핵운동을 주도하였으며 정계진출을 시도해 자유무역과 여권신장을 외쳤다. 러셀은 행동하는 철학자이다. 그의 저서 행복의 정복에서 중요하게 여기는 것은 노력과 체념 사이의 중용이라고 하였다. 모든 일에서 완벽하게 추구하다 보면 불행해질 수밖에 없다. 어쩔 수 없는 일은 단념해야 실제로 영향을 미칠 수 있는 일에 집중할 수 있다. 그리고 행복은 부분적으로는 외부 환경에 부분적으로는 자기 자신에게 달려있다고 하였다.

행복은 음식, 사랑, 집, 일, 가족, 기타 수백 가지 요인에서 비롯된다. 한편 행복의 정복 도입부에 러셀은 자신이 행복한 아이는 아니었다고 고백한다. 사춘기 때에는 삶을 증오해 늘 자살할 생각을 품고 있었지만 수학에 대해서 좀 더 알고 싶다는 욕구 때문에 자살 충동을 억누를 수 있었다고 그는 말한다. 그는 시간이 지나므로 행복해졌다고 하는데 이는 본인이 좋아하는 일을 더 많이 하고 이룰 수 없는 바람들을 깨끗이 단념했기 때문이었다. 그러나 무엇보다 러셀이 행복해진 주된 비결은 자신에 대한 집착을 줄인 것이었다.

행복을 가로막는 지나친 자기반성은 우리가 다른 사람과 분리되어 있다는 믿음에 기반을 둔다. 행복은 우리 스스로 대의, 열정, 관심사에 빠져들고 다른 사람의 안녕을 우리 자신보다 더 중요시할 때 비로소 얻어진다.

러셀의 인생은 빅토리아 시대의 도덕과 죄의식에 맞선 저항이기도 했다. 프로이트처럼 러셀로 성과 사랑의 억압이 그런 행위 자체보다 훨씬 더 사람들에게 위험하다고 믿었다. 자연스런 감정을 억압하면 의식과 무의식 사이에 괴리가 발생하여 여러 불건전한 방식으로 표출되게 마련이다. 또 죄의식은 우리에게 열등감과 고독감을 떠안겨 행복을 박탈해간다. 우리는 내적 갈등에 시달리고 구속당하느라 어떤 외적인 목표도 달성할 수 없을 것이다. 물론 우리의 행동의 토대가 되어야 할 이성적인 윤리가 결여되어 행동을 제어할 수 없을 때도 불행해질 수 있다. 그리고 우리의 행동이 타인에게 피해를 주지 않을 것을 알 때에만 행복하는 것이다.

불행의 원인은 우리에게 벌어진 일들만이 아니라 잘못된 생각이나 관점에서 기인한다. 그리고 불행의 심리적 원인은 많고도 다양하지만 공통적인 원인은 어린 시절에 정상적인 만족을 누리지 못했던 경험인 듯 보인다. 그런 경험 때문에 어느 한가지 만족을 무엇보다 중시하게 되고 그 만족을 얻는데만 치중할 뿐 다른 행동은 제쳐놓게 되는 것이다. 또한 불행하기 때문에 세상의 불쾌한 특징에 집착하고 있다. 한편 오늘날 대부분 사람들이 벌이는 경쟁은 살기 위한 경쟁이 아니라 성공을 위한 경쟁에 가깝다. 사업가는 근본적으로 사소한 일에도 위엄을 갖추기 위해 생존 경쟁이란 표현을 즐겨 쓴다는 것이다. 한편 행복을 얻기 위해서는 통찰력과 균형 잡힌 삶만 갖추면 된다. 부만 추구해서는 행복을 얻기는커녕 권태에 빠지기 십상이다. 우리가 계속 성장하며 가능성을 실현하기 위해서는 지적인 호기심도 있어야 한다. 러셀은 실제 성공보다 노력이 행복의 필수요건이라고 말한다. 노력을 기울이지 않고 사람의 욕구가 채워져도 더는 행복해지지 않는다는 것이다. 그래서 원하는 것들 중 일부가 부족한 상태가 행복의 필수조건이라고 결론을 내린다.

홍분과 모험을 바라는 욕구는 남성들에게 뿌리 내려 있는 것이다. 수렵시대에는 이런 욕구가 자연스레 충족되었지만 농경시대가 도래하면서 삶은 지루해지기 시작했다. 기계시대가 되어 권태는 꽤 줄어들었으나 권태에 대한 두려움은 오히려 깊어졌다. 인류가 저지르는 죄의 절반 이상은 권태에 대한 두려움에 비롯된다는 점에서 도덕주의자들은 권태를 심각한 문제로 여긴다 러셀은 심지어 전쟁과 학살, 박해 등도 대부분 권태로부터 도망치기 위한 방편이었다고 주장했다. 따라서 어린이들의 놀이에는 노력과 창의력을 요하는 행동이 포함되어야 한다는 것이다. 또한 아이들은 새로운 자극에 끊임없이 노출시키기보다는 성과를 얻기 위해 반드시 견뎌야 하는 단조로움을 참도록 가르쳐야 한다. 성인의 도시인들은 단지 자연과 격리되어 있다는 이유만으로도 권태를 느낀다 우리가 사랑하는 대상보다 사랑을 하고 있다는 느낌이 우리에게 더 행복을 준다. 사랑이란 그 자체로 기쁨의 원천이다. 부모 노릇을 포기하는 사람은 커다란 행복을 포기한 것이다. 자식이 생기면 연속성과 연대감을 갖게 되어 스스로 최초의 세포로부터 멀고 먼 미지의 미래에 이어지는 생명 흐름의 일부분이라고 느끼게 된다. 또 행복의 필수요건이자 지속적인 목표는 일에서 얻게 된다. 자부심이 없는 사람은 결코 진정한 행복을 누릴 수 없고 자기일을 부끄럽게 여기는 사람은 결코 자부심을 가질 수 없다. 인간의 삶 모든 영역은 그것이 일이든 결혼이든 육아든 외적인 노력이 필요하고 이런 노력 자체가 행복을 가져온다. 그리고 자신의 장점을 과대평가하고 권력에 집중하며 허영을 갖게 되면 불행해질 수 있다

러셀이 불행이 의식과 무의식, 자아와 사회 간의 조화가 결여된 결과라고 지적한다. 행복한 사람은 인격이 분열되지도 않고 세상에 맞서지도 않아 자아의 내적인 통합이나 자아와 사회 간의 통합 실패로 고통받지 않는 사람이다. 무엇보다 우리는 관심을 외부로 돌리고 자기 중심성에서 탈피해 질시와 자기 연민, 공포, 자화자찬, 죄의식 등을 피할 때 행복을 얻을 수 있다.

러셀은 우주와 만물이 물질이든 의식이든 한 가지 재로로 이루어진다는 형이상학적 개념인 중립적 일원론을 지지했다. 모든 불안한 생각은 원치 않는 분리감과 자아가 실재한다는 집착에서 생겨난다. 우리가 서로 분리되어 있다는 착각의 실체를 알고 나면 즐겁지 않게 살기가 오히려 힘들 것이다(행복이란 무엇인가의 버트런트 러셀의 『행복의 정복』에 대해서)

학창시절 버트런드 러셀(1872~1970)을 『행복의 정복』이란 베스트셀러의 저자로만 알고 있다가 대학에 와서야 이분이 본래 뛰어난 수학자였음을 알게 됐다. 그는 98년 긴 생애의 3분의 1을 수학

자로, 다시 3분의 1을 철학자로, 나머지 3분의 1은 평화운동가로 각각 괄목할 만한 업적을 남겼다.

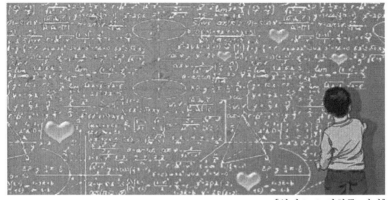

[일러스트=김회룡 기자]

19세기 말 무한과 집합에 대한 개념을 명확히 하지 않고 사용하다가 여러 가지 모순들이 발견됐다. 청년 러셀은 모순이 없는 수학을 위해, 모든 수학적 논증을 최소단위로 분석하고 엄밀한 논리적 구조 위에 수학을 정립하고자 했다. 그의 명저 『수학원리』는 수학기초론에 크게 기여했고, 영예로운 드모르간상과 실베스터상을 받았다. 중년이 돼 수학자로서 너무 어려운 문제들에 몰두하다 모든 에너지가 소진되었다고 느꼈을 때 철학 연구를 시작했다. 평이하고도 명확한 논리로 어려운 철학적 주제들을 설명해 20세기 중요한 철학자의 한 사람으로 손꼽히게 되었다. 『행복의 정복』, 『게으름 찬양』 등과 같은 대중 철학서도 다수 집필했다. 위트가 넘치고 따뜻한 시선이 가득한 글들의 문학성을 인정받아 1950년 노벨 문학상을 받았다. 노년에는 평화운동가로서 영국의 제국주의에 반대해 싸웠고 인도의 독립에 기여했다. 인도에서는 그에게 감사하며 기념 우표까지 제작하였다. 그야말로 인생 3모작을 성공적으로 일군 셈이다.

힌두교에서는 인생 4모작을 말한다. 성년이 될 때까지 뛰어난 스승을 모시고 공부하는 성장기, 성년이 되어 가족을 이끌고 부양하는 가장기, 자식이 성장하면 가장의 책무를 넘기고 인생에 대해 성찰하는 숲속 생활기, 평화로운 죽음을 준비하는 출가기의 4단계가 바람직한 인생의 사이클을 구성한다는 것이다. 바야흐로 백세시대가 눈앞에 다가오고 있다. 인생 다모작 시대를 어떻게 준비해야 할지, 선량한 의지로 행복을 정복한 러셀의 지혜와 삶이 우리에게 시사하는 바가 적지 않다.[42]

라. 사랑의 기술

왜 역사적으로 중요한 일에 미인계를 쓰고, 하룻밤에 만리장성을 쌓는다고 하겠는가? 한평생 쌓아온 부와 권력이 하룻밤 여인 때문에 물거품이 되거나, 단두대의 이슬로 사라진 영웅들이 그 얼마나 많았던가.

기분 좋은 섹스를 하면 행복해지고, 건강에도 좋다. 섹스할 때 분비되는 엔도로핀(endorphin)[43]은 우릴 행복하게 만들고 건강하게 만들어 준다. 사랑하면 예뻐진다는 말도 과학적 근거가 있다. 그 호르몬이 얼굴을 확 펴주기 때문이다.

장수촌을 취재해서 쓴 서적 중에 『오키나와 프로젝트』라는 책이 있다. 그 책에는 장수하는 사람들의 특성으로 나이가 들어서까지 섹스를 하는 습관을 들고 있다. 섹스는 건강해야 할 수 있고, 역으로 섹스를 하면 건강해 진다는 말도 성립된다. 섹스가 중요하지 않을 수 있다. 하지만 섹스 없는 삶은 앙꼬 없는 찐빵과 같고, 고무줄 없는 팬티와 같다. 앙꼬 없는 찐빵을 먹을 수도 있고, 고무

줄 없는 팬티를 입을 수도 있다.

섹스가 중요하지 않다고 말할 수는 있다. 하지만 그것이 충족이 안 되면 뭔가 부족하고, 어떤 식으로든 곪아 터진다. 마치 미지근한 물처럼 갈증을 해소해 주지 못한다. 열기가, 스트레스가 그대로 남아 있게 된다. 섹스는 인간 행위의 중요한 측면이다. 부정하고 싶겠지만, 어쨌든 섹스는 중요하다. 섹스 없는 부부생활은 기초 없는 건물과 같고, 대들보 없는 집과 같다. 부부생활에 있어 성생활은 식욕만큼 중요하다. 위기가 닥쳐서 그것을 고치려고 하면 이미 때는 늦는다. 만약 당신이 섹스가 중요하지 않다고 생각한다면 그 생각을 바꾸어야 한다. 왜냐하면 당신의 파트너는 그렇게 생각하고 있지 않기 때문이다.

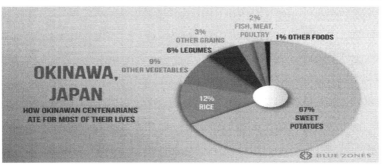

인간의 욕망은 두 개로 압축한다면 식탐과 성욕이라 할 수 있다.

살면서 먹는 것을 가지고는 부끄러워 하지 않는다. 식탐이 있다고 손가락질을 하지도 않고, 그렇다고 부러워하거나 천대하지도 않는다. 우리는 매일 무엇을 먹을까 고민하고 새로운 것, 맛있는 것을 찾아다닌다. 또한 더 맛있게 요리하는 법을 연구하고, 요리 잘 하는 여자와 결혼하기를 바란다. 맛있는 음식을 먹으면 너무나 행복하고, 배가 고프면 가운도 없고 만사가 귀찮다.

하지만 성욕은 다르다. 성욕이 너무 강하거나 너무 약할 때 그것을 부끄러워 한다. 누군가 너무 밝히거나 느끼하면 속물이라고 생각하고 터프(tough; 사람이나 그 성격, 생김새가 툭 트여서 시원하고 야성적이고 거칠다)시한다. 그러면서도 여자들은 섹시(sexy: 사람이나 그 모습이 성적인 매력이 있다)하게 보이려고 노력한다. 더 맛있게(?) 보이려고 하기도 한다. 남자들 또한 몸매를 멋지게 다듬어 여자가 맛있게(?) 느낄 수 있게 한다.

성욕과 식욕은 같은 대뇌 중추에서 관장을 한다. 그렇기 때문에 성욕이나 식욕은 본질적으로 같은 욕망이고 같은 매커니즘이다. 인간의 생존과 번식을 담보하는 가장 기본적인 욕망이다. 그렇다면 당신의 식욕은 어떤가? 또한 앞으로 당신의 성생활은 어떻게 해야 할까?[44]

남자들은 여자와 달리 섹스만을 좋아하고 쉽게 무너진다는 말은 신화에 불과하다. 남자도 여자와 똑같은 인간이다. 여자가 좋은 것은 남자에게도 좋다.

섹스도 마찬가지다. 그동안 정상위만 해 왔다면, 인젠 남자를 위로할 수 있는 여성 상위를 해 보는 것도 좋다. 여성 상위로 하면 남자는 쉴 수가 있다. 너무나 피곤해서 섹스를 하고 싶지 않은 남편은 아무 것도 하지 않아도 된다. 그저 몸의 요구에 따라 맡기면 된다.

여자가 오럴(oral)을 해 주고, 남자가 발기가 되면 그때 서서히 삽입하고, 여자가 리드(lead)하면 된다. 남자는 그저 누워서 그 감각을 편안히 받아들이는 것이다. 여자가 남자를 애무해 주고, 얼굴을 만져주고, 몸을 사랑스럽개 보듬어주고, 그리고 위로해 주면 된다.

그러면 남자는 쉼터에 온 것처럼 편히 쉴 수가 있다. 너무 잘하려고 노력할 필요도 없고, 오래 하려고 스트레스(stress) 받지 않아도 된다. 정상위보다 훨씬 오래 할 수도 있고, 그러다가 힘이 생기면 정상위로 마무리 해도 된다.

남자가 힘들 때는 여자가 봉사해야 한다. 그동안 받아온 것을 되돌려 줄 때다. 나이가 들어간다는 것은 이해의 폭이 넓어진다는 것이다. 남자에 대한 이해도 새롭게 해야 한다. 남자도 우리의 아들처럼 외롭고, 여자의 손길이 필요하며, 사랑과 배려가 요구된다.[45]

"조루는 완벽주의자들의 질병이다"

남자들은 조루(早漏; 성교를 할 때 남자의 사정(射精)이 지나치게 빨리 이루어짐)를 가장 무서워 한다. 조루는 성기능 장애 중 하나로 우리나라 남성의 50~60%가 경험하고 있는 증상이다. 조루가 지속되면 아내의 성적 불만이 쌓이고 남자 스스로도 섹슬를 기피하게 돼 부부관계에 악영향을 미친다. 남편의 조루는 아내에게도 허무한 일이지만, 남편 자신에게 말 못할 스츠레스를 안겨준다.

세계보건기구(WHO)[46]가 조루에 대해 정의한 내용을 보면 지속의 시간이 기준이 아니다. 자신의 의지와 무관하게 원하지 않는데도 사정을 하는 것을 조루라 한다.

일반적으로 5분 이내에 사정하는 횟수가 전체 성 관계 중 50%를 넘으면 조루라고 볼 수 있다. 남성은 섹스를 체험하는 과정에서 사정의 시기를 자신의 의지대로 조절하는 법을 익혀야 한다. 그게 잘

되지 않는 사람도 있다.

조루란 '사정을 빨리 하느냐 그렇지 않느냐' 문제가 아니라 '사정을 조절할 수 있느냐 없느냐'의 문제라는 것이다. 남성의 조루는 아내의 도움과 세심한 배려로 치료할 수 있다.

조루는 꼭 신체적인 문제에서 비롯되는 게 아니다. 어떤 사람은 첫 섹스 때부터 지속적으로 조루 증세가 나타나기도 한다. 완벽주의자에게 자주 나타나는 현상이다.

조루를 치료하기 위해서는 남편이 쾌감에 도달하더라도 사정을 하지 않도록 아내가 조절자의 역할을 잘 해야 한다. 남성상위 체위에서 남편의 흥분이 고조됐을 때 아내가 흥분이 떨어뜨릴 수 있도록 자극을 줄여야 한다.

또한 아내의 유도가 중요하다. 사정을 어느 정도 조절할 수 있을 때 여성상위 체위로 바꿔서 삽입해 피스톤 운동을 시작하자.

그러다가 3분 이상 강도 높은 자극을 해본다. 삽입 후 5분 정도까지 사정을 지연하도록 남편과 아내가 흥분상태를 합심해서 조절해 나가야 한다. 반복하며 연습하다가 아내가 오르가슴에 도달하는 순간 사정을 하는 것이다. 이런 과정을 거치면 어느덧 정상적인 섹스가 가능해진다.

'스톱 앤 고(stop and go) 테크닉'도 2~3주 동안 시도하면 조루 치료에 도움이 된다. 이 테크닉은 남편이 사정의 느낌이 왔을 때 아내에게 신호를 보내 사정의 기미가 사질 때까지 애무나 몸의 움직임을 멈추게 한다. 설혹 남편이 사정을 해버리는 경우에도 아내가 실망하는 기색을 드러내지 않는 것이 중요하다. 남편이 사정을 하지 않고 잘 참으면 그 다음번 섹스부터 삽입한 이후 아내가 리듬을 조절해가며 몸을 조금씩 움직이는 것이 좋다.

남성의 사정 조절이 좀 더 쉬운 체위는 여성 상위다. 사정 직전에 이르면 이전에 했던 방법과는 달리 성기를 질 밖으로 빼내지 않은 채 아내가 몸놀림을 멈춰야 한다. 남편의 흥분이 좀 가라앉았다 싶으면 다시 아내가 몸을 움직인다. 그렇게 몇 번 반복하면서 남편이 사정 시기를 조절할 수 있도록 아내가 돕는 것이다.[47]

결국 '사랑의 기술'은 나를 알고 너를 알아서 서로에게 없는 것을 기분 좋게, 맛있게 얻어내는 기술이다. 우리는 절대로 혼자서 등을 밀 수가 없다. 누군가의 도움이 있어야 오르가슴을 얻을 수 있고, 누군가의 사랑이 있어야 행복할 수 있다. 그러기 위해서 어떻게 할 것인가를 배우고 경험하는 것이 '사랑의 기술'이다.[48]

마. 행복한 시간

사랑으로 비롯된 접촉으로부터 인간은 태어난다. 인간은 피부 구석구석에까지 수없이 많은 미세한 신경 조직을 가진 존재로 만들어졌다. 접촉은 살결과 살결의 부딪침을 통한 교제나 의사의 전달에만 그치는 것이 아니다. 접촉의 의미는 심리적인 영역까지, 더 나아가서는 영적인 영역까지 확장시킬 수 있는 것이다.

접촉을 통해 마음이 누그러지고 마음이 편해지는 것이 인간 심리의 비밀이다. 접촉을 통해 우리는 두려움을 이겨내고 고통을 완화하며 위로를 주고받는다. 또 우리가 의식을 하든 하지 않든 사랑하는 사람들과 대화를 나누는 기본적인 수단이 된다. 그래서 루소(Jean-Jacques Rousseau)[49]도 접촉의 중요성을 강조하면서 "산다는 것은 단순히 숨쉬는 것이 아니다. 산다는 것은 행동하는 것이며 우리 신체의 각 부분을 통해 느끼는 것이다. 존재의 의미는 피부의 느낌에 있다"고 말한다.

사랑은 접촉이고 접촉은 곧 사랑이다. 사랑의 표현을 통해서 기뽐이 생긴다. 사랑을 가장 잘 표현하는 방법은 무엇보다도 서로 접촉하는 것이다.

결혼 전까지 이성의 피부 접촉은 '갈망'의 차원에까지 이르게 된다. 그런데 묘하게도 결혼하면서부터 접촉의 빈도가 성적인 접촉 외에는 점점 줄어들게 된다. 나이가 들면 들수록 접촉 결핍 증세가 심화되어 '접촉 빈사 상태에'에 들어선다.

접촉하는 방법에는 여러 종류가 있다. 악수하는 것에서부터 등을 토닥거리거나 이야기하면서 어깨를 껴안는다든지, 포옹을 하거나 키스를 하는 것 등, 강도가 약한 접촉에서 은밀하고 깊숙한 접촉까지 그 방법은 다양하다 그 중에서 사랑을 깊이 전하는 대표적인 방법이 '포옹(抱擁, hug)'이다.[50]

'포옹요법(Hug Therapy)'의 창시자인 '캐슬린 키팅'이라는 정신간호학자의 포옹의 효과에 대한 예찬이다.

"포옹은 기분을 좋게 해 주고 외로움을 없앤다. 두려움과 불안, 긴장감을 해소시켜 주고 마음을 열어주는 푸근함을 준다. 불면증도 없애고, 키 큰 사람에게는 굽히기 운동을, 키 작은 사람에게는 팔을 뻗치는 운동을 하게 된다. 팔과 어깨 근육 운동까지도 시켜 주며, 노화 방지 효과도 있다.

내적인 스트레스나 공허함 때문에 과식하면 비만이 생기게 되나 포옹을 하게 되면 정서적 충만감으로 음식을 적게 먹어도 포만감을 느낀다. 그래서 다이어트 효과도 있다. 물론 미용 효과도 있다."

얼마 전 미국 펜실베니아 주립대학 '게 오프 가이드' 교수도 "포옹이야말로 마음의 병을 치유하는 지름길"이라고 주장을 한 바 있는데, 가드비 교수가 포옹 예찬론을 펴게 된 것은 포옹 등 신체 접촉이 감정이나 육체적으로 최고의 상태를 만들어 준다는 연구 결과를 통해서였다. 가비드 교수는 또 "포옹은 스트레스와 싸울 수 있는 훌륭한 무기다. 따뜻하고 사랑스러운 포옹은 상대방으로 하여금 마음을 든든하게 하고 편안함을 느끼게 하고, 포옹하는 순간 긴장수치는 수직 강하하게 되어 긍정적인 감정의 변화를 가져온다" 고 주장했다.

또한 "포옹은 혈압을 급상승시키고 분노의 감정도 맥 못 추게 만드는 효력이 있으며, 고독과 외로움을 달래 줄 수 있는 유일한 수단이며 탁월한 정신 치료제" 하고 말한다.

그러면서 "배우자나 가족들과 관계를 지속하고 싶으면 주저말고 부드럽게 껴안아라. 포옹은 상대방과 가장 밀접하게 관련을 맺고 있다는 하나의 증거" 라고 결론을 내고 있다.

바디 랭귀지(Body Language)가 얼마나 커미니케이션에 중요한 것이며 얼마나 큰 부수적 이익이 따르는지는 더 이상 설명할 필요가 없다. 우리는 서로 만지고 살아야 한다. 서로 만짐으로서 마음 상함 없이 커미니케이션이 가능해진다. 만지면 편안해 진다.

만지면 기대고 싶어진다. 만지면 사랑하고 싶어진다. 접촉은 용서와 치유의 힘을 가져다 준다.

연로하신 부모님께도 다른 선물보다는 피부 접촉을 해 드리자. "노인들은 육체적으로 고독하다. 그 고독은 접촉결핍증 때문이다" 라는 이반 버나사이드 말을 기억하자. 부모님의 머리도 만져 주고 손도 만져 주고 안아도 주어라. 육체적 고독은 심리적, 정신적 고독을 유발한다.

부부간의 피부 접촉은 필수 중의 필수다. 서로 만진다는 것은 사랑의 징표다. 어떤 핑계도 용납되지 않는다. 사랑하는 아내의 손을 잡아 주어라. 사랑하는 남편의 손을 힘 있게 잡아 주어라. 돈도 들지 않고 시간도 들지 않는 사랑의 실천이다. 하루 최소 다섯번씩 피부 접촉을 하고 한번 이강 손을 잡자. 외출할 때는 손을 맞잡고 걸어다니자. 팔장을 끼면 더욱 좋을 것이다.

국립병원의 의사였던 르네 스피치 박사는 'The First Year Of Life'라는 책에서 "접촉을 가진 아이는 건강하게 자랐다. 그러나 유모차에서 피부 접촉이 없이 자란 아이들은 점점 약해져서 접촉의 결핍증 때문에 세포들이 죽어 갔다" 고 언급한 바 있다.[51]

부부의 성생활에 대해 불만을 가진 여성들이 늘고 있다. 이제는 남자가 일방적으로 자신의 방식으로 사랑을 하는 것을 여자가 이해하는 시대가 아니다. 훌륭한 사랑을 나누기 위해서는 아내의 마음이 무엇보다 중요하다. 여성의 몸이 남성을 받아들이기까지 걸리는 시간이 있는데, 이러한 사랑의 행위를 전희라고 한다. 부부는 경험을 통해 자신들에게 알맞은 전희의 기술을 터득해야 한다.

중요한 것은 여자는 남자로부터 사랑과 귀여움을 받고 있다는 부드러운 감정을 전달받지 못하면 섹스의 충동이 일어나지 않는다는 것이다. 중년기의 남자는 예전처럼 시각적이 자극이나 생각만으로 쉽게 성적으로 흥분되지 않는다. 이때가 되면 여자만 전희가 필요한 것이 아니고 남자에게도 전희가 필요하다.

부부는 나이가 들면 섹스 습관의 변화가 필요하다. 남자와 여자는 당연히 다르다. 이렇게 다름을 인정하면서 서로 조율해 가는 노력이 있어야 한다. 왜 저 사람은 나랑 다르지 하면서 고민한다고 답이 나오지 않는다. 서로 같으면 왜 결혼을 하겠는가? 무슨 재미가 있겠는가? 서로 다른 성욕과 서로 다른 구조를 인정하고 맞추어 가는 지혜가 필요하다.

우리들 시대의 정서는 고등학교를 졸업할 때까지 플라토닉 러브 외에는 생각해 본적이 없었다. 에로스적 사랑은 동물이나, 생각이 없는 동물적인 사람이나 한다고 생각했었다. 부인을 만나기 전까지 말이다. 나의 부인은 나의 첫 번째 여자였고, 그리고 그녀와 잤기 때문에 결혼을 했다. 난 많은 책과 많은 영화를 봤지만 로맨스는 책과 영화에만 있다고 생각을 했었다. 군대 생활을 마치고 대학교를 복학하여 아내를 만나기 전까지 단 한 번도 여자 손을 잡아본 적이 없었다. 누군가와 손을 잡고 키스를 하면 그와 결혼을 해야 된다고 생각을 했었다. 그것이 우리들의 남녀관이고 결혼관이었다.

우리 시대는 남자는 동정(童貞; 한 번도 성관계를 갖지 않은 순결), 여자는 순결(純潔; 이성과의 육체관계가 없음)이 생명이었고 결혼 후에 배우자에게 주어야 하는 것이었다.

근자의 조사에서는 혼전에 성관계를 갖지 않았던 남·여들 중에서 뚜렷한 순결 관념을 가지고 있었다고 답한 사람은 몇 안 되었다. '자신의 자유로운 혼전 성생활은 생각지 않고 결혼 상대에게만 순결을 요구하는 것은 모순이다.' 라는 점이었다. 만약에 내가 남녀 간의 스킨십(skinship; 피부와 피부의 접촉을 통한 애정의 교류)에 조금 일찍 익숙해졌더라면 한 번 잤다는 이유로 결혼을 선택했을까? 미국에서는 결혼을 선택하게 된 계기 중에 인신이 가장 큰 부분이 되고 있다는 것처럼, 문명이 발달해도 정신적인 사랑보다 육체적인 사랑이 앞서는 것 같다. 그래서 내 주위에는 공공연히 결혼을 목적으로 첫날밤을 치루기 위해 공(?)을 들이는 사람도 꽤 있는 것 같다.

남의 마음이 항상 내 마음 같지 않듯이 각자에게 닥치는 상황도 매번 달라, 여기에 꽃 핀다해서 거기도 향기가 퍼질거로 생각하면 종종 곤란에 빠진다. 울고 있는 사람에게 기쁜 소식 전하는 꼴이나, 반대로 모처럼 행복에 젖어 있는 사람에게 울며 전화하는 꼴이나 매한가지다. 그런 불상사를 피하려면 상대가 어떤 상황인지 평소에 안부를 묻는 게 좋겠다.[52]

3. 에로스 사랑(eros love)

에로스(eros)는 그리스·로마 신화에 등장하는 성애(性愛), 사랑의 신. 그리스 로마 신화의 사랑의 남신으로 로마 신화에서는 Cupido(쿠피도)라 하며 영어에서는 Cupid(큐피드). 가끔 아모르(Amor)라고도 불리기도 한다.

에로스, 쿠피도는 각각 그리스어, 라틴어에서 그 자체로 '욕정'을 의미하는 일반 추상 명사가 되기도 한다. 원래 인구어권에서는 추상 명사가 그대로 신 이름이 되는 경우가 많았는데, 한국어에서 A의 신으로 해석되지만 실제로는 그냥 A 그 자체인 것. 태양의 신이라고 태양을 대표하는 신이 있는 게 아니라 태양 그 자체라 신인 것이다(예를 들면 그리스어 헬리오스, 라틴어 솔은 그 자체로 태양을 뜻한다.). 이해가 되지 않는다면 의인화라고 생각하자.

가. 플라톤의 "향연"이 가르치는 사랑-에로스(eros)의 신화-

'에로스'에 대한 그리스 신화는 매우 다양하다. 일반적으로 전해지는 전승은 '전령의 신' 헤르메스(Hermes)와 '아름다움의 여신'이자, '사랑의 여신'이었던 아프로디테(Aphrodite)의 자녀인 에로스인데, 이러한 배경에서 우리는 보통 에로스를 사랑(어머니의 속성)의 메신저(아버지의 속성)로 알고 있다.

그러나 플라톤의 향연에서 소크라테스의 스승으로 추정되는 여사제 디오티마(Diotima)가 들려 주는 에로스에 대한 이야기는 매우 독특하면서도 에로스적 사랑에 대한 사유꺼리를 담고 있다. 즉 '에로스의 본질'과 그 본질에 따른 '에로스의 영향'에 대한 내용이 그것이다. 이 이야기를 요약하자면 다음과 같다.

아프로디테의 생일날 많은 신들이 그녀의 생일을 축하하기 위해 모였다. 그 신들 중에는 '풍요의 신' 프로스(Poros)도 있었다. 식사가 끝나갈 무렵, 나누어질 남은 음식을 얻기 위해, '결핍의 연인'인 페니어(Penia)가 나타났다. 이미 넥타주에 취한 포로스는 정원에 잠든 상태였고 페니아 여신은 자신의 결핍을 해결하기 위해 잠든 포로스 신으로부터 아이를 하나 얻을 계획을 세운다. 그래서 페니아 포로스의 옆에서 동침을 시도하고, 그렇게 에로스를 얻게 된다.

에로스는 아프로디테의 생일을 계기로 태어나서 아프로디테의 동반자이자 그녀의 시동(侍童)으로 본성상 아름다운 것을 사랑하는 자가 되지만, 풍요의 신인 포로스와 결핍의 신인 페니아의 아들이기에, 채워져 있는 것 같으면서도 항상 결핍을 면치 못한다. 근본적으로 에로스는 어머니 페니아를 닮아 언제나 결핍 상태에 있고, 그러다 보니 부드러움이나 아름다움보다는 더럽고 조야하며 정치 없이 떠돌아야 했다.

반면 에로스는 또한 아버지 포로스의 성격도 이어받아 아름답고 훌륭한 것을 획득하기 위해, 계략을 짜고, 진취적으로 노력하지만 다른 한편 협잡꾼이기도 하다는 것이다.

이러한 디오티마의 담화를 통해 드러내고 있는 것은 '에로스적 사랑의 모순적 측면'이다. 우리는 사랑을 갈망하면서 아름다움과 풍요로운 미래의 행복을 꿈꾸지만, 결국 우리는 다시 사랑 때문에 결핍에 시달려야 한다는 것이다.

그래서 우리는 '사랑을 무조건 아름다운 것'이라고 할 수도 없고, 그렇다고 반대로 '사랑은 추한 것'이라 단정 지을 수 없는 모순을 경험하는 존재이다.

나. 소크라테스의 입을 빌어 가르치는 '진리를 향한 에로스'

플라톤은 소크라테스의 입을 빌어, 사랑의 대상을 추상적이나마 개념적으로 규정하고자 한다. 즉 에로스적 사랑과 아름다움, 좋은 것, 그리고 행복을 연계하여, '좋은 것을 자기 속에 영원히 간직하려는 행위나 그 자체를 그 대상으로 삼는 것'이 곧 '사랑'이라 규정한다.

결국 사랑은 '불멸성'을 원하게 된다는 결론에 이른다. 우리가 아는 한, 에로스는 물론 감각적이고 본능적인 사랑을 드러낸다. 그러나 불멸성을 추구하는 에로스가 결코 육체에 국한될 수 없다. 에로스는 아름다움만이 아니라 선을 지향하며, 충만 속에서 이를 향유하고 여기서 자족을 추구한다.

아름다움을 향한 욕망으로부터 발하는 에로스가 희생과 헌신의 가치를 실현하는 신적인 지향에로 상승하듯이, 에로스는 욕망에 머무는 사랑이 아니라 더 높은 단계로 상승을 경험한다. 즉 육체적 아름다움에 대한 욕망이 정신적 영역의 아름다움에 대한 욕망으로까지 상승하여, 사랑하는 사람을 지식의 세계를 이끌어서, 그가 지식의 세계 안에 들어있는 아름다움을 바라볼 수 있도록 한다.

인간의 감정은 거의 비슷하다고 본다. 재벌이나 가난한 사람들의 삼시세끼가 엄청 다를 것도 없다. 기쁘고, 슬프고, 사랑하고, 즐겁고, 때로는 힘들고 고통스럽기는 매한가지다. 하지만 그것을 표현하는 방식에 따라 삶이 재미있을 수도 있고, 지루할 수도 있고, 다른 사람들에게 피해를 주기도 한다. 그래서 우리는 자신을 표현하는 방법을 배워야 한다.

단 한 사람의 연인을 위해 우리는 사랑하는 방법을 배워야 한다. 손을 잡는 방법, 껴안는 방법, 키스하는 방법, 섹스하는 방법 등등.

그래야 내가 위로 받고, 나의 사랑하는 연인이 위로를 받고, 마음
이 편안해져서 일을 잘할 수 있고, 세상을 사랑한다.

다. 소크라테스의 명언

이러한 상승은 사랑에 관한 궁극적인 인식에 도달하여 어느 순
간 갑자기 어떤 놀랄만한 성질의 아름다운 것을 알아차리게 되는
데, 이를 통해 인간의 삶을 가치 있게 느끼고, 신적인 아름다움 자
체를 관조하게 된다.

즉 온전히 에로스의 상승을 경험한 사람만이 '지복(至福)'을 누
리게 된다는 것이다. 요컨대 에로스의 온전한 상승으로 신적인 아
름다움 자체를 관조하는 자는 진리를 깨달을 것이고, 이는 불멸의
삶으로 이어지게 된다.

여기서 분명해지는 플라톤의 에로스에 대한 견해는, 진리를 향한
인식론적 측면까지 에로스적 욕망을 접목하여 사랑과 진리의 관계
성을 생각하고 있다는 점이다. 즉 이미 플라톤의 에로스의 관점 안
에서 필리아에 대한 시선이 잠식되어 있다고 봐도 무방하다. 진리
를 향한 사랑의 시선에서 에로스는 필리아와의 공동 작업을 위해
개방성을 지니고 필리아에 의해 내적으로 규정되며 다채로운 기점
으로 성장해 간다.

'화성 남자와 금성 여자'라는 말에서 보듯이 남녀는 물과 기
름의 관계다. 하늘과 땅처럼 그 속성이 정반대의 종족이다. 이 두
이질성을 가진 성을 한데 합해서 조화를 이루게 하는 것이 섹스다.
완벽한 섹스를 위해서는 남녀의 언어, 남녀의 생리, 남녀의 심리,
남녀의 뇌, 남녀의 대화, 남녀의 호르몬을 알아야 한다. 그것을 모
르고는 절대로 남녀를 알 수 없으며, 정복할 수도 없다.[53]

라. 행복을 위해 섹스하는 삶

여자는 결혼 후에 참 외롭다. 남편은 아내의 감정을 돌보지 않고, 일도 도와주지 않으며, 자기 기분대로 하기 때문이다. 섹스에 있어서 특히 그렇다. 하고 싶은 날 하고, 하기 싫은 날 안 한다. 안 하고 싶은 이유는 다양하다. 피곤해서, 술에 취해서, 허리가 아파서, 다른 데 힘을다 빼서, 스트레스 받아서, 기분 나빠서, 기분 좋아서, 가족끼리 그런 것 하는 것이 아니니까 등등.

결혼한 여자는 나이 먹을수록 섹스를 더 하고 싶어진다. 느낄 것 더 느끼고, 알 것 더 아니까 더 하고 싶어지는 것이가. 그런데 남편은 그럴수록 더 자기 맘대로 한다. 마치 자기가 하고 싶을 때 할 수 있고, 자기가 하고 싶지 않을 때 안 해도 되는 것처럼 여자의 감정을 무시한 채 한 달이고 두 달이고 안 하고도 산다.

여자는 관계를 갖고 싶은데 말을 하자니 자존심이 상하고 그렇다고 아무하고나 할 수 있는 것도 아니니 그냥 참고 산다. 그러면서 여기저기 아프기 시작한다. 대개 여자의 병 가운데 이유가 없는 것은 남편과의 섹스가 원활하지 않기 때문인 경우가 많다. 그럴 경우 대개 주사를 맞고 약을 먹지만 여전히 아프다. 검사를 하고 여기저기 다녀보지만 신경성이란 말만 듣는 경우가 대부분이다.

내 생각에는 그걸 경우 대부분 섹스가 특효다. 하지만 남편도 모르고 부인도 모른다. 괜히 보약 사먹고, 사우나 하고, 경락받고, 건강식품 사먹고, 병원가고, 여기저기 다니면서 쇼핑하고, 친구들끼리 모여서 수다를 떤다. 그러나 어떤 식으로도 그 외로움은 가시지 않는다. 그 허전함은 설명도 안 되고, 해갈도 안 된다.

당연히 남편의 사랑이 특효약이다. 하지만 어떻게 남편의 사랑을 받을까? 방법은 알 수 없고 남편은 여전히 일만 열심히 하고, 잡은 고기에는 절대로 먹이를 주지 않는다.

옛날 사냥으로 생활하던 시절, 일부일처제 하에서 여자가 달아나는 일은 좀처럼 없었다. 여자는 사냥할 줄도 몰랐고, 경제적 능력도 없었다. 남편이 잡아오는 사냥감이 없으면 먹고 살 수가 없었다. 그저 죽으나 사나 남편만 믿고 살았다. 그 버릇이 유전자에 남아 지금의 남편들도 잡은 고기에게 먹이를 주지 않는다.

그러나 세상이 달라지고 여자도 변했다. 도처에 여자를 유혹하는 너무나 많은 자극이 존재하고 경제적인 능력이 있는 여자는 적극적인 태도로 살아가고 있다. 남자와 동등한 태도로 남자를 바라보기 시작했다.

만약 남자들이 잡은 고기에 먹이를 주지 않으면 그 고기를 빼앗길 수도 있다. 옛날 우리 조상들은 맛있는 여자의 순서를 정했다.

일도(一盜) 제일 맛있는 여자는 훔쳐 먹은 여자다. 즉 남의 여자, 친구의 여자, 옆집 여자, 임자 있는 여자가 제일 맛있었다.

이랑(二郎) 두 번째로 맛있는 여자는 처녀이다. 즉 어린 여자, 처녀들이다.

삼비(三婢) 세 번째로 맛있는 여자는 노비, 아랫사람, 즉 비서, 제자, 후배, 직장 부하다.

사과(四寡) 네 번째는 과부, 상처한 여자, 이혼녀, 임자 없는 여자다.

오기(五妓) 다섯째는 기생, 돈 주고 사는 여자다.

육첩(六妾) 여섯째는 첩이나 애인이다.

칠처(七妻) 제일 맛없는 여자는 자기 부인이다.

하지만 여기서 남자들이 간과해서는 안 될 것이 있다. 자기 부인이 자기에게는 칠처이지만 친구에게는 일도이기 때문이다. 남자들이 자기가 잡은 고기에게 먹이를 안 줄 때 다른 사람이 굶주린 자

기 부인에게 맛있는 것을 줘서 **빼앗아** 버릴 수도 있다.[54]

　근자에 들어 오입쟁이(womanizer)라는 말도 있는데, 일도 일간(强姦; 상대방을 폭행이나 협박에 의하여 반항하지 못하게 하고 강제로 성관계를 맺음), 이도 이승(女僧; 여자인 승려), 삼도 삼과(寡婦; 남편이 죽어서 혼자 사는 여자), 사도 사첩(妾; 정식 아내 외에 함께 데리고 사는 여자), 오도 오처(處女; 아직 결혼하지 않은 성숙한 여자)를 두루 섭렵한 사람을 일컫는 말이다.

　구한말 '오입쟁이' 위관 이용기 알고보니.. 조선가요-요리책 쓴 재야 지식인이었다. 이용기가 홀대받은 데는 크게 2가지가 작용했다. 일단 '오입쟁이' 란 낙인이다. 민속학자 손진태 선생이 악부 원본 첫머리에 남긴 소개 글에 "풍류를 좋아하여 오입쟁이로 일생을 살았다"는 대목을 넣은 탓이다. 현대적 시각에서 바람둥이 날건달에 대한 평가가 좋을 리 없었다.

　나머지는 첫 이유의 파장이 컸다. 그런 치가 쓴 악부니 당대에도 선입견이 컸을 터. 같은 시기 국립국악원 전신인 이왕직 아악부(李王職 雅樂部)가 간행한 '조선아악' '가집' 등을 베낀 서책 정도로 취급했다. 오죽하면 악부에만 실린 가요조차 '오입쟁이 격식' 이라고 불렀을까.[55]

이용기가 구전되던 조선가요 1400여 편을 집대성한 '악부'(왼쪽)와 한국 최초의 컬러 요리서적인 '조선무쌍신식요리제법'. 고려대도서관·신경숙 교수 제공

☞ 저승의 오입쟁이

A notorious womanizer goes to hell. Satan greets him:"You've seduced so many women.Now, since you've got me in a good mood, I'll be generous and give you a choice of three places in which you'll be locked up forever." Satan takes the guy to a huge lake of fire in which millions of poor souls are tormented:he then takes him to a massive coliseum where thousands of people are chased about and devoured by starving lions:finally, he takes the man to a tiny room in which there is a beautiful young blonde, sitting at a table on which there is a bottle of wine. Without hesitation, he says, "I'll take this option." "Fine, " says Satan, allowing him to enter the room, where the sinful man find, much to his disappointment, that the bottle has a hole in it, and the girl hasn't.

악명 높은 오입쟁이가 지옥으로 갔다. 사탄이 그를 맞았다. "넌 수많은 여자를 농락해왔다. 그런데 내가 기분 좋은 순간에 왔으니 세 군데를 돌아보고 그중에서 한 군데를 선택하도록 해서 그 속에

간히게 하는 아량을 베풀어주마." 사탄이 처음 보여준 곳은 수없이 많은 사람이 고초를 당하고 있는 커다란 불의 호수였다. 다음으로 간 곳은 많은 사람이 굶주린 사자들에게 쫓겨 다니다가 먹혀버리는 거대한 경기장. 마지막으로 간 곳은 포도주가 놓여 있는 탁자 옆에 금발미녀가 앉아 있는 아담한 방이었다. 사내는 대뜸 "이곳으로 하겠습니다" 라고 했다. "좋아" 라고 하면서 사탄은 사내를 그 방에 들여보냈는데, 죄 많은 이 사내는 거기서 크게 낙담을 해야 했다-- 술병엔 구멍이 나있고 여자에겐 구멍이 없는 것이다.[56]

☞ 오입쟁이 남편과 아내

어느 가정에 이름난 오입쟁이가 있었다.

얼마나 외도가 심한지 부인은 석 달에 한번 꼴도 남편 맛보기가 어려웠다. 허구한 날 찾아오는 손님이라곤 온갖 짓궂인 여편네들이 와서 생활비를 뜯어 가는 사람들뿐이었다.

매일같이 남편의 뒤치다꺼리에 골머리를 앓고 있던 어느 날, 또 섹시하게 생긴 예쁜 중년 부인이 나타났다.

"어떻게 오셨나요?"

"남편께서 오늘 생활비를 받아가라고 해서 왔어요"

"뭐~라꼬요~‼"

"나도 생활비 받아본지 몇 달이 됐는데 당신에게 줄 돈은 한푼도 없으니 빨리 돌아 가시오‼"

한참, 두 여인은 옥신각신 하다가 급기야 된소리가 터지고 말았다.

"빨리~ 내 씨~ㅂ 값 내 놓으시오‼"

"당신이 언제 그런 돈을 내게 맡겨 놨나? 꼭, 받고 싶으면 당신 씨ㅂ~ 값은 우리 신랑 조~ㅈ 값에 제(除)하고, 그 대신 장구값이나 내 놓고 가시요~~‼"

　"뭐~라구요! 도대체, 장구 값이 뭐~~요?!"

　우리 신랑이 당신하고 한참 재미 볼 때 '거시기' 밑에 달린 두 개의 안마기가 당신 밭고랑 주위를 시원하게 두들겨 줬잖아~ 이런, 멍청한 여편네야~~~‼‼

　이 말은 들은 돈 받으러 온 아줌마는 입을 딱! 벌린 채, 더 이상 응대하지 못하고,,,

　돌아 가더래나,~‼ 뭐~래나,~‼[57]

징검다리

김완(1957~)

　　죽어야 겨우 그 죽음만큼의 다리가 생긴다
　　다짐은 스스로에게 놓은 징검다리 같은 것
　　다짐이 희미해질 즈음 가슴속에 품은 돌덩이
　　하나씩 내려놓고 딛고 가는 게 인생인지 모른다
　　놓은 돌들이 하늘로 날아 올라가고 되돌아온다
　　걷고 또 걸어 도착한 곧고 외로운 자신만의 길
　　거짓말처럼 생은 한순간 사라져 버릴지도 모른다

　징검돌의 다른 말은 비석(飛石)이다. 손에 든 돌을 앞으로 던지는 행위 때문에 생겨난 말이리라. 징검다리를 만들 때 되돌아가 돌을 가져올 수 있지만, 우리 삶은 되돌릴 수 없다. 하여 많은 돌을 품고 가면서 차례차례 내려놓아야 한다. 누구도 도와줄 수 없는 "곧고 외로운 자신만의 길"이다. 한 번도 경험해보지 못한 길인지라 시행착오를 겪을 수밖에 없다. 징검돌이 되지 못하고 평생 가슴에 품고 있는 돌도 있다. 품는 것보다 내려놓는 타이밍이 중요하다.

아프로디테와 에로스

아프로디테와 에로스는 그리스 신화에서 사랑과 욕망의 복잡한 세계를 상징하는 중요한 인물들입니다. 아프로디테는 아름다움과 사랑의 여신으로, 모든 신과 인간을 매혹시키는 무한한 매력을 지녔으며, 그녀의 아들 에로스는 사람들의 마음속에 사랑의 불꽃을 일으키는 권능을 가졌습니다.

이들의 이야기는 인간 관계의 아름다움과 동시에 그로 인해 발생할 수 있는 갈등과 혼란을 드러내며, 오늘날에도 많은 사람들에게 깊은 공감과 통찰을 제공합니다.

(1) 아프로디테: 사랑과 아름다움의 여신

아프로디테는 그리스 신화에서 가장 매혹적인 여신으로, 그녀의 탄생부터 남다른 전설을 가지고 있습니다. 바다의 거품에서 태어났다고 전해지는 아프로디테는 그녀의 아름다움으로 올림포스의 모든 신들을 매료시켰습니다. 그녀는 사랑과 관능의 힘을 상징하며, 인간과 신들의 사랑 이야기에 끊임없이 등장하여 그들의 운명을 이끌었습니다.

아프로디테는 단순히 육체적인 아름다움과 사랑뿐만 아니라, 인간 관계와 정서적 유대를 강화하는 더 깊은 사랑의 힘을 상징합니다. 그녀의 이야기는 사랑이 가져다주는 기쁨과 삶의 풍요로움, 그리고 때로는 사랑으로 인해 발생하는 질투와 갈등을 모두 포괄합니다.

(2) 에로스: 불꽃 같은 사랑의 전령

에로스는 아프로디테의 아들로, 그리스 신화에서 강력한 사랑의 화살을 쏘아 사람들의 마음에 사랑을 일으키는 신으로 등장합니다. 에로스의 화살에 맞은 이들은 저항할 수 없는 사랑의 감정에 사로잡힙니다. 에로스는 사랑의 시작을 상징하며, 그의 행동은 예측할 수 없고 때로는 파괴적인 사랑의 본성을 드러냅니다.

에로스의 이야기는 사랑이 갖는 무작위성과 예측 불가능함을 강조합니다. 그는 높은 신이건 평범한 인간이건 상관없이 모두를 사랑의 감정으로 이끌며, 이는 사랑이 모든 존재에게 평등하게 다가간다는 메시지를 전달합니다.

(3) 교훈

아프로디테와 에로스의 이야기는 사랑의 여러 측면을 탐구합니다. 이들은 사랑의 아름다움과 힘을 보여주는 동시에, 사랑으로 인해 발생할 수 있는 갈등과 시련을 통해 인간의 감정의 복잡성을 드러냅니다. 사랑은 삶을 풍요롭게 하고 인간 관계를 깊게 하지만, 때로는불안정하고 예측 불가능한 측면으로 인해 혼란과 고통을 가져올 수도 있습니다. 아프로디테와 에로스의 이야기를 통해 우리는 사랑이 지닌 이중적인 본성, 즉 삶을 변화시키는 긍정적인 힘과 동시에 개인과 관계에 미칠 수 있는 파괴적인 영향에 대해 깊이 성찰할 수 있습니다.

(4) 사랑의 인식

아프로디테와 에로스는 사랑의 다양한 형태와 그 복잡성을 상징합니다. 로맨틱한 사랑뿐만 아니라 친구, 가족 간의 애정, 자기 자신에 대한 사랑 등 인간 관계의 여러 측면을 포괄합니다. 이들의 이야기는 사랑이 단순한 감정이 아니라, 인간 존재를 규정하는 근본적인 힘이며, 우리가 타인과의 관계를 통해 자신을 발견하고 성장한다는 것을 보여줍니다.

현대 사회에서 아프로디테와 에로스의 상징성은 여전히 큰 영향력을 가집니다. 사랑과 관계에 대한 우리의 이해는 시대가 변해도 변하지 않는 보편적인 주제입니다. 이들의 이야기는 현대인들이 직면한 사랑과 욕망, 관계의 문제를 탐구하는 데 도움을 줄 수 있으며, 우리가 사랑을 통해 얻을 수 있는 교훈과 사랑으로 인해 겪을 수 있는 시련을 모두 포용하는 방법을 제시합니다.

아프로디테와 에로스의 이야기는 사랑에 대한 깊은 통찰을 제공하며, 사랑을 둘러싼 기쁨과 고통, 희망과 절망을 모두 포용하는 방법을 가르칩니다. 사랑이 우리 삶에 미치는 영향을 이해하고, 사랑으로 인해 발생하는 갈등을 극복하는 방법을 배우는 것은 우리 모두에게 중요한 교훈입니다.

(5) 결론

아프로디테와 에로스는 그리스 신화 속에서 사랑과 욕망의 상징으로, 그들의 이야기는 시대를 초월해 인간의 가장 깊은 감정과 욕구를 탐구합니다. 이들의 이야기를 통해 우리는 사랑의 본질과 그것이 우리 삶에 미치는 깊은 영향에 대해 더 깊이 이해할 수 있으며, 사랑을 통해 삶의 의미와 행복을 찾는 방법에 대해 성찰할 수 있습니다.

아프로디테와 에로스의 이야기는 사랑의 복잡성과 아름다움을 상기시키며, 우리 모두가 사랑으로 인해 더 풍요로운 삶을 살 수 있도록 영감을 줍니다.

고대 히브리('bry, Hebrew)[58] 사람들은 신의 얼굴을 봐서는 안 된다는 경전의 말씀에 따라 남녀가 성행위를 즐기는 동안 빛이 있는 곳에서는 절대로 상대방의 눈을 바라보지 못하게 되어 있었다. 만일 성행위가 절정에 도달한 순간에 상대의 눈을 쳐다보면 신의 얼굴에서 반사되는 빛을 바라보기 때문이다. 알렉산드리아의 교부 철학자 클레멘스(Titus Flavius Clemens)의 생각은 매우 극단적이어서, 동침은 원죄를 되풀이하는 더러운 행위요. 오르가슴이란 영혼이 저주를 퍼부으면서 육체를 떠나는 현상이라고 생각했다.

오르가슴은 심장이 요동치고, 혈압이 상승하며, 호흡이 가빠진다. 신경계가 활성화되고 표정이 일그러지며, 근육은 경련을 일으키듯 수축한다. 신체의 자율신경이 통제력을 벗어나 요동을 치는 순간, 정신은 주위 환경과의 접촉을 상실하고 눈동자가 혼미해지면서 환각상태에 빠진다. 성과학자들은 이런 현상을 '의식의 순간적 혼미'라고 부르는데, 이렇게 되면 시간은 정지되고 모든 감각이 활성화되며 인지능력이 저하된다.

일부 사람들에게 오르가슴은 '자연이 주는 최고의 선물'인 반면 어떤 이들에게는 '욕망의 구렁텅이'거나 이론적 의미만 지닌다. 오르가슴은 인간에게 예사롭지 않은 근본적 체험이지만, 일단 그 회오리가 지나간 뒤에는 상세한 기억을 새기거나 설득력 있게 말로 설명하기가 어려워진다.

오르가슴에 도달한 순간의 느낌은 이를 데 없이 환상적이지만 그 맛을 즐기기 위해서는 당사자에게 상당한 적극성뿐만 아니라 헌신적 자세와 풍부한 창의력이 요구된다. 짝짓기 행위가 가능할 만큼 정신과 육체가 충분히 '달아오른 상태'가 되면 비할 데 없는 최고의 환희가 찾아온다. 미국 에모리 대학의 심리학자 킴 웰렌(Kim, Wallen)은 최종적인 성욕 배출시의 쾌락보다 성적 흥분의 형성과정을 중요시하는 동시대인들이 많이 있다고 강조한다.59) "오르가슴이 불가능한 환경에서 남성들로 하여금 여자의 나체를 구경하려는 단 하나의 목적을 위해 상당한 금액을 소비하게 만드는 대규모 산업이 존재한다는 사실은 성적 흥분이 욕망을 허비시키는 속성을 갖고 있음을 보여주는 좋은 증거다."60)

인간의 생식 세포는 오로지 한 가지 목적을 위해 살아간다. 다시 말해서 현재의 육신을 벗어나 다음 세대의 몸속으로 들어가 영원한 생명을 유지하는 데 목적이 있다.

쇼펜하우어(Arthur Schopenhauer)의 시적인 표현을 빌리면, 그들은 곰팡이처럼 지구 표면을 뒤덮을 때까지 번식활동을 멈추지 않을 것이다. 순수하게 이론적으로만 본다면, 진화의 법칙에 따른 동물의 번식장치는 언제라도 주어진 운명을 향해 발사될 수 있도록 팽팽하게 줄을 당겨놓은 활과 같다고 말할 수 있다. 항상 발기된 페니스(penis)와 촉촉한 음부를 유지함으로써 '후끈 달아오른' 상태에서 언제라도 출격할 태세를 갖추고 있는 것이다.

그런데 이 과정에서 자연법칙은 대단히 실용적인 길을 제시한다. 여성 과학자 로저스(Rogers)의 말을 들어보자.

"분위기에 맞게 자극을 받아야 한다는 욕구가 있기 때문에 정신과 육체가 손쉽게 성행위에 돌입하게 되고, 부상이나 질병 또는 그 외에 성행위에 방해가 되는 어떤 요인이 발생할 경우 양측이 최종적인 순간에 중단할 기회를 갖게 된다." 여성의 경우 흥분상태가 되지 않으면 삽입이 어려워지고 통증을 느끼게 되는데, 전희가 필요한 이유가 여기에 있다. 아마 초기 인류의 남성들도 여성이 페니스의 삽입을 막으려고 온몸으로 저항하면 강제로 범하기 어려웠을 것이다.

섹스는 성기가 아닌 머릿속에서 시작된다. 그렇기 때문에 어떤 자극으로 현란한 환상을 갖거나 파트너의 매혹적인 모습이 눈앞에 보여야만 비로소 무관심 상태에서 벗어나 섹스의 초기 단계가 시작된다. 이처럼 흥분을 유발시키는 자극이 있어야 불꽃같은 힘의 원천인 에너지가 솟아나고, 쾌감을 주고 받는 욕망이 꿈틀대면서 하체가 준비 자세로 돌입하는 것이다. 그러나 남성은 성적인 생각만 떠올라도 성욕이 발동하지만, 여성은 정신적으로 '점화' 시켜도 불이 붙지 않는 경우가 혼하다.

실제로 여성의 3분의 1가량이 만성적인 성적 무관심을 호소하고 있다. 그런 여성들은 파트너와 함께 격정의 소용돌이 속으로 들어가고 싶은 욕망이 전혀 일어나지 않는다.[61]

마. 성은 삶의 도구

남자는 왜 착한 여자보다 악녀(惡女)에게 끌릴까? 여자들 사이에 인기 있는 여자보다는 속으로 호박씨를 깔 것 같은 여자들이 남자들에게 인기가 많다. 왜 그럴까? 착한 부인을 두고 위험하고, 때론 남자를 파멸로 이끌 수 있는 독서섯 같은 여자에게 남자는 눈을 떼지 못한다. 이른바 '치명적인 유혹' 이다.

영국의 오스카 와일드(Oscar Wilde)가 이렇게 말했다. "착한 여자는 지루하고, 악녀는 남자를 고민하게 한다." 우리 식으로 말하면 곰 같은 여자보다 여우 같은 여자가 더 좋다는 얘기다.

남자들은 새로운 것이나 자극적인 것을 좋아한다. 남자들은 시각적인 동물이다. 남자들은 시각을 자극하는 여자들에게 호감을 갖는다. 자극적인 여자와 평범한 여자 중에 어떤 여자에게 더 호감을 보일까? 당연히 시각적으로 자극인적 여자다. 하지만 시각적인 자극 방법에도 여러 가지가 있다. 남자들이 꼭 벗은 모습에만 집착하는 것이 아니다.

보일 듯 말 듯한 모습, 알 듯 말 듯한 마음이 남자들을 감질나게 하는 대상이다. 너무 뻔한 태도나 마음으로는 남자를 결코 오랫동안 유혹하지 못한다. 그것은 쉽게 구한 물건처럼, 귀하게 느껴지지 않기 때문이다. 돈이든, 사랑이든, 학문이든, 지위든, 보석이든 어렵게 얻은 것이 사람을 흥분하게 하기 때문이다. 그래야 아끼고 귀하게 여긴다.

명품이란 것은 모든 사람들이 모두 가질 수 없기 때문에 명품이다. 쉽게 품을 수 있는 여자, 쉽게 구할 수 있는 것은 절대로 명품이 될 수 없다. 여자도 마찬가지다. 남자들이 쉽게 취할 수 없다고 느낄 때 명품이 되는 것이다.

또한 한 번이라도 잊을 수 없는 성관계를 경험하면 절대 그 사람을 마음에서 지울 수 없다고 한다. 남자든, 여자든 마음을 녹이는 것이 중요하다. 그러기 위해선 분위기를 잡는 것이 주요한데,

스스로가 그런 분위기를 잡기 어려우면 술을 마시면서 마음을 풀
수 있는 장소를 찾아야 한다.

이런 것을 잘 하는 것이 선수다. 또한 악녀이다. 절대 대낮에 평
상심으로는 사람들은 사랑에 빠질 수 없다. 여행을 하거나, 술을
마시거나, 일상에서 벗어나는 장소에 가야 마음이 느슨해진다. 누
군가를 유혹하고 싶으면 일단 장소를 바꾸고, 마음이 여유로워지는
곳으로 분위기를 바꿔라. 누구든 매력적인 악녀가 될 수 있다.[62]

"케겔운동, 골반을 조이면 남녀 모두 행복하다"

케겔운동은 남녀 모두에게 좋은 운동이다. 요실금, 질압높이기,
사정조절하기 등 남녀성기능 장애, 성기능 개선에도 모두 사용될
수 있다. 이런 케겔운동은 처음 요실금 치료에서부터 시작됐다.

1940년대 말 산부인과 의사인 아놀드 케겔 박사는 요실금을 치
료할 목적으로 하루에 300~500번 골반근육을 수축했다가 이완하
라고 가르쳤다.

1970년대에는 분만을 앞둔 산모들에게 하루에 100~200번 골반
운동을 시켰다.

1980년대 말에는 하루에 2차례씩, 20분간, 골반을 빠르게 수축하
고 이완했다가, 10초 동안 길게 수축했다가 이완하는 운동을 시켰
다.

1990년대 초에는 골반근육에 복근과 언덕이 근육까지 사용하도
록 가르쳤다.

이 운동의 핵심 방법론은 빠르게 골반근육을 수축, 이완한다는
것이다. 10초간 수축, 10초간 이완 한다. 골반근육을 수축하는 동안
복근과 엉덩이 근육을 이완한다. 골반근육을 이완하는 동안 호흡을
조절한다. 하루에 2번, 20분씩 한다.

마치 아령 들고 팔운동한 것과 맨손체조가 각기 다르게 팔 근육

을 단련하는 것과 같은 이치다. 질 근육을 잘 훈련시키면, 남자들이 그 질 안에서 헤어나올 수 없다.

질 근육의 훈련 유무는 질압을 측정해서 객관적으로 파악할 수 있다. 많이 운동한 사람은 질압이 매우 높게 나온다. 분만한 사람과 분만 안 한 사람의 차이보다, 운동한 사람과 운동 안 한 사람의 차이가 더 크다. 세상에 연습보다 더 중요한 것이 있을까? 이제 질을 쪼이자. 그래야 당신의 섹스가 고양된다.[63]

여자에게 섹스는 남자들만큼 즐겁지 않다. 그것은 오르가슴을 잘 느끼지 못하기 때문이다. 만약에 여자들이 섹스를 할 때마다 오르가슴을 느낀다면 남자처럼 섹스를 좋아하게 될 것이다.

평생 한 번도 느끼지 못하는 여성도 있다. 이렇게 여자를 감질나게 하는 오르가슴의 정체는 무엇일까? 어떻게 여자가 혹은 파트너가 노력을 해야 하나? 남자는 빨리 느끼는데, 왜 여자는 오래 걸릴까? 왜 조물주는 이렇게 인간을 다르게 만들었을까? 그로인해 여자는 자존심이 상하기도 하고, 섹스에 흥미가 없어지기도 하고, 열등감도 느끼게 되고, 혼자 가슴앓이도 하게 된다. 왜 남자는 '전자레인지'인데도 여자는 '전기밥솥' 밖에 안되는 걸까? 여자도 남자처럼 오르가슴을 신속하게, 그리고 섹스할 때마다 느낄 수는 없을까? 오르가슴 빈도나 도달 속도까지 개선하는 데 도움이 되는 방법은 없을까?

오르가슴을 쉽고 빠르게 느끼기 위한 방법을 소개한다. 미국 클레이 허친스가 말하는 방식이다. 그녀는 오르가슴 조건에 대해 말했다. 첫 번째 조건은 일관성이다. 오르가슴은 모둥 경험에서 보상을 주어져야 한다. 즉 사랑을 나눌 때마다 오르가슴이 나타나야 한다. 둘째, 오르가슴이 나타날 때까지 밤 기다리는 일이 있어서는 안 된다. 간단히 말해서 오르가슴은 쉬워야 한다. 또한 재미있어야

한다. 마지막으로 오르가슴에는 해방감이 뒤따라야 한다.[64]

"섹스가 건강에 좋은 이유"

섹스가 좋은 이유는 수많은 학회에서 언급되었고, 숱한 책에서
톡톡 튀어나온다. 숱한 전문가들이 공들여 정리한 이유를 보면서
스스로에게 물었다. 이 좋은 섹스를 왜 아끼면서 안 할까?

섹스는 그 자체가 좋은 운동으로 심폐기능을 향상시키며 체중
감량에도 도움이 된다. 콜레스테롤 수치를 낮추며 몸에 좋은 고밀
도지단백(HDL) 콜레스테롤 수치를 높이는 효과도 있다.

한 차례의 오르가슴에 도달할 때까지 소비되는 칼로리는 200m를
전력 질주했을 때 소비되는 칼로리와 맞먹는다. 즉 한 번의 섹스에
보통 200~400kcal가 소모되어 다이어트에 효과가 있다.

몸 구석구석 근육의 긴장을 풀어서 통증을 누그러뜨리는데 마사지 효과와 비슷하다. 섹스는 뇌 속에서 엔도르핀 분비를 촉진해 두통, 요통, 근육통, 생리통, 치통에 이르기까지 여러 가지 통증을 감소시키거나 없애준다.

성행위 도중에는 면역글로불린 A의 분비가 증가하는 것으로 알려져 있다. 이 물질은 감기, 독감 등에 잘 걸리지 않도록 우리 몸을 방어하고 면력력을 강화한다. 골반 내에 흡수되는 남성의 정액 성분이 난소암 세포를 죽이는 효과가 뛰어나다는 가톨릭대 서울성모병원 산부인과 팀의 연구결과도 화제가 된 적이 있다.

2000년 11월 영국 브리스톨대 연구진은 10년간 건강한 남성 2,400명을 조사했더니 1주일에 적어도 3번 이상 섹스하면 심근경색 쇄 뇌졸중 발생률이 절반 이하로 줄어드는 것으로 나타났다. 연구진은 '섹스가 순환기계통에 긍정적인 영향을 주기 위해서는 땀을 흘릴 정도로 적어도 20분 이상 지속되어야 한다'고 말했다.

정기적으로 섹스하는 여성은 에스트로겐 분비가 활발해져서 피부가 좋아지는 것으로 알려져 있다. 실제로 스코틀랜드 로열에든버러병원 연구팀이 3,500명을 대상으로 조사한 결과 주 3회 이상 성생활을 하는 사람은 평균 19년(남자 12년 1개월, 여자 9년 9개월) 더 젊게 평가되고 있다.

성생활은 뇌를 자극해서 노화와 치매, 건망증 등의 진행을 억제하는 효과가 있다. 여기에는 섹스를 통해 분비가 촉진되는 두 호르몬(엔도르핀은 스트레스 완화, 성장호르몬은 체지방을 줄이고 근육을 강화)의 작용이 큰 것으로 알려졌다. 남성에겐 음경의 퇴화를 늦춰 발기부전을 예방하며, 테스토스테론 분비를 증가시켜 근력을 강화한다. 여성의 경우 에스트로겐 분비의 활성화로 뼈가 단단해져서 골다공증을 예방할 수 있다.

성생활을 계속해온 남성은 전립선질환으로 인해 소변볼 때 고통받는 것을 줄이거나 피할 수 있고, 전립선암도 예방하는 효과가 있다. 사정할 경우 고환에서 1억 마리 정도의 정자가 배출되면서 전립선 염증을 완화시킨다는 보고가 있다.

여자가 정기적으로 섹스를 하면 자궁질환이 줄어들고 자궁이 건강해지는 것으로 알려져 있다. 폐경 후 성관계를 정기적으로 하지 않으면 질 내부조직과 근육이 약화되어 세균 감염에 취약해진다.

아름다운 성관계는 사랑받는다는 기분을 느끼게 해주고 자긍심을 높여주며 우울증, 무기력, 의욕저하 등을 치료하는 데에도 효과가 크다.

섹스라는 운동 자체도 좋지만 사랑이 있는 섹스는 정신건강에 아주 좋다. 만약에 어떤 사람이 살아갈 이유가 안보일 때 누군가에게 사랑을 받는다면 어려움을 이기고 이 세상을 살아갈만한 이유가 된다. 그렇게 사랑은 정신적으로 사람을 위로해 주고, 섹스는 정신과 육체를 같이 위로해 준다. '섹스는 신이 내린 최상의 보약' 이라는 말에 전적으로 공감한다. 그런데 왜 사람들은 이 좋은 것을 가까이 하지 않을까?[65]

"섹스가 행복한 결혼의 열쇠일 수 있다는 연구 결과가 나왔다"

행복한 결혼생활의 비결은 무엇입니까? 새로운 연구에 따르면 섹스는 핵심 요소입니다. 연구자들은 성관계를 하면 이틀 동안 지속되는 "잔광" 이 생긴다는 사실을 발견했습니다. 게다가, 이러한 잔광은 장기적인 관계 만족도를 높일 수 있습니다.

연구자들은 섹스가 장기적인 결혼 만족도에 중요한 역할을 하는 여운을 가져온다고 제안합니다.

성적 잔광: 이는 성행위 후에도 지속될 수 있는 긍정적인 친밀

감, 친밀감, 만족감을 말합니다. 일부 연구에서는 이 잔광이 최대 48시간 동안 지속될 수 있다고 제안합니다.

결혼 만족도와의 연관성: 연구에 따르면 강한 성적 여운을 경험한 커플은 시간이 지남에 따라 결혼 만족도가 더 높은 것으로 보고되는 경향이 있습니다. 이는 잔광이 부부 유대를 강화하고 파트너 간의 친밀감을 촉진하는 역할을 할 수 있음을 시사합니다.

가능한 메커니즘: 잔광의 긍정적인 효과는 즐거움, 신뢰, 애착과 관련된 옥시토신 및 도파민과 같은 호르몬의 방출과 관련이 있을 수 있습니다.

중요 사항: 이 연구는 주로 신혼 부부에 초점을 맞추고 있으며 모든 단계의 모든 관계에 적용되지 않을 수도 있습니다. 또한 상관관계는 인과관계와 동일하지 않습니다. 즉, 다른 요인도 결혼 만족도에 영향을 미칠 수 있음을 의미합니다.

섹스는 건강하고 만족스러운 관계의 한 측면일 뿐이라는 점을 기억하는 것이 중요합니다. 열린 의사소통, 신뢰, 존중, 공유된 가치 또한 장기적인 결혼 만족도에 필수적입니다.

이 주제에 대해 더 자세히 알아보고 싶으시면 위에서 언급한 연구 결과 중 일부를 공유하거나 건강한 관계를 위한 리소스를 안내해 드릴 수 있습니다.

플로리다 주립대학교의 주요 저자인 Andrea Meltzer와 동료들은 최근 심리 과학 저널에 연구 결과를 보고했습니다.

많은 연구에 따르면 섹스는 파트너 간의 단기적인 유대 관계에 기여하는 것으로 나타났습니다. 그러나 연구자들은 대다수의 커플이 매일 성행위에 참여하지 않는다는 점에 주목합니다.

국제 성의학회(International Society of Sexual Medicine)에 따르면 기혼 남성의 21%, 기혼 여성의 24%만이 매주 4일 이상 성관계를 갖는다고 합니다.

그렇다면 성행위 사이에 어떤 유대 관계가 맺어집니까?

Meltzer와 동료들은 섹스가 성적 활동 사이의 기간 동안 파트너의 유대감을 강화하는 여운, 즉 성적 만족의 기간을 생성하고 이것이 장기적으로 관계 만족도를 향상시킨다고 추측했습니다.

연구진은 총 214쌍의 신혼 부부를 대상으로 한 두 연구의 데이터를 분석하여 이 이론을 테스트했습니다.

연구의 일환으로 부부는 14일 동안 매일 일기를 작성해야 했습니다. 매일 배우자들에게 파트너와 성행위를 했는지 여부와 성생활에 얼마나 만족하는지 보고하도록 요청했습니다. 또한 커플들에게 관계 만족도, 결혼 만족도, 파트너 만족도를 매일 평가하도록 요청했습니다. 각 부부의 결혼 만족도는 연구 기준선에서 분석되었고 4~6개월 후 후속 평가에서 분석되었습니다.

"성적 여운이 강할수록 결혼 만족도가 높아집니다"

14일의 연구 기간 동안 부부는 평균 4일 동안 성관계를 가졌다고 보고했습니다.

성행위는 당일의 성적 만족감과 관련이 있을 뿐만 아니라, 연구자들은 한 번의 성행위가 2일 동안 지속되는 여운을 만들어낸다는 사실을 발견했습니다. 이 결과는 연령, 성별, 성적 빈도, 성격 특성 및 관계 기간을 포함하여 여러 가지 혼란스러운 요인을 고려한 후에도 유지되었습니다. 그들은 강한 성적 여운을 보고한 커플은 약한 성적 여운을 보고한 커플에 비해 4~6개월 후에 더 큰 결혼 만족도를 보고할 가능성이 더 높다는 것을 발견했습니다.

Meltzer는 이번 연구 결과가 파트너 유대 관계에서 섹스가 중요한 역할을 한다는 이전 연구를 뒷받침하기 때문에 중요하다고 말했습니다.[66]

구경 갔다가 눈물이 나서 울었다. 꽃가루 알레르기. 감동해서 운 걸로 쳐두자고. 약을 먹으면서까지 꽃구경은 신나고 즐거워. 남녘에서 시작한 벚꽃이 천천히 서울로 북상 중. 전국을 누비면서 살다 보니 남들보다 긴 시간 벚꽃 구경을 한다. 꽃구경에 관해서 만큼은 부럽지가 않아. 가수 장기하씨가 내 이런 인생을 노래로도 불러주는군. "한 개도 부럽지가 않아~" [67]

바. 맛있는 섹스

애무는 접촉을 통해 표현하는 사랑의 행위다. 일반적으로 '섹스 전에 하는 것' 정도는 알고 있을 것이다. 흔히 얘기하는 전희가 바로 애무를 말하는 것이다. '애부'란 한자 뜻을 풀이해보면 애(愛)는 사랑 애, 무(撫)는 어루만질 무. 사랑으로 어루만진다는 뜻이다. 즉, '사랑의 터치'를 말하는 것이다.

애무와 같은 뜻으로 사용되는 전희(前戱)는 앞 전, 놀이 희. 즉 '섹스 전에 이루어지는 행위'를 말한다. '애무와 전희'란 단어를 합성시키면 '섹스 전에 이루어지는 사랑의 터치'란 뜻이 만들어진다. 이 말이 '애무'에 대한 정확한 정의이다. 하지만 애무의 진정한 의미는 앞서 설명보다 더 포괄적으로 설명되어야 한다. 다시 말해 신체 접촉만을 통한 한정적인 행위가 아니라 생활의 모든 공간과 시간 속에서 벌어지는 다양한 행동과 감정의 표현들, 즉 생활의 모든 것들을 애무라고 생각해야 한다.

결론적으로 정신과 육체를 자극하는, 애정이 담긴 모든 종류의 접촉은 전부 전희(애무)인 것이다. 얼마 전 한 전직 미국 대통령의 마음을 단번에 사로잡은 아일랜드 출신의 금발미녀가 밝힌 말을 들어보는 것도 이해에 도움이 된다.

"그가 따스하게 이글거리는 눈길로 나를 쳐다볼 때면, 난 마치 내 옷이 벗어져 나가며 몸을 애무 당하는 듯한 착각 속에 빠져요. 나도 모르게 순식간에 몸이 달아오르죠. 그 짜릿한 느낌이란 뭐라 설명할 수가 없어요. 그는 확실히 매력적이고 여자를 바보로 만들며 약하게 만들어요."

좁은 의미의 애무가 '육체적인 자극'이라고 한다면, 널넓은 의미의 애무는 '정신적인 자극'을 포함한 광범위하고도 심오한 것이라고 할 수 있다. 이 두 가지가 합쳐졌을 때 비로소 진정한 애무라고 할 수 있다.[68]

오르가슴(orgasme; 남녀가 육체적으로 관계를 맺을 때에 쾌감이 절정에 이른 상태)에 도달하면 눈앞이 하얗게 되듯이 사랑은 우리 에너지가 더욱 자유로워지는 가장 좋은 방법이다. 사랑을 통해서 인간은 좀더 자유로워지고 자유를 확대할 수 있었다. 이것은 '자유의 확대'라는 자연의 법칙에 맞는 것이기에 사랑은 끊임없이 인간을 빨아들였다.

"맛있는 섹스의 절정 오르가슴(orgasme)"

남자들은 여자가 '진짜' 오르가슴에 올랐는지 몹시 궁금해 하는데 몸의 변화를 보면 오르가슴 여부를 쉽게 알 수 있다. 질에 넣은 손가락이 꽉꽉 조이거나, 클리토리스 주변의 근육이 수축운동을 하거나, 온몸을 비틀면서 다리를 안쪽으로 오므려 더 이상의 자극을 못하도록 하기도 하고, 온몸이 땀으로 범벅이 되기도 하고, 괴성에 가까운 신음소리를 통해서도 알 수 있다.

무릎반사와 같은 반사가 몸에 또 있다. 그것은 음핵(clitoris, 陰核)이다. 음핵을 자극하거나 잘 마찰하면 거의 모든 여성은 오르가슴에 오를 수 있다.

여자의 음핵은 섹스 시작에 있어서 전원과 같다. 만약에 음핵을 자극하지 않고 섹스를 하는 것은 전원을 켜지 않고 컴퓨터나 TV를 보려고 하는 것과 같다. 음핵을 자극하지 않는 섹스는 여자에게 무효다. 왜냐하면 여자는 음핵을 자극하지 않으면 절대로 오르가슴에 이를 수 없기 때문이다. 특히 불감증인 여성에게 음핵의 자극은 매우 중요하다.

음핵을 자극할 때는 매우 부드럽게 해야 한다. 손으로 하든, 혀로 하든 무조건 부드럽게 해야 한다. 음핵만 자극해도 삽입 섹스가 없어도 여자는 오르가슴에 오르고, 그것만으로도 만족할 수 있다.

그만큼 음핵의 자극은 중요하다. 음핵을 신성히 하라. 여자의 오르가슴의 핵심은 음핵이다. 음핵의 자극을 잘하는 것이 섹스의 핵심이고, 오르가슴에 오르게 하는 가장 주요한 요소이다. 음핵은 남자의 페니스와 상동기관이다. 그래서 페니스가 자극받았을 때 기분이 좋아지는 것처럼 여자도 음핵을 자극받으면 기분이 좋아진다. 그래서 서로 기분 좋은 행동을 주고받는 것이다.

남자가 대접받고 싶으면 음핵을 아주 소중이 애무해주자. 자신을 행복하게 해주는 사람을 사랑하지 않을 여자가 어디 있겠는가? 여자를 행복하게 해주자.

음핵을 사랑스럽게 애무해 주면 여자는 천국 같은 기분을 느낄 수 있다. 여자가 천국을 맛보면 남자에게 천국을 선물해 준다. 이게 모든 인간관계의 기본이 아닐까? 오르가슴을 주고 받는 것은 음핵을 자극하면 가능하다.

"클리토리스(clitoris), 그 무궁무진한 세계"

잠깐 몸 아래쪽을 내려다보자. 매일 거기 있는 그거, 클리토리스는 쾌락의 핵심이다. 당신은 클리토리스에 대해 잘 알고 있나? 그런 것 같다고? 정말? 진짜? 레알?('진짜로', '정말로' 라는 뜻으로 쓰는 말로 리얼(real)을 재미있게 발음한 것에서 비롯되었다)

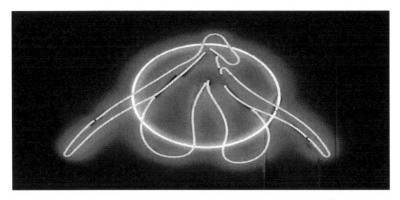

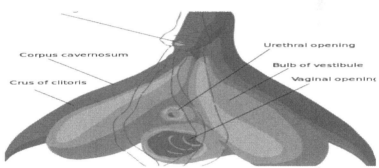

Corpus cavernosum

Crus of clitoris

Urethral opening

Bulb of vestibule

Vaginal opening

클리토리스를 아세요? C스폿, 러브 버튼. 뭐라고 부르든 클리
토리스가 예민한 신경으로 가득 찬 기관이라는 사실은 변함이 없
다. 여성의 성생활을 연구하는 'OMGYes'에서 발표한 연구 결과
에 따르면, 여성의 73%는 삽입 중 클리토리스 자극으로 더 강렬한
오르가슴을 느낄 수 있다. 바꿔 말하면 질 자극만으로는 강한 오르
가슴을 느끼기 어렵다는 뜻이다. 그러니까 클리토리스에 대해 잘
알아야만 당신 그리고 파트너가 모두 만족스러운 성생활을 하는
데 도움이 된다. 클리토리스 오르가슴의 원리를 살펴보자.

키스나 전희 또는 야한 생각으로 흥분하면 뇌는 아래쪽으로 더
많은 피를 보내라는 신호를 받는다. 이 때문에 몸 안 클리토리스,

그러니까 음핵귀두보다 더 안쪽에 있는 부분이 부풀어 오르게 된다. 또한 흥분하면 할수록 수천 개의 신경이 미세한 터치에 점점 더 민감하게 반응한다.

여성은 남성보다 오르가슴에 도달하기까지 시간이 좀 걸리는 편인데, 보통 10~20분 정도 충분히 자극하면 클리토리스 주변이 수축하며 말 그대로 분출을 일으켜 오르가슴의 세계로 진입하게 된다. 남성의 오르가슴은 평균 6초 정도 지속되는 반면 클리토리스 오르가슴은 평균 10~30초까지 지속된다. 그런 다음 몸이 차츰 안정을 찾으면서 클리토리스도 평균 크기로 돌아온다.

INSIDE C-SPEC 크기 육안으로는 음핵귀두만 보이기 때문에 실제 크기를 알기 어렵다. 겉으로는 콩알만 해 보이는 클리토리스의 전체 길이는 사람마다 조금씩 다른데 보통 7~13㎝ 정도 된다. 능력 클리토리스에는 8천 개 이상의 신경 말단이 집중돼 있다. 이는 남성 페니스의 2배에 달하는 수치며, 이 수많은 신경섬유 때문에 클리토리스 자극이 어마무시한 오르가슴으로 이어지는 것! 생김새 클리토리스(음핵)의 대부분은 숨겨져 있다. 눈으로 보이는 부분은 클리토리스의 끝(음핵귀두). 귀두는 '음핵각'이라는 피라미드 모양의 촉수와 이어지고, 음핵각 사이에는 클리토리스 몸체에서 뻗어 나온 공 모양의 살덩이인 2개의 음핵구가 있다. 감각 여자의 클리토리스도 커질까? 남자의 성기처럼 클리토리스도 발기를 한다. 성적으로 흥분하면 클리토리스로 피가 몰리면서 2배 가까이 커질 수 있다.[69]

클리토리스와 더불어 여성의 대표적인 성감대로 꼽히는 G-spot을 통해 오르가슴에 도달하는 것이다.

섹스에서 얻는 만족이 가정의 행복을 좌우한다. 'G-gasm'이란 G-spot의 자극을 통해 오르가슴에 도달하는 테크닉을 말한다.

G-스팟(G-spot)은 여성의 질의 일부분으로, 자극을 받을 경우 높은 수준의 성적 각성과 강렬한 오르가즘을 일으킬 수 있는 성감대를 포함하는 것으로 알려져 있다.[70] 1981년 이후 G-스팟에 대한 연구나, 그 존재에 대한 논쟁, 기능에 대한 정의, 실제 위치에 대한 논의가 계속되고 있음에도 이것은 의학 분야 및 성에 대한 연구에서 주목을 받고 있다.[71] 독일의 산부인과 의사인 에른스트 그래펜베르크가 1950년 발견했다.[72]

"G스팟 자극해 오르가즘에 이르는 섹스 테크닉" "G스팟에 의한 오르가즘은 클리토리스를 통한 오르가즘보다 훨씬 쾌감 강해"

10년 가까이 성에 관한 상담과 치료를 해온 산부인과 전문의 박혜성 원장. 섹스에서 얻는 만족이 가정의 행복을 좌우한다고 말하는 그가 클리토리스와 더불어 여성의 대표적인 성감대로 꼽히는 G스팟을 통해 오르가즘에 도달하는 테크닉을 들려주었다.

G가즘(G-gasm)이란 G스팟(G-spot)의 자극을 통해 오르가즘에 도달하는 것을 말한다. 경기도 동두천 해성산부인과 박혜성 원장에 따르면 과거 여성의 오르가즘은 클리토리스를 자극하는 것이 유일한 방법으로 여겨졌다고 한다. 그러나 1944년 독일 산부인과 의사 그라펜베르크가 처음으로 G스팟의 존재를 보고한 뒤 활발한 연구가 이루어지면서 G스팟은 여성의 신체 가운데 가장 강렬한 성적 쾌감을 불러일으키는 곳으로 알려지게 됐다고. G스팟의 G는 그라펜베르크의 이름 첫 글자에서 따온 것이다. "G스팟에 의한 오르가즘은 클리토리스에 의한 일반 오르가즘에 비해 강한 쾌감이 특징이라는 것이 박 원장의 설명.

"클리토리스는 G스팟과 연결돼 있어요. 클리토리스의 신경이 G스팟을 통과하고 척수를 통해 뇌와 연결돼 있죠. G스팟을 통한 오르가즘은 한번 느끼면 절대 잊을 수 없을 만큼 강렬하고 독특해요. "

G스팟은 질의 2~3㎝ 안쪽에 위치해 있다고 한다. 손가락으로 만
졌을 때 혹처럼 느껴지는데 자극을 가하지 않은 상태에서는 **땅콩**
정도의 크기지만 자극을 받으면 호두처럼 부풀어오르는 특징이 있
다.

"G스팟을 자극하면 일부 여성은 남성처럼 사정을 하기도 해요.
G스팟의 위치를 확인하려면 쪼그리고 앉은 자세에서 손가락을 질
에 넣어 낚싯바늘처럼 구부린 다음 만져보면 돼요. G스팟에 자극
을 가하면 부풀어오릅니다. 마치 클리토리스가 자극을 받아 흥분하
면 크고 딱딱해지는 것과 비슷한 현상이죠."

남성이 여성의 G스팟을 자극하려면 여성이 누운 상태에서 가운
뎃손가락을 질에 넣은 다음 손가락을 구부려 G스팟을 문지르면 된
다고 한다. 이때 클리토리스도 같이 자극을 하면 더 큰 쾌감을 맛
볼 수 있다는 것. 또 손가락을 질에 넣은 채 움직이지 않고 오럴섹
스를 해도 효과가 높다고 한다.

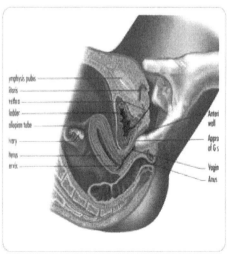

"남성의 페니스가 여성의 G스팟을 직접 자극하게 하려면 후배위(여성이 남성에게 등을 보이면서 완전히 엎드려 있거나 혹은 무릎을 꿇고 엎드린 상태에서 남성이 여성의 엉덩이 뒤쪽에서 삽입하는 체위) 자세에서 엉덩이 아래쪽에 베개를 여러 개 받친 다음 위에서 아래쪽을 향해 삽입하면 돼요."

이때 G스팟이 커지는 것이 느껴지면 동작의 강도를 높여서 G스팟을 더 부풀어오르게 하는 게 좋다고 한다. 여성이 요의를 느낄 때까지 계속 자극하는 것이 중요하다. 요의가 느껴지는 이유는 G스팟이 커지면서 방광을 자극하기 때문에 생기는 현상인데 약 30초 후 이 느낌이 사라진다는 것.

"소변이 마렵다는 생각이 들 때 중단하지 않고 계속 자극을 하면 G가슴으로 바뀌게 돼요. 이때 주의할 점은 자극을 멈춰서는 안 된다는 거예요. 남성이 피스톤 운동을 계속할 때 여성이 '더 강하게 혹은 약하게, 더 빠르게, 천천히, 원을 그리면서' 등의 주문을 말로 직접 표현하는 게 좋아요. 아니면 반대로 남성이 여성에게 '어떻게 삽입할 때가 더 좋냐' 면서 '강한 자극이 느껴지는 각도' 를 물어봐도 되고요."

G-가슴에 도달하면 여성의 심장 박동이 빨라지고 숨이 거칠어지는데 이때 숨을 고른 다음 1분 정도 쉬다가 다시 자극을 가하면 된다. 박 원장은 이런 과정이 반복되면 굉장히 강렬한 느낌의 '멀티오르가슴' 을 맛볼 수 있게 된다고 말한다. 이때 여성은 G스팟 자극을 통한 '사정' 을 하게 되는데 사정을 할 때 약간의 소변이 섞여 나오는 경우도 있다고 한다. 박 원장은 "소변이 나오는 것을 막기 위해서는 평소 케겔운동을 하는 것이 좋다" 고 말한다.

"여성의 사정액은 애액과는 달리 남성의 전립선에서 나오는 것과 같은 화학구조를 갖는 PAP(Prostate Acid Phosphatase)로, 정자

만 없을 뿐이지 정액과 거의 유사해요. 흥분을 함으로써 요도 주위
에 피가 차 요도 안에 있는 스케너씨관에서 분비되는 액이지요. 과
거에는 여성이 사정을 하면 요실금으로 생각해 부끄러워하고 아예
성관계를 기피하기도 했어요. 이런 G가슴을 통한 사정은 모든 여
성이 항상 경험할 수 있는 것은 아닙니다. 아예 경험하지 못하는
여성도 있어요."

이는 똑같은 체위나 방법으로 성관계를 할 때 대부분의 여성이
오르가슴에 도달할지라도 일부 여성은 전혀 오르가슴에 이르지 못
하는 것과 유사한 현상이라고 한다. 그러나 여성이 사정이나 오르
가슴에 도달하지 못했다고 해서 성적 무능함을 의미하지는 않는다
고. 경험 미숙과 피곤, 피로 등이 원인일 수도 있기 때문이라는 것.

"G스팟을 통한 G가슴은 약간만 어긋나도 느낄 수 없어요. 그렇
기 때문에 G스팟을 자극하기 이전에 오럴섹스를 충분히 해서 오르
가슴에 다다를 수 있는 여건을 만들어야 합니다." 73)

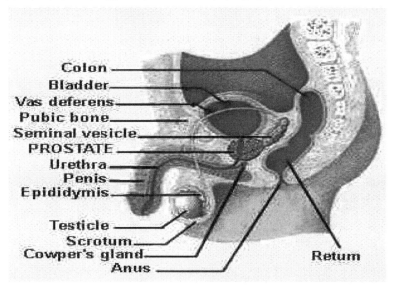

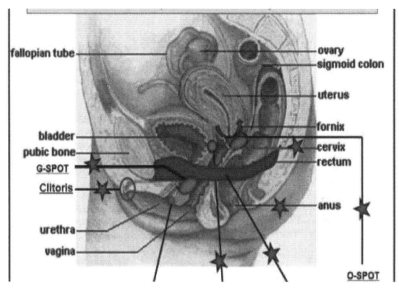

"A-spot을 자극하여 멀티오르가슴에 이르는 섹스테크닉"

여성의 성감대는 G-spot뿐일까? 질 깊숙한 곳에 존재하는 A-spot을 자극하면 여성은 멀티오르가슴을 느낄 수 있으며, 남성의 섹스 만족도 또한 높아진다. 여성의 대표적인 성감대로는 음핵에 있는 C-spot, 그리고 질 속에 위치한 G-spot과 A-spot 등 세 곳이 꼽힌다. 전희과정 또는 삽입섹스를 할 때 이 부위를 자극하면 오르가슴에 쉽게 이를 수 있다.

3개의 성감대 가운데 가장 늦게 발견된 것이 A-spot이다. A-spot은 말레이시아의 한 의사가 1990년대에 발견했다. 섹스를 할 때 여성을 가장 황홀하게 만드는 자극점이 전원개,즉 질과 자궁경부가 서로 연결되는 질의 가장 깊은 곳에서 방광이 있는 방향으로 질벽의 앞면을 자극하면 쾌감도가 높아지면서 질 속 윤활액 분비가 빠르게 촉진되는 부위이다.

G-spot을 자극하면 여성이 오르가슴에 쉽게 이르지만, A-spot을

자극하면 남녀 모두 오르가슴에 이를 가능성이 높다.

섹스를 할 때 A-spot을 정확히 자극하면 골반이 녹아내리는 듯한 오르가슴에 이를 수 있다. 일반적으로 질입구에서 자궁 입구까지는 8㎝ 정도인데 남성의 페니스가 닿기는 긴 거리다. 여성이 또바로 누운 자세에서 무릎을 세우거나 누워서 양 다리를 들어 벌리고 무릎을 굽혀 허벅지를 복부에 가깝게 밀착시키면 질입구부터 자궁까지의 거리가 훨씬 짧아져 A-spot을 자극하기 쉽다.

먼저 남성이 손이나 혀로 음액이나 요도구를 자극해서 여성을 흥분시켜야 한다. 그 다음에 페니스를 얕게 삽입해 G-spot을 자극해서 오르가슴에 이르게 한다. 그렇게 한 후 여성이 남성을 꼭 껴안거나, 골반을 들어서 페니스를 깊게 삽입하도록 체위를 취하면 A-spot을 자극하는 섹스가 이루어진다. 이렇게 하면 적어도 세 번정도의 오르가슴을 느끼는 '멀티오르가슴'을 경험할 수 있다.[74]

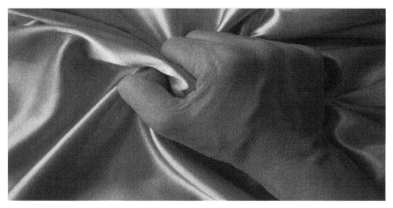

남성이 멀티 오르가슴 느끼는 3단계 방법(김영섭. 코메디닷컴. 2017. 3. 10)
사진=shutterstock.com)

진정한 멀티오르가슴을 아느냐?

내가 '멀티오르가슴 맨'을 처음 번역하여 출간한 지도 어느덧

10년이란 긴 세월이 흘렀다. "남성의 멀티오르가슴 시대가 시작된 다"는 다소 도발적 구호를 내건 이 책은 큰 반향을 불러일으켰다. 생소하기만 했던 남성의 멀티오르가슴 개념이 일반인에 회자됐다. 지금은 매스컴을 통해 멀티오르가슴이라는 용어가 공공연하게 쓰이고 있다.

친구들은 농담조로 나를 '멀티오르가슴 맨'으로 부르지만 멀티오르가슴이라는 용어의 의미를 제대로 이해하고 사용하는지 의문이다. 막연히 "그거 길고 강하게 하는 것 아니야" 하는 말투다. 섹스 전문가들조차도 그런 식으로 멀티오르가슴 용어를 난발하고 있다.

멀티오르가슴은 단지 오래도록 섹스 시간을 연장한다는 의미보다 더 깊고 심오하다. 일반적 빅뱅(사정) 오르가슴은 흥분한 성 에너지를 외부로 방사해 순간적으로 얻는 강렬한 단발의 오르가슴이다. 멀티오르가슴은 일회적·말초적 오르가슴이 몸 내부로 깊어지고 몸 전체로 확장되어 육체와 마음과 영혼의 모든 차원에서 깊은 만족감을 느끼는 전체적 오르가슴이다.

남녀 모두가 깊은 충족감을 얻을 수 있을 때까지 섹스 시간을 연장할 수 있음은 물론이다. 멀티오르가슴을 제대로 느끼면 섹스를 하면 할수록 힘이 솟아나고 남녀 간에 깊고 신비로운 조화와 전체적 합일이 이루어진다. 사랑과 친밀감이 한없이 증폭되는 느낌을 받는다. 멀티오르가슴을 체험한 남성의 이야기다.

"몸 전체의 멀티오르가슴의 느낌은 더욱 미묘하고 완전하며 만족스러웠어요. 전 과정이 짧은 폭발로 끝나는 것이 아니라 끝없는 파장이 이어지는 느낌이었어요. 섹스가 끝나도 전혀 공허감이 느껴지지 않았어요. 사정의 폭발감 뒤에는 무언가를 잃은 느낌이 들었지만 오히려 무언가를 소유한 듯한 느낌까지 들었다니까요. 육체적·정서적·영적으로 깊은 만족감이 몇 시간 동안, 때로는 며칠 동안 지속되었어요."

여성들 역시 흥분한 성 에너지 방출을 통해 단발적·소모적 오르가슴의 차원에 머물러 있기는 마찬가지다. 이런 여성들은 섹스 후에 남성들처럼 피곤을 느껴 기진맥진한다. 하지만 멀티오르가슴을 남편과 함께 체험하는 부인의 생생한 증언을 한번 들어보면 이들의 생각도 바뀌게 될 것이다.

"멀티오르가슴은 밖으로 성 에너지를 발산하는 일반 오르가슴과는 달리 세포 내에서 미묘한 흥분 에너지가 꽃피는 듯한 신비로운 체험이에요. 우리의 사랑 행위는 늘 좋았지만 멀티오르가슴을 체험하면서부터 더욱 풍족해졌으며, 서로 더욱 잘 조화를 이루게 되었답니다. 하지만 멀티오르가슴은 수련을 통해 우리의 관계에 일어난 심원한 변화의 시작일 뿐이에요. 이제 우리의 사랑은 훨씬 깊어졌으며 친밀해졌음을 느껴요."

이와 같이 멀티오르가슴이야말로 장생을 위한 불로초요, 삶에 활력과 창조적 열정을 불어넣는 천연 마약이며, 남녀 간의 지극한 화합과 사랑에 불을 지르는 묘약인 것이다. 궁극적으로는 무아지경의 엑스터시를 통해 작은 나를 버리고 무한한 우주와 하나가 되는 영혼의 연금술이기도 하다.

멀티오르가슴의 참 목적은 성의 쾌락에 탐닉되어 성의 굴레에 빠지는 것이 아니라 오히려 성 에너지에 대한 조절력을 얻어 더 큰 쾌락을 얻을 자유를 누리는 데 있다. 황금보다 보배로운 성 에너지를 단지 욕정의 해소를 위해 함부로 낭비해서는 안 될 일이다.[75]

4. 아가페(agape love) 사랑

아가페의 사전적 의미는 "종교적인 무조건 사랑, 곧, 신이 죄인인 인간에 대하여 자기를 희생하며 가엾게 여기는 사랑" 이다.

가. 아가페

절대적인 사랑에 나와 있는 "아가페" 는 다음과 같다.

고대 아가페의 의미는 사랑을 뜻하는 여러 개의 그리스어 낱말 가운데 하나이다. 고대 그리스에서 지금까지 여러 가지 뜻으로 쓰여 왔으나, 보통 거룩하고 무조건적인 사랑을 뜻한다.

플라톤은 아가페를 본질적 실재인 이데아에 대한 동경, 즉 이성(理性)으로서의 사랑으로 언급했다. 아가페적 사랑의 단계에서는 사랑을 행하는 자와 사랑의 대상 사이에 서로의 결여된 것에 대한 갈망(에로스)이라든가 쌍방의 호의적 교환(필리아) 같은 조건이 존재하지 않는다. 여기서는 사랑이 곧 이상으로서 인간이 살면서 이상을 지향하듯 조건 없이 어느 대상에 국한되지 않고 자연스럽게 모든 대상에 사랑을 베푸는 것이다.

기독교인들은 이 용어를 인류를 위한 신의 신성하며 무조건적, 자기 희생과 배려 깊은 사랑으로 부르고 있다. 아가페는 쉽게 말해 신이 인간에게 보내는 '절대적인 사랑' 이라 할 수 있다.

다소 기독교적이며 좋은 의미를 담기 위해서 여러 방면으로 쓰이고 있다. 성경이나 교회 이름이라든가 또한 딱히 기독교적은 아니어도 서양에서 자주 쓰이는 단어이다.

나. 아가페적인 사랑

절대적인 사랑에서 "아가페적 사랑"은 "사랑이 곧 이상으로서 인간이 살면서 이상을 지향하듯 조건 없이 어느 대상에 국한되지 않고 자연스럽게 모든 대상에 사랑을 베푸는 것"이라고 했다.

그렇다면 "사랑이 곧 이상으로서 인간이 살면서 이상을 지향하듯 조건 없이 어느 대상에 국한되지 않고 자연스러운 모든 대상에 사랑을 베푸는 것"을 의미하는 아가페적인 사랑의 본질(本質)은 무엇일까? 그리고 구체적으로 아가페적 사랑을 어떻게 하는 것일까?

이 질문들에 대한, 아주 정확한 정답을 말하기 위해선 크리스천(기독교인, 기독교 신자)이 부르는 "아가페"를 반드시 알아야 한다. 이것은 "아가페"의 사전적 의미인 "종교적인 무조건 사랑. 곧, 신이 죄인인 인간에 대하여 자기를 희생하며 가엾게 여기는 사랑."과 일치(一致)한다고 봐도 거짓이 아니다. 그러므로 이러한 근거로 하나님께서 성경을 통해 인간들에게 전하고 싶은 것은 "아가페"이며, '아가페적'인 사랑은 다음과 같다.

아가페적인 사랑은 "성적인 욕망"이 본질(本質)인 에로스적 사랑과 완벽하게 반대가 되는 사랑이다.

장미꽃 피는 사랑의 계절

아름다운 계절이다. 집 앞만 나가도 빨간 덩굴장미가 만발하다. 바야흐로 사랑의 계절이 도래한 것이다. 지역마다 장미축제 또한 시작되었다. 사람들은 장미꽃이 더 많은 곳을 찾아 나선다. 장미꽃을 통해 우리 안에 있는 사랑의 갈망을 채우려 하는 마음이 아닐까 하는 생각이 든다.

장미의 색은 다양하지만 붉은 장미가 먼저 떠오른다. 연인들이 사랑을 고백하며 장미꽃을 선물로 주기도 한다. 장미의 꽃말은 색깔별로 다르기 때문에 연인에게 선물을 줄 때 알아두면 좋겠다. 빨강은 열렬한 사랑, 흰색은 순결함, 청순함 노랑은 우정과 영원한 사랑이다. 그러나 일반적으로 열정적인 사랑을 이야기할 때 붉은 장미가 가장 먼저 떠오른다.

사랑에는 세 가지 종류의 사랑이 있다고 한다. 에로스적 사랑, 필리아적 사랑, 아가페적 사랑이다.

에로스적 사랑은 이성 간의 사랑을 이야기한다. 서로 사랑할 수도 있고 혼자서 열렬히 사랑할 수도 있다.

필리아적 사랑은 상대방이 잘 되기를 순순한 마음으로 바라는 마음을 말한다. 부모님의 사랑을 말하기도 하고 친구 간의 사랑을 이야기한다. 아가페적 사랑은 절대적인 사랑을 이야기하며 신적 사랑을 말한다.

장미 하면 떠오르는 장소가 있다. 그리고 그 장소마다 다가오는 마음이 있다. 부천의 장미공원의 백만 송이 만발한 장미는 마음을 한껏 부풀어 오르게 만들었다. 잔잔한 호수와 함께 일산 호수공원의 장미공원은 평화로움으로 다가온다. 몇 해 전 다녀온 다녀온 곡성 장미공원은 행복이라고 말하고 싶다. 광주지산 공원의 호수를 둘러싼 장미들은 아름다운 추억으로 남았다. 그러나 가장 인상 깊게 남은 장미공원은 바로 조대 장미공원이다.

엄마가 갑자기 입원했던 시기 서울과 광주를 매주 오가며 병문안을 다녔다. 엄마가 입원해 있던 대학병원을 향해 올라가며 무수히 많은 장미꽃들을 바라보았다. 붉은 장미꽃을 바라보며 계단을 걸어 올라가는 내내 장미꽃은 내게 말을 걸어왔다. 사랑하라고, 더 많이 사랑하라고 말이다. 에로스적 사랑 보다 필리아적 사랑 보다 더 아가페에 가까운 사랑으로 다가가 보라며 백만 송이 장미꽃을 피워 내라는 사명을 주었다.

장미꽃은 만발하지만 내 마음의 사랑의 장미꽃을 피워내는 것은 쉽지 않다. 꽃봉오리를 맺기도 전에 시들어 버리기도 하고, 곱게 피어나다 메말라 버리기도 한다. 단 한 송이 장미꽃을 제대로 피워낼 수 있기를 오늘도 만발한 장미를 바라보며 다짐해 본다.[76]

섹스 없는 관계는 어떨까?

서로 사랑을 하고 있는 젊은 연인을 찾았다. 그러나 서로 웅크리며 시간을 보내는 만큼 아직 섹스에 관한 계획이 없다. 그들에게 삶은 어떨까?

　최근 해외 온라인 미디어 위티피드에는 '섹스 없는 관계는 어떨까?' 라는 제목과 함께 섹스를 하지 않는 커플들의 일상을 다룬 기사를 소개 했다.

　손쉽게 포르노(porno; 인간의 성적 행위를 노골적으로 묘사함으로써 성욕을 자극하는 책, 영화, 사진, 그림 따위를 통틀어 이르는 말)를 보고 데이트 시 원 나잇(one-night; 잘 알지 못하여 다시 만나지 않을 사람과 성관계를 함)이 지배하는 이 세상에서 육체적인 사랑보다 감정적인 사랑을 하기는 여간 어렵지 않다. 요즘 들어 커플들은 연애의 진정한 의미를 모른 채 연애 상대와 질적인 시간을 보내는 것을 중요하게 여기지 않는다. 전문가들은 연인 및 부부가 섹스리스로 이어지는 것은 다양하다고 설명한다.

　지금부터 다음은 '섹스리스(sexless)' 커플들이 밝힌 섹스 없는 사랑의 8가지 장점을 살펴보자.

　하나. 단지 같이 시간을 보내는 것만으로 충분하다.

　요즘 세상엔 섹스 없이 같이 영화를 보거나 산책을 하는 것들의 의미가 없어지고 있다.

　둘. 평범한 섹스는 누구하고나 할 수 있다.

　그러나 섹스 후 껴앉고 의미 깊은 대화를 누리는 것은 아무하고도 할 수 없는 것이다. 연인간의 의미 있는 대화를 위해서는 특별한 유대감이 필요하다.

　셋. 연애관계에는 섹스 말고 많은 것들이 있다.

　파트너와 친밀감을 쌓을 수 있는 길은 많다. 소파에서 서로 껴앉고 영화를 볼 수도 있고 같이 요리를 할 수도 있다. 섹스만이 서로에게 매력을 느끼는 방법은 아니다.

　넷. 서로 사랑하는 연인들은 섹스를 선택하지 않는다.

　결코 터무니 없는 소리가 아니다. 한 연인들은 아직 서로 손을 때지 못한 체 섹스도 하지도 않았다. 서로의 팔을 껴안은 채 밤을 보냈지만 현대식 사랑의 즐거움은 누리지 않았다는 것.

다섯. 그들에게 섹스는 로맨스의 방법이 아니다.

이 커플들은 서로의 감정을 좋아하는 음악 얘기나 서로 음식을 해주는 식으로 다르게 표현한다. 파트너에 대한 배려 있는 몸짓 또한 상대로 하여금 특별한 감정을 느끼게 한다.

여섯. 그들은 아직 절제하고 있다.

이 연인들은 섹스에 나쁜 감정은 없으나 서로 기다리고 싶어 한다. 그들의 관계를 입증하기 위해 섹스할 필요가 없다. 섹스가 관계를 형성하는 유일한 것은 아니니까.

일곱. 그들은 아직 서로 순결의 고리를 교환하지 않았다.

이 연인들은 건전한 마음과 함께 섹스 없는 교재를 선호한다. 그들 모두 충분한 사랑을 하는 건강한 사람들이다.

여덟. 서로 상호적 이해만으로 충분하다.

고로 미래에 당신이 누군가 만날 때 섹스를 하지 않고 상대를 알려고 노력하자. 단지 섹스 때문이 아니라 그 사람 자체에게 빠질 수 있도록.[77][78][79]

성관계에 관심이 없는 것은 프랑스 여성뿐만이 아니다. 최근 일본에서 기혼자 10명 가운데 6명 이상이 배우자와 부부관계를 갖지 않는 이른바 '섹스리스' 로 나타났다(사진= 게티이미지뱅크).[80]

5. 사랑의 배신은 왜?

사랑은 가장 따뜻한, 가장 바람직한 인간관계이다. 또한 그러한 관계를 맺고 지켜가고자 하는 마음이자 마음의 움직임이다. 가슴을 가진 사람, 그리고 영성(靈性)을 갖춘 사람이 서로 유대 또는 사귐을 갖는 것이고, 그것들을 이어가고자 하는 마음이 곧 사랑이다. 한국인들이 관례적으로 '정을 주고 받는다'고 한 것은 이런 면에서 뜻깊은 말이다.

따라서 애뜻하다고 표현된 그리움, 간절하다고 말한 '따름' 등 마음의 움직임을 포함하는 소망, 열정, 욕망 등이 사랑이라고 생각되어 왔다. 그런 면에서 '마음을 준다' 또는 '마음을 바친다'라는 말로, 또는 '정을 준다' 등의 말로 사랑이라는 행위를 표현해 온 것은 자못 뜻깊은 일이다.

배신(背信, Betray)은 특정 양측의 동의 하에 체결된 물리적/비물리적 계약, 혹은 상호간 도의적 신뢰 관계를 통한 암묵적 합의 사항을 어기는 행위를 말한다. 한자 그대로 '믿음을 등진다'는 뜻으로, '거짓'과 함께 인류가 많이 사용하고 있는 용어이자 행위이다.(인간의 본성 탐구에 있어 꼭 필요한, 혹은 인간관계과 인간세계를 설명하기 위한 핵심 키워드로 볼 수도 있다.)

국어사전에 따르면 '배신'은 '믿음이나 의리를 저버림'의 뜻을 지닌 단어이고, 여기에 '돌아선다'는 의미를 좀더 추가적으로 드러내는 단어가 '배반'이다.

한편 '반역'이라는 말은 '나라와 겨레를 배반함' 또는 '통치자에게서 나라를 다스리는 권한을 빼앗으려고 함'의 의미를 지닌다.

상황에 따라 의미가 조금씩 차이가 나지만, 주군을 배신한 후 반역 으로까지 나아가는 사례를 생각하면, 유의어의 범주에 폭넓게 넣을 수 있다.

참고로 '배신자' 는 '배신' 이라는 행위를 하는 사람을 가리키 고, '배신감' 은 '배신' 이라는 행위를 당한 후의 감정 상태를 뜻 한다.

할미꽃(Pulsatilla koreana)은, 산과 들의 양지에서, 특히 무덤가에 서 잘자라는데, 그 모습이 너무나 소박해서, 가장 한국적인 꽃이라 고 불리운다.

할미꽃은, 보라빛 꽃이 필 때면, 줄기가 휘어져, 등이 굽은 꼬부 랑 할머니를 연상시키기도 하고, 꽃이 지고, 열매를 맺을 때면, 하 얀 털로 덮힌 열매가 "하얀 머리카락의 할머니" 처럼 보여서, "백 두옹" 으로 부르기도 한다.

할미꽃은, 할미꽃의 슬픈 전설처럼, "사랑의 헌신, 사랑의 배신, 슬픈 추억" 이라는 꽃말을 가지고 있다.

할미꽃은 독성이 강해, 옛날에는 죄인을 처형할 때 쓰는, 사약의 재료가 되기도 했다.

할미꽃, 사랑의 헌신과 배신에 눈물 흘리다

엄동설한 차가운
눈속에 묻혀있다가
따스한 봄바람이 불면서
무덤가에 피어나는 보라색꽃

죽은 아들 며느리 대신해
허리가 휠 정도로
두 손녀를 뒷바라지해가며
어렵게 시집을 보내고

백발인 머리털과 누런 이빨은
여기저기 빠지고 기력도 없어
혼자 끼니마저 해먹기 어려워
부잣집 며느리 큰 손녀를 찾아갔지만

큰 손녀가 할미 추한 모습
시댁에 보이기 싫다고
눈치를 보이며 냉대하길래
서러움에 몰래 큰 손녀 집을 나와

작은 손녀 집으로 가다가
눈 쌓인 고갯마루에서 넘어져
결국 일어나지 못하고 얼어죽은
할미 무덤가에 피어난 꽃

사랑의 헌신에 눈물 나게
꽃이 필 때는 줄기가 휘어져서
손녀들을 키우느라 등골이 휜
할미의 사랑이 떠오르고

사랑의 배신에 가슴 메이게
열매 맺을 때는 하얀 수염 휘날리며
시집간 손녀들이 행복하기만 빌었던
할미의 설움에 눈물이 난다.[81]

가. 여자의 배신

난자를 대표하는 처녀는 사랑보다 우정을 선호하고, 전자를 대표하는 총각은 우정보다 사랑을 선택한다. 그건 다음 같은 생물학적 이유 때문이다. 섹스를 하게 되면 여자 몸속에 3~5억 개의 정자가 들어가는데 그들은 치열한 경쟁을 통해 난자에 도착하게 된다. 그들은 난자를 둘러싸고 난자 벽에 머리를 박기도 하는데 그중에서 제일 먼저 도달한 정자를 무조건 받아들이는 게 아니다. 자기를 둘러싼 정자 중에 가장 훌륭하고 뛰어난 놈을 선택해서 받아들인다. 그 다음에는 난자 벽을 공고히 해서 심지어 자기 벽에 머리를 박고 있는 정자들을 모두 죽여버린다. 그래서 난자를 대표하는 처녀들은 좋은 씨를 받아들이기 위해 남자를 고르고 또 고른다. 그래서 사랑보다는 우정을 선호하는 것이다. 그래야 가능한 한 좋은 놈을 고를 수 있을 테니까.

어떤 여자들은 모텔이나 호텔에 따라가서 알몸이 돼도 몸속에 들어가는 것만은 허락하지 않기도 한다. 억지로 들어가려고 하면 극렬히 저항하기도 한다. 도 어떤 여자들은 몸은 허락해도 입술만은 허락하지 않으려고 바둥거리기도 한다. 어떤 여자는 순순히 모텔까지 따라갔으나 남자가 덮치자 완강히 저항해놓고는 다음날 다시 모텔을 따라가기도 한다. 들어가는 또 저항하기도 한다. 남자들은 이해가 안 되는 대목이다. 처음부터 들어오지 말던지, 들어오면 곱게 따라줄 것이지 이게 뭐냐고.

그러나 모두 여자의 본능을 생각하면 이해가 된다. 더 좋은 선택을 하기 위해, 남자의 접근을 무한히 허용하고 심지어는 자기 표면에 머리를 박는 것까지 허용해도, 자기 안 깊숙이 받아들이는 것만큼은 최선으로 선택하려는 속셈이다.

그러나 남자는 다르다. 정자들이 난자 속으로 들어가지 못하면 말라 죽어버리기 때문에 무조건 난자로 골인(goal in; 어떤 목적이나 목표를 이루게 된 것을 비유적으로 이르는 말)하려고 한다. 즉, 정자로 대표하는 남성들은 우정보다는 사랑을 본능적으로 더 선호한다. 그래서 연애 시절 남자들은 여자의 농락이나 배신으로 상처를 많이 받곤 한다. 그러나 어쩔 수 없다. 여자들은 좀더 좋은 상대를 만나기 위해서는 심지어 자기 벽에 머리를 박고 있는 정자까지 죽여버리니까. 남자가 상처 때문에 괴로워 죽겠다고 해도, 설사 자살을 해도 눈 깜짝하지 않는 게 여자다. 임뿐만 아니라 임의 친구들도 잘 살펴보면 모두 더 좋은 남자를 찾는 데 집중이 돼 있다. 젊으면 젊을수록 진득하니 한 남자에게 정착한 여성은 정말 찾기 힘들다. 그 남자가 정말 뛰어난 남자가 아닌 한.

지금 임이 싱싱한 난자이고 주변에는 정자들이 둘러싸여 임의 선택을 기다리고 있다고 상상해보라. 때로는 임의 벽에 머리를 박고 있는 남자도 있겠지만 최종적으로 임이 선택할 때까지는 그들은 임과 결합할 권한이 없다. 임이 24살의 젊은 여자인 한 선택할 시간이 충분히 남았으니 본능은 좀더 기다리자는 것이다. 그러나 정자는 일주일 가까이 살지만 난자는 하루밖에 살지 못하니 임도 어느 순간에는 결정하게 된다. 나이가 들어서까지 계속 남자를 멀리하면 나중에는 남자들이 귀하를 멀리할 가능성이 높다. 남자들도 시든 난자에는 관심이 없으니.

여자의 배신은 아마도 본능에서 싹이 트는 것 같다. 의식에서는 이래서는 안 되는데, 이건 인간이 할 짓이 아니지 하면서도 본능에서는 좀더 좋은 씨, 좀더 나은 환경을 선택하려 하는 것이다. 이런 배신의 유혹에 빠지지 않으려면 본능을 적절하게 다스릴 수 있는 이성의 힘, 의식의 힘을 잘 키워야 한다.

나. 남자의 배신

어떤 친구는 청소년 때부터 여자를 사귀었다. 여자는 참하고 이뻤다. 그런데 어느 날부터 친구는 여자에게 차였다고 말했다. 그가

하도 자주 괴로워하기에 정말 그런 줄 알았다. 그런데 나중에 알고 보니 차인 사람은 오히려 여자였다. 그는 다른 돈 많은 여자에게 가기 위해 오랫동안 사귄 여자를 찬 것이었다. 그는 아마 죄책감을 덜기 위해 자기가 차였다고 반복적으로 말한 것 같다. 자기가 책임 져야 하는 여인을 버린 죄책감을 무의식 속에 영원히 파묻어버리 기 위해 의식에서는 정반대의 피해자인 양 행동한 것이다.

한 여자가 정신병원에 입원했다. 사람들은 그녀가 유부남에 농락 당하다가 버림받아서 들어왔다고 한다. 그녀는 유부남에게 전화 걸 어 "당신 그런 것 아니지, 당신 그런 것 아니지" 하고 확인을 했 다. 유부남은 아니라고 안심을 시켰다. 그러나 사람들은 계속해서 그 유부남을 나쁜 놈이라고 말했다. 여자의 마음 속에서도 서서히 분노가 일기 시작했다. 유부남에게 복수를 꿈꾸기도 했다. 처녀와 유부남의 사랑은 둘 다 손해인 것같다. 처녀는 유부남과 뜻대로 사 랑을 이루지 못해 괴롭고 유부남은 이나저나 나쁜놈으로 치부되기 때문이다. 남자의 배신은 아마도 현실에 입각해서 이루어지는 것 같다. 아무리 사랑해도 현실적으로 감당할 수 없으면, 더 나은 현 실이 있으면 솔깃하는 게 남자이기 때문이다.[82]

나이가 들수록 성활동은 애정에 비해 그 중요성이 현저하게 줄 어든다. "젊은 부부의 4분의 3이 섹스를 중요시 하고 중년 부부에 게도 여전히 섹스가 중요하지만, 노년의 부부에게는 섹스가 아주 작은 부분에 불과하다." 남자든 여자든 부부관계의 지속 시간이 길 어질수록 섹스에 대한 관심이 줄어든다. 60대에 접어들면 남녀 모 두가 성교에 대해 그다지 관심을 갖지 않게 된다.

성충동의 감퇴현상을 '쿨리지 효과'라고 부르기도 한다. 이 용 어는 미국의 제30대 대통령 캘빈 쿨리지(Calvin Coolidge)의 이름에서 유래되었다. 전문잡지에도 가끔씩 인용되는 일화에 하면, 쿨리지 대통령이 영부인을 대동하고 어느 농장을 방문하였다. 쿨리지 여사의 시야에 마침 교미 중인 수탉이 보였다. 영부인은 수탉이 이런 행동을 하루에 열두 번씩 한다는 설명을 듣고 이렇게 대답했다. "내 남편한테도 설명해주세요." 대통령이 설명을 듣고 나서 신기하다는 듯이 되물었다. "항상 같은 암컷만 상대하는가" 매번 다른 암탉과 교미한다는 대답을 들은 대통령은 자시금 이렇게 말했다. "내 아내에게 그 말을 전해주게."

진화생물학의 관점에서 볼 때 쿨리지 효과는 유전자 보존율을 높이기 위한 합리적인 전략이다. 수컷 입장에서는 동일한 암컷과 반복적으로 교미하면 번식 성공률을 높일 수 없으므로 수컷의 두뇌에서는 잠시 후 성충동을 유리한 선택 대상인 새로운 암컷으로 옮겨야 한다는 메커니즘이 작동하게 된다. 따라서 새로운 파트너를 만나면 어느 정도까지는 남성의 불응기를 막을 수 있다. 그런 점이 색골(色骨; 성행위나 성적 관계를 지나치게 탐하는 사람)들에게 유리하게 작용할 것으로 짐작된다. 끊임없이 파트너를 교체함으로써 절대로 권태에 빠질 염려가 없기 때문이다.

쿨리지 효과라는 불리한 상황에서 진행되는 지속적 관계가 시간이 지남에 따라 서로의 성적 매력을 앗아간다는 것은 사실이다. 약물을 사용하여 습관적 섹스 대신 이미 오래 전에 사라진 새로움의 매력을 되찾는다면, 시들해졌던 관계를 확실하게 회복시킬 수 있을 것이다.[83]

성충동으로 은밀한 관계를 가졌거나 아예 갖지 않았다는 비율 자체를 염두에 두지 않더라도 열정이 줄어드는 경우가 흔하다.

독일 잡지 『슈테른(Stern)』의 표지 기사에는 부부 침실의 답답한 분위기를 다음과 같이 표현했다. "성행위에 대한 잡탕음식에 대한 권태로움은 모범적인 것처럼 보이는 부부생활일지라도 부부 모두 시들하게 한다. 파트너가 양치질을 하고 잠자리에 들면 무엇을 하려는지 누구나 알 수 있다. 가식적으로 섹스에 응하는 일은 여성에게 더 쉽다. 가장할 필요 없이 그냥 누워서 가끔씩 신음소리를 내면서 좋아하는 텔런트(talent; 텔레비전의 드라마에 출연하는 연기자)를 생각하면 되니까." [84]

어렸을 때 부모의 사랑을 충분히 받고 자란 경우, 사랑이 부족한 적이 없어서 사랑이 중요하지 않다고 생각할 수 있다. 또한 성인이 되어 일을 중요하게 생각하는 삶을 살면 사랑은 중요하지 않다고 여기며 평생을 일과 결혼한 것처럼 산다. 특히 사회적으로 성공한 사람일수록 사랑은 대수롭지 않게 생각한다.

특히 내가 섹스를 하고 싶을 때 하고, 내가 하기 싫으면 안 하는 것도 나쁜 습관이다. 매우 이기적인 사람이다. 이런 습관이 들면서 그 때는 행복할지 모르지만 파트너가 그대로 돌려준다. 다른 방식으로, 다른 것을 통해서 보복을 당하게 된다. 파트너와 대화를 통해 그의 마음을 읽어야 한다. 만약 파트너에게 잘 해주는 사람이 나타나면 사랑은 풍전등화가 된다. 그 책임을 지게 될 것이다.

내가 잘 아는 부부가 있는데, 두 사람은 연애결혼을 했다. 둘 다 똑똑하고 지적인 삶을 사는 사람들이다. 하지만 어쩐 일인지 그들은 섹스리스(Sexless)[85] 부부였다. 왜 그러냐고 물었더니 손만 잡고 자도 좋다고 했다. 둘은 서로를 믿고 사랑하고 있었다. 부인은 남편을 존경하고, 남편도 부인을 매력적이라고 생각하고 있었다. 왠지 두 사람은 섹스를 안 하고도 별문제 없이 살았다. 둘 다 가정에 충실했고, 좋은 엄마 좋은 아빠 역할도 열심히 했다. 좋은 며느리 좋은 사위 역할도 했다.

하지만 몇 년이 지나 두 사람은 사랑의 배신을 하고 별거를 했고, 이혼할 단계에 이르렀다. 왜 그럴까? 둘이 사랑하고 섹스가 중요하지 않은 데 왜 이혼을 하지? 여기엔 자명하고 분명한 비밀이 있다.

결혼에는 섹스라는 형식이 반드시 필요하다. 서로 불만 없이 잘 살다가도 어느 날 우연히 섹스가 맞는 상대를 만나게 되면 지금의 결혼 생활이 무의미 하게 느껴지고, 쉽게 사랑을 배신을 하거나 이혼을 생각할 수도 있다.

외도와 관련해서 준수해야 할 원칙으로 일반적인 외도 예방법은 다음과 같다.

첫째, 가끔 낭만적인 이벤트를 준비하라.

아내든 남편이든 특히 부부생활을 오래한 커플일수록 권태에 빠지기 쉽다. 이럴 때는 조금 부끄럽게 느끼더라도, 약간의 이벤트를 곁들이는 편이 좋다. 욕실에서의 거품목욕이라든가, 향기 좋은 오일을 이용한 마사지, 침실에 켜두는 촛불 등 사소한 것이라도 시도해 보자.

둘째, 배우자 한쪽이 성에 대해 고정관념을 가지고 있다면 즐겁고 활기찬 섹스를 하는 데 방해가 된다.

이럴 때는 천천히 난이도를 조정하면서, 성에 대해 더럽고 야만스러운 것이라는 생각을 갖지 않도록 시청각 자료나 책을 통해 대화를 나누는 편이 좋다. 침대 위에는 룰이 없다는 자세를 즐긴다.

전희를 전체, 섹스를 메인으로 보는 시각을 바꾸자. 우리나라 남성 중에는 '삽입=사정' 이라고 생각하고 피스톤 운동에만 신경쓰는 이들이 있다. 그런 자세를 버려라. 이젠 섹스도 멀티플레이로 즐겨야 한다. 삽입하고 있다가도 필요하면 애무하는 것이다. 꼭 성기 결합만이 섹스의 전부라는 생각을 버리고 혀끝, 손, 발 등 온

몸을 이용해 애무를 한다면 섹스의 만족도는 더욱 높아진다.

셋째, 최소한의 긴장을 하면서 살아라.

결혼한 지 꽤 시간이 지나면 아내도 남편도 서로에 대한 긴장이 풀어지기 쉽다. 특히 아내는 남편이 저녁 먹은 후 양치질도 안하고 키스를 하는 등 무작정 덥칠 때 정나미가 떨어진다고 한다. 섹스 전에는 늘 깔끔하게 매너를 지키는 것이 부부간 성생활을 즐기는 방법이다.

넷째, 거절할 때는 요령껏 하라.

"저리가!" "싫다는 데 짐승처럼 왜 이래" 아내의 이런 멘트는 남편에게 큰 상처를 남긴다. 몸이 피곤하고 사정이 안 좋다고 해도 은근한 말로 거절하는 매너를 갖추자.

다섯째, 서로의 성적 기호를 확실히 표현해라.

자신이 특별히 좋아하는 체위나 방법이 있다면 배우자에게 확실 하게 말하는 편이 좋다. 말을 하지 않고 '이건 아닌데..' 하고 시큰 둥한 반응을 보이는 것은 도리어 바람직하지 못하다.[86]

"혹시 그런 사람이 있다면!"

좋은 일이 있을 때 가장 먼저 먼저 연락하고 싶은 사람이 있고, 마음이 힘들 때 제일 먼저 떠오르는 목소리가 있다. 나의 경우에는 두 사람이 동일인이다.

어쩌면 세상에서 가장 소중한 사람이란, 당신의 마음이 어느 장 단으로 놀고 있든 눈치 없이 연락해도 무방한 사람이겠다. 반대의 경우라면, 누군가에게 당신이 소중한 사람일 테고. 어느 쪽이든 아 무 때나 연락해도 좋은 관계란, 서로 힘이 되고 있거나 사랑하고 있다는 뜻을 거다. 혹시 그런 사람이 있다면 잘 살아오셨다. 나는 누군가에게 꼭 필요한 연락처가 되고 싶다. 특히, 삶이 고단한 사 람들에게, 외로움에 치를 떠는 사람들에게.[87]

6. 당신에게 보내는 사랑

병원 치료를 거의 9개월 가까이한 후 2023년 3월 초부터는 자전거를 타고 체력을 보강하기로 했다. 오전에는 주로 책읽기와 책쓰기에 전념했다. 2022년 12월 말을 기점으로 '행복 탁구장'은 여러 가지 이유로 문을 닫았다.

가. 만남

우리의 만남은 우연이 아니라 운명이었던 것만 같다. 늘 그리워하던 K여인과의 만남으로 나의 인생이 바뀌었다.

2023년 5월부터 오전 일과는 자서전과 노년 관련 책을 쓰기 위해 자료를 찾고 구상도 해 보며 시간을 보냈다. 점심 식사 후 '드림 탁구장'에서 탁구를 1~2시간 치고, 다시 자전거를 타고 강문 주위를 한 바퀴 돌아오는 것이 오후 생활로 자리 잡았다.

그러던 5월 중순경 자전거를 타고 일송아파트 앞쪽으로 오는 도중 방앗간 앞에서 우연히 그 연상의 K여인의 만나게 되었다. 병원 퇴원 후 처음 얼굴을 본 것이다. 그 반가움은 이루 말할 수는 없지만 그 여인 또한 벌떡 일어나 내 두 손을 잡는 것이었다. 그리고 스스럼없이 가벼운 포옹을 해 주었다.

5월 26일 석가탄신일(27일)을 기점으로 석가모니 형상의 카톡을 보냈다.

카톡의 답장과 함께 이렇게 새로운 만남이 시작되었다. 6월 1일부터 저녁 7시에 서로 간의 전화 데이트가 이루어졌다.

8월 27일 연준 레스토랑에서 식사 및 백다방 커피, 9월 11일 소풍 레스토랑에서 식사 이지 커피숍에서 함께 차를 마시는 기회를 갖게 되었다.

K 여인은 척추 협착으로 한방에서 화요일과 목요일에 치료를 하곤했다. 그때마다 가벼운 식사나 차를 마시게 되었다. 9월 25일 커피, 10월 4일 식사, 10월 13일 식사, 10월 24일 차, 11월 7일 식사 및 이지에서 차, 11월 13일 커피, 이러한 과정 속에서 하루도 빠짐없이 7시에는 전화 데이트를 하곤했다.

하지만 11월 24일 이지 차집에서 약간의 마음의 거리감 때문에 불편한 일이 벌어졌다.

먼저 K여인은 주의를 의식하는 분위기에서 나의 마음은 조금 불편했으며, 게다가 탁구장에서 B의 출현으로 인간적인 갈림길이라고나 할까 선택의 기로에 서게 되었다. 양다리를 걸칠 수 없다는 나의 양심(?) 때문이라고 할까.

이러한 상황에서 난 선택적 결심을 아니할 수가 없었다. 애초에 K여인을 소유하기는 어렵다고 생각했기에 B에 약간의 관심을 갖게 되었는지도 모른다.

이러한 분위기에서 11월 26일, 자스민 경양식 집에서 점심을 먹고 K여인의 드라이브 제의와 함께 경포 호수 주변에서 선을 넘게 되었다. 이와 동시에 B 여인은 머리에서 지우고 K여인을 선택했다. 사실 B는 단순히 관심이었으며 K여인은 오래 전부터 짝사랑 한 상태이기에 당연한지도 모른다.

이성의 친구(애인)를 가질 수 있는 남자는 복된 남자다. 많은 남자들이 이런 이성의 친구를 꿈꾼다. 자신의 속내를 드러내고 자신의 약함, 강함을 드러내며, 여자의 속을 들여다보고 싶어하는 욕구다. 친구도 여자 친구면 더욱 색다른 기분일 것을 기대한다.

풍경

포근한 의자 등에 기대고 서서
내 입술을 받아들이던 달콤한
그대 입술,
새들이 가만히 날아오르고
솔숲에 새어든 햇살을 온몸에 받으며
내 등 뒤에서 급실 같은 솔 이파리들이
천천히 허공을 지나던 그 소리,
찬란하게 다가오던 그대 얼굴,

오! 수줍어 몸 사리며
파르르 파고들던 그 모습
파란 하늘이 보이거나
비가 내리거나
내 마음에 그려지는 풍경은
그 그리운 강 언덕 솔밭이랍니다.
이 비가 눈으로
바뀔 거라지요.

가랑잎같이 붉던
그대 얼굴이 젖어옵니다.

　저녁 7시 통화 데이트는 계속되었다. 매달 일요일이나 월요일에
3회 정도 식사를 하고 데이트를 약속했다.
　그렇게 하루도 빠짐없는 통화와 만남은 계속되었다. 홀로 지금까

지 한 번도 다른 마음 없이 자신을 지킬 수 있었던 것은 말 그대로 단심가(고려의 정몽주가 조선의 이방원이 부른 하여가에 대한 답가로서 불렀다는 시조)를 부른 습성이라고나 할까. 이 시대에 특이한 분이라고나 할까. 그렇게 23년 동안 지조(?)를 지킨 분이라고나 할까. 현대판 수절과부(守節寡婦)라고나 할까.

此身死了死了(차신사료사료)
이 몸이 죽고 죽어
一百番更死了(일백번갱사료)
일백 번 고쳐죽어
白骨爲塵土 (백골위진토)
백골이 진토 되어
魂魄有也無 (혼백유야무)
넋이라도 있고 없고
向主一片丹心(향주일편단심)
임 향한 일편단심이야
寧有改理與之(영유개리여지)
가실 줄이 있으랴

그래서 대화 때마다 하여가(何如歌; 고려 말기, 이방원이 정몽주의 마음을 떠보고 회유하기 위하여 지은 시조)를 읊어 보이기도 하였다.

"이런들 엇더며 져런들 엇더료/만수산(萬壽山) 드렁츩이 얼거진들 엇더리/우리도 이치 얼거져 백년(百年)지 누리리라." 『해동악부(海東樂府)』와 『포은집(圃隱集)』에는 한역되어 전한다(此亦何

如 彼亦何如 城隍堂後垣 頹落亦何如 我輩若此爲 不死亦何如).

　심심풀이로 궁합도 살펴보았다.
　토끼띠 남성, 소띠 여자의 궁합은?
　지적인 고집남과 온화한 여자의 만남이다. 완벽한 오행의 조합이
어우러진 궁합은 아니지만 서로 필요로 할 수 있는 원만하고 좋은
궁합이다.
　두 사람의 만남은 한마디로 말해서 지적인 고집남과 온화한 여
자와의 만남이다. 두 사람의 만남은 완벽한 오행학의 조합이 어우
러진 궁합은 아니지만, 남자의 지혜로운 생각이 여자를 잘 대우하
여 주면서 부족한 부분을 보완하며 때로는 서로 필요로 할 수 있
는 원만하고 좋은 궁합이다.
　두 사람의 성격 궁합은 기본적으로는 아주 정반대의 성향을 가
지고 있다. 하지만 오히려 서로의 반대되는 성격이 서로의 궁합에
조금은 도움을 주는 관계이다. 두 사람의 재물 궁합은 토끼띠 남자
의 의견을 여자가 믿고 잘 수렴하면 원만한 재물 궁합이 좋은 궁
합 쪽으로 발전할 수 있다.
　두 사람의 연애 궁합은 첫 만남에서는 별다른 감흥이 없을지 몰
라도 시간이 지나면서 서서히 타오르고 그 대신 오랫동안 지속하
는 관계이다. 두 사람의 결혼 궁합은 큰 문제 없이 비교적 무난하
고 평화로운 결혼 생활을 유지 할 수 있다.
　서로의 반대되는 성격이 조금은 도움을 주는 관계이다.
　사수자리 남성, 물병자리 여자의 궁합은?
　일반적으로 물병자리 여자는 겉으로 보기에 매우 친근감이 있고
때론 개방적으로 보인다. 모든 별자리 중에서 가장 인내심이 있다.
　사고력도 뛰어나 다른 사람의 사고력을 훨씬 앞선다. 물병자리

여자는 첫 키스를 할 때까지 상당한 시간이 필요하다. 처음에는 단지 친구로서 당신을 만날 것이다.

이러한 단계는 물병자리 여자에게는 중요한 첫 번째 단계이며 사랑은 서서히 당신의 마음을 재차 확인하면서 무르익을 것이다. 물병자리 여자가 자신의 마음을 남자에게 드러내는 것조차 주저할 때가 있다. 물병자리 여자는 주로 친구같이 지낼 수 있는 남자를 좋아한다.

물병자리 여자는 로맨틱하지는 않지만, 자신의 로맨스를 소중하게 여긴다. 물병자리 여자와 결혼한다면 절대 당신을 떠나지 않을 것이다. 물병자리 여자는 분명히 당신의 지적인 면과 재치를 좋아할 것이다.

물병자리 여자는 당신이 계속해서 지식을 습득하도록 도와줄 것이며 결혼 후에도 당신의 사회활동을 적극 지지하고 조언을 마다치 않을 것이다. 사소한 말다툼은 있을 수 있지만, 결코 심각한 국면으로까지 발전하지는 않는다. 그녀는 가정에 매우 충실하고 훌륭한 어머니가 될 것이다.

그렇게 전화 데이트와 만남이 계속되면서 서로 넘어서는 선의 강도가 점점 높아지면서 가까워지고 적극적인 상황으로 전개되었다. 첫 번째 선에서는 "착각을 했다"고 두 번째는 뒤로 젖히고, 세 번째는 앞으로 밀었다. 이렇게 2023년을 넘겼다. 6월 1일부터 만남이 시작된 후 약간의 우여곡절도 있었다.

K여인은 동생으로서의 온정이 사랑으로 변하는 것을 느끼면서 스스로를 자책하며 번민에 빠지고 있는 것을 직감했다. 그러던 어느날 마음을 내려놓고 "다 운명으로 받아들입시다" 라는 말과 함께 숙명의 사랑으로 이어져갔다. 옛날 점쟁이의 말 '조그만 사람이 평생을 따라다닌다'을 회상하면서........

그동안 K여인 나에게 베푼 은혜는 잊을 수가 없다. 처음에는 혼자 생활하는 동생으로서 대한 것이 자연스럽게 서로 간의 사랑으로 변한 것이다.

지금까지 인간적인 정을 베푼 것은 처음 탁구 유니폼, 겨울 털모자로부터 양념 고추장, 양념 고기, 김치, 깍두기, 김장, 무, 배추 등등 헤아릴 수 없을 정도로 베풀어 주었다. 특히 정월대보름날에는 약밥까지.....

☞ 정월대보름에 오곡밥과 나물을 먹는 이유

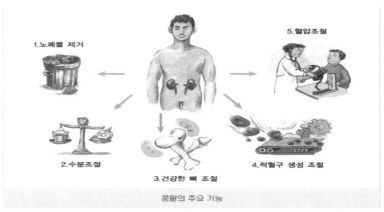

정월대보름에 먹는 오곡밥과 다채로운 나물 반찬. 부산일보DB

세상 만물은 시작이 중요하다. 한 해의 출발은 봄이다. 입춘 후 오는 상원(上元)인 정월대보름(올해 2월 24일)은 특별하다. 설날부터 정월대보름 사이에 많은 세시풍속이 몰려있다. 또한 시작을 알리는 정월대보름까지는 금기시되는 것을 하지 않고 매사에 조심하고 조심해야 하는 정초 십이지일(正初 十二支日)도 있다. 올해는 청룡의 해인 만큼 상서로운 용의 기운으로 건강과 풍년을 소망한다. 그리고 첫 용날인 상진일(上辰日·2월 22일)에 약수를 길어다 밥을 지어야겠다. 지금은 물맛 좋은 우물이 사라지고 없으므로 동네 뒷산 약수터 약수로 대신해 보자.

설날이 가족의 날이라면 정월대보름은 마을 공동체의 날이다. 조선 세시풍속을 적은 〈동국세시기〉는 정월대보름에 오곡으로 밥을 해 먹으며 이웃과도 나눈다고 했다. 공동체에서 음식은 매우 중요하다. 같은 음식이 같은 생각을 만들 수 있기 때문이다. 고대 그리스 의학자 히포크라테스는 "식사가 어떤 식으로 준비되는가에 따라 인체가 서로 다르게 영향을 받는다"고 했다.

정월대보름 풍습으로 백가반(百家飯)이 있다. 어린아이가 동네 백 군데 집을 돌면서 밥을 얻어다 섞어 먹으면 액운을 피하고 복을 받으며 봄을 타지 않는다는 것이다. 동네를 누비는 과정에서 이웃사람들이 누구인지 알게 되는 좋은 점도 있다. 아파트가 즐비한 요즘엔 같은 동 앞집에 누가 사는지 모르는 경우가 많다. 핵가족화가 진행된 지 반세기도 안 돼 1인 가구도 급증했다.

정월대보름날 전국 곳곳에서 가족의 건강과 평안을 기원하며 갖가지 풍속을 즐긴다. 대표적인 게 마을 공동 제사와 달집태우기, 줄다리기, 연날리기 등이다. 모두 풍요와 다산을 빌고 단결력을 높이는 공동체 의식이 깃든 놀이다. 특히 예부터 정월대보름에 다섯

가지 곡식이 들어간 오곡밥과 묵나물 반찬을 즐겨 먹었다. 오곡밥에는 보통 찹쌀, 멥쌀, 기장, 팥, 쥐눈이콩이 들어간다. 오곡밥은 신진대사를 촉진해 소화가 잘 되게 하며 혈압을 조정해 면역력을 키우고 마음의 안정을 찾는 데 도움을 준다.

묵나물의 기원은 우리 조상이 채소를 먹기 시작할 때부터인 것으로 알려졌다. 묵나물은 제철에 채취해 말려 놓았다가 이듬해 먹는 것으로, 햇살과 바람이 만들어낸 식재료다. 볕에 말리는 나물은 그 성질이 따뜻하게 변한다. 말린 나물은 비타민, 무기질, 식이섬유의 보고다. 말린 나물의 식이섬유는 비만과 변비 등 각종 성인병을 예방하는 효과가 있다고 한다.

이러한 묵나물이 제맛을 내는 시기가 바로 정월대보름 전후다. 묵나물은 지역마다 조금씩 다르지만 박, 버섯, 호박, 무, 무 시래기, 고사리, 취나물, 가지 등을 말린 경우가 대부분이다. 보통 나물은 삶아 햇빛에 천천히 말리면 어두운색으로 변한다. 그러면 검은색에 풍부한 색소인 안토시아닌이 생성된다. 안토시아닌은 동맥에 침전물이 생기는 것을 막아 피를 맑게 하고 심장 질환과 뇌졸중 위험을 줄여준다고 한다. 소염·살균 효과도 뛰어나다.

오곡밥과 묵나물은 색깔이 어둡다는 특징이 있다. 봄이 시작되는 시기에 검은색 음식은 겨우내 몸 안에 쌓인 습하고 건조한 기운을 부드럽게 하고 화기를 조절하는 조습연견(燥濕軟堅) 효능이 있다. 그리고 검은색은 인간의 지혜를 관장하는 색을 의미한다. 또 소생을 상징함과 동시에 만물의 흐름과 변화를 내포하고 있다. 정월대보름에 오곡밥과 묵나물을 먹는 이유다. 여기에는 행동을 조심하라는 의미도 담겨 있다. 이날 단단한 견과류로 부럼 깨물기를 하고 차가운 귀밝이술도 마신다. 액운이나 질병을 막고 좋은 일이 생기기를 원해서다.

정월대보름을 전후해 뚜렷해지는 봄의 기운은 추위에 움츠렸던 인체에도 서서히 밀려들기 시작한다. 몸의 원활한 활동을 위해서는 충분한 양의 비타민이 필요하다. 비타민이 부족하면 몸이 나른해지고 졸음이 오며 식욕과 면역력이 떨어진다. 봄은 만물이 소생하면서 양기가 점차적으로 많아지는 시기다. 이때 기름기 많은 음식을 적게 섭취해 양기가 몸 밖으로 새 나가는 것을 막아야 한다. 그래야 체내의 간을 안정시켜 오장육부를 조화롭게 할 수 있다. 오는 24일 정월대보름에 오곡밥과 나물을 먹으며 심신 건강을 다지고 옅어진 가족애와 공동체 의식도 되돌아보면서 삶의 희망을 키우자.[88]

물론 아직도 만나지 못한 '영혼 속의 그대'를 그리는 것인지도 모른다. 여전히 한구석에 '정말 이 여자인가?' 하는 의문부호 말이다. 그래서 '혹시나' 하는 심정이 있을지도 모른다. 그런데 이런 여자는 사실 꽤 괜찮은 여자 아닌가.

배시시 웃는 것이 아니라 화들짝, 그러나 소란스럽지 않게 뒷산을 환희 밝혀 주는 자두꽃이 있는 과수원 쪽으로 들어섰다. 길이 난 곳이 아니라서 덤불을 헤쳐가며 아침 꽃향기를 따라가고 있었다.

'사랑이 올 때는 내 가슴이 꽃잎처럼 흔들린다. 꽃잎처럼 기쁨을 주는 사랑 나를 흔들고 있다. 내 사랑이 그대에게도 그렇게 자라고 있는지요.'

집착은 또 다른 의미를 부여한다. 전화라도 했더라면 속이 시원할 텐데, 안중에도 없다는 말인가. 그러한 것이 다 애증에서 비롯되는 것을.....겨울 지나 봄이 오면 '길과 들판'에 각양각색의 꽃들이 다투어 피어나는데, 이는 그냥 피는 게 아니라 자연이 여러 빛깔로 물들이는 것이다. 물들인다는 것은 빛깔이 옮아서 묻거나 스미게 한다는 말이다.

자연은 '푸른 꽃대'를 퍼 올려 염색을 한다. 아쉽게도 사랑을 염색하는 장인은 없다. 사랑을 퍼 올릴 도구도 없다. 그러니 스스로 사랑에 물들 수밖에. "낮과 밤의 경계"조차 없는 상황에선 홀로 혼들려 하리. 저녁 노을처럼 한순간 화려한 빛깔을 수놓다 저무는 게 인생이다.

공원에 복숭아꽃이 피기 시작하는 데 벚꽃은 지고 있다. 꽃잎은 바람이 불 때마다 휘리릭 꽃비가 되어 흩날린다. 벤치에 앉아 유아원생이 선생님을 따라 유희를 하는 것을 보고 있자니 황홀함인지 외로움인지 모를 감정이 지나간다. 이런 마음을 추수릴 틈이 없어 땅을 바라보다가 풀숲에 띄엄띄엄 돋아오른 쑥을 보았다.

옛날 우리 동네로 들어오는 뒷골목에는 조그만 만화방이 하나 있었다. 그 만화방 앞을 지나갈 때면 나는 나도 모르게 소년 시절의 감상에 젖어 가슴이 두근거리곤 했다. 그 만화방 여주인이 너무 미인이기 때문이었다. 유리 문을 통해 엿보게 되는 그녀의 모습은 다소곳하고 지적이고 성실하고 아름다워, 나는 멍하니 그 모습을 훔쳐보거나 행여 눈이라도 마주칠세라 시선을 돌리곤 했다.

가슴 속의 흑심 때문인지 나는 오히려 그 만화방은 잘못 들어가고, 들어간다 해도 그 여주인은 감히 쳐다보지도 못하고 만화만 열심히 고르곤 했다.

너무 오랫만에 보는 별이라 '눈이 멀' 만큼 황홀하다. 눈을 뜨지 못할 정도로 강한 햇볕이 '느슨한 생'에 희망을 준다. 다스한 기운에 가슴이 뭉클해진다. '촘촘한 별은 농도'에 홀려도 좋겠지만 '멍'은 잠시 대상을 흐리게 할 뿐 문제를 해결하지 못한다. '씹어야 고통'을 상기하는 순간 '멍'은 사라지고 어두운 현실과 마주한다. '아무 것도 변명하지 않'는 다는 말에선 겨우내 이 악물고 견딘 아픈 사연이 만져진다. 잠시 맛본 황홀한 찬란, 뭉클은 독약과도 같다.

사람이 있을 땐 필요 없으나 사람이 없을 때는 꼭 필요한 게 바로 자물쇠 열쇠. 하지만 의자는 누가 있을 때나 없을 때 모두 필요해. 사람 말고도 햇볕과 새가 쉬었다 가더라.

산촌은 보통 혼자 살거나 둘이 살거나 그래. 먼 옛날 에덴동산에 살았다는 아담과 하와. 간만에 부부간 대화의 시간. "하와씨! 궁금한 게 한 가지 있는데, 날 사랑하긴 하나요?" 하와가 씹던 껌을 뱉더니 "아담씨! 여기 당신 말고 누가 또 있나요? 할 말은 많지만 참습니다."

둘이서 오순도순 살다 한 사람이 먼저 저세상에 가면 혼자서 밭일도 해야 하고, 밥도 혼자 먹어야지. 혼자 잘 지내는 법을 터득해야 오래 살아. 그도 생존 기술이다. 육지에선 수영만큼 필요한 '산책과 운동', '영양 식단', 그리고 '말동무'. 만나진 못해도 전화기로 수다를 떨 만한 말동무 한 명쯤 꼭 필요해.

지금 당신이 서 있는 그곳이 어떤 이의 희망이거나 닿을 수 없는 간절한 꿈인지도 모른다. 머무르고 싶은 아늑한 곳인지도 모른다. 그러니 우리 이곳에서 바쁘면 바쁜 대로, 무언가를 하고 싶다는 열정으로 하루를 살도록 애쓰면서 그렇게 살아가는 것을.

무더위가 가고 찬바람이 돌면서 단풍이 물들고 곡식과 과일이 익고 있다. 드디어 가을이 오려나.

이장의 아침 방송, 추석이 다가오니 풀베기 울력을 하자네. 몸이 힘들어 내 집 마당도 다 못 베고 지내는데. 또 한 가지, 인생을 살다 보면 때가 있기 마련이라는 방송 소리. 웬 인생철학인고? 들어봤더니 그게 아니라 이동 목욕탕 차량이 방문한다는 소리. 그 '때'가 아닌가벼~.

아랫동네에 '척 맨지오니'가 사는지 트럼펫 대신 색소폰을 창밖으로 연주해. "잡것들아(잡범들아 아님) 영광인 줄 알어라잉. 이 뛰어난 트로트 연주를 듣는 너그들~" 하는 투. 가까운 군 부대에선 대포를 쏘아대. "전쟁은 좋은 것이여" 나팔을 불어대네.

누가 시골이 조용하다 했는가. 누가 사랑을 아름답다 했는가. 차라리 차라리~. 내 사는 주소 '그러면 차라리'. 살기 힘들다며 차라리 차라리 노래를 불러쌌는데, 그대 너무 욱하지 마시옵길. 인생 뭐 있나. 말친구에 의지해 그만그만 사는 거지.

화사한 벚꽃이 지고 나면 복숭아꽃이나 자두꽃이 뒤를 따른다. 이어서 아카시아나 찔레꽃이 피기 시작한다. 신록이 짙어지면 산들거리는 바람을 따라 하양 꽃들이 그 청아담을 드러내면서 향기가 사방으로 흩날린다.

어릴 적 돌부리에 걸려 넘어질 때면 웃음에 났다. 피가 나는 것을 보내 울음을 터뜨렸지만, '걸려 넘어지는 일'은 내게 어떤 신호처럼 다가왔다. 미신 같지만 너무 빨리 가고 있다거나 잘못된 방향으로 가고 있음을 일깨워 준다고 생각했다.

넘어질 때마다 나를 일으킨 이들이 있었다. 가족, 친구, 동료부터 시작해 생명 부지의 사람들까지 내게 손을 내밀었다. 툭툭털고 일어날 때마다 아무렇지 않은 척했지만, 그때마다 어떤 신호가 다가왔다.

그 신호는 네게 잘 살고 있느냐고 천진하게 묻고 있었다. 이대로 사는 게 괜찮으냐고, 혼자 일어설 수 없었느냐고, 천진한 질문을 마냥 웃어넘길 수만은 없었다. 이것이 내가 넘어짐 앞에서 매번 겸허해진 이유다.

이제 70세가 넘어도 넘어지긴 마찬가지다. 신호를 받아들이기 위해서 그간 익숙해진 삶의 방식을 의심해야 한다. 그런데 우리는 평소와 분명히 다른데도, 으레 괜찮을 거라고 자기 최면을 걸거나 원래 하던 방식이 옳다고 자기 합리화를 한다.

모든 일에 대한 의욕이 사라졌을 때, 그제야 나는 삶의 우선 순위를 떠올릴 수 있었다.

나. 운명

운명(運命)은 인간을 포함한 우주의 일체를 지배한다고 생각되는 초인간적인 힘이며, 숙명(宿命)은 날 때부터 타고난, 정해진 운명이다.

숙명적으로 맺어진 인연

그 사랑 이제 그만 놓아주거라.
사랑이 영원하기를 꿈꾸지만
아픈 꿈으로 산산조각 날 때도 있고,
아름답던 겨울의 눈처럼
왔다가도 흔적없이 녹아 사라질 때도 있단다.

열병처럼 충분히 아파하거라
아픈 만큼 남김없이 눈물 흘리거라.
너는 최선을 다해 사랑했고
예의 바르게 그를 아껴 주었으니
아름다운 사랑을 한 것이다.

사랑에 모든 것을 걸었으니

그를 위해 모든 것을 품었으니
이제 그만 그 사랑 놓아주거라.

손바닥도 마주쳐야 소리가 나는데….

숙명적으로 맺어진 인연 2

그의 모든 것이 떠오르겠지만
그와 있던 모든 곳이 아프겠지만 그래도 어쩌겠니,
이젠 그곳에 없는 사랑인걸.

시간에 기대어 살아가다 보면
풍성했던 초록 잎이 우수수
떨어지는 것처럼
함께했던 많은 추억도 그저
잊힐 테니
그냥 받아들이거라

지금은 모든 것을 놓고
싶을 만큼 어지럽고 힘든 시간이겠지만
찬란하고 빛나던 순간들과
기억들도 놓아 주면 훗날 아름다운 풍경이 된단다.

그때, 지금의 그 사람은
그저 웃음이 나오는 의미 없는

사람이 될 테고
또 다른 사랑으로 더 깊은 의미를 채워 나가겠지

오히려 난.
그렇게 사랑에 완전히 녹아든
네가 대견하단다.
너의 용기가 아름다워 보인단다.

사랑에 인생을 걸었던 너의 모습이 충분히 아름답고 사랑스러웠
으니,
놓아 주어도 괜찮다.

그 사랑에 진심이었으니
이제 그만 놓아 주어도 괜찮다.

차 한 잔을 놓고 베란다에 앉아 대관령을 바라본다. 문득 생각이
난다. 안개 낀 대관령은 너무 아름답다고.
'그 아름다움보다 보다 당신이 더 아름답다' 고 피식 한 번 웃
어 본다. 이 또한 애정인가. 꾸중 듣는 아이 같은 심정이다.
식목일이라 화분에 한 달만에 물을 주고 어항 물도 갈아주었다.
점점 게을러지는 것 같다. 2년 전만 해도 난 화분이 20개 정도였는
데, 이젠 5개 밖에 없다. 몸도 마음도 약해지는가 보다.
당신에게 카톡을 했다. 이런 식으로 매달리는 것이 너무 나약해
보인다면 다음엔. 기다려 보자. 내가 말이나마 확인 시켜 줄 사랑
의 불꽃과 내가 언약한 사랑의 탑이 모조리 흩어져 버릴 때까지.
내가 이런 사랑을 할 수 있다니. 몇 백배의 사랑으로 보답하는 마

음으로.

나는 왜 여기에 있는가? 도대체 나는 누구인가? 왜 모든 것이 이처럼 느껴지고, 보이고, 상처를 주는가?

화초가 삶의 동반자가 됐다. 급변하는 세상, 파편화된 삶 속에서 사람들 사이에 소통과 정서적 교감이 줄어들면서이다. 너나 없이 백아와 종자기 같은 '지음(知音)'이 없어 외로워서다.

음악을 이해한다는 뜻의 '지음'은 마음이 서로 통하는 벗을 비유적으로 이르는 말이다.

당신에게는 지음이 존재하는가? 혹은 당신은 누군가의 지음인가. 인간이 가질 수 있는 가장 의미 있는 관계는 나의 '음'을 이해하는 사람을 만나는 일이다. 처음 만났는데도 내 마음의 '음'을 아는 사람, 마치 몇 생을 알고 지낸 것처럼 느껴지는 사람을. 이유도 모른 채 바로 마음이 연결되는 사람, 무슨 말을 할지 말하기도 전에 이미 알고 있는 사람을.

지음은 단순히 비슷한 성격이나 취미를 가진 것을 뛰어넘어 영적 유대감으로 이어져 있으며, 정신적, 정서적, 영적 차원에서 동일한 감수성과 파동으로 공명한다. 태어나기 전에 선택한 가족이 더 이상 자기 운명의 실현을 지원하지 않는다면 내 마음의 음을 아는 사람을 찾기에 언제라도 늦지 않다. 최악의 일은 혼자 삶의 시간을 보내는 것이 아니라 혼자라고 느끼게 만드는 사람들과 삶을 보내는 것이다.

자신의 음, 특히 영혼의 음을 정확히 이해하는 사람을 만나는 것은 삶이 가져다주는 행운이고 축복이다. 나의 '음'이 불협화음이 아니며 내가 이상한 사람이 아님을 확인해 주는 이, 그래서 아직은 미숙하고 불안정한 나의 음에 힘과 마법이 깃들게 하는 이가 나의 지음이다(류시화).

　정호승 시인은 "외로우니까 사람"(시 '수선화')이라고 한다.

　나태주 시인은 "이름을 알고 나면 이웃이 되고/색깔을 알고 나면 친구가 되고/모양을 알고 나면 연인이 된다."(시 '풀꽃')

　한평생 살아가면서 우리는 참 많은 사람과 만나고 참 많은 사람과 헤어진다. 그러나 꽃처럼 그렇게 마음 깊이 향기를 남기고 가는 사람을 만나기는 쉽지 않다.

　꽃이 져도 향기가 남아 다음 해를 기다리게 하듯 향기 있는 사람은 계절이 지나도 늘 그리움으로 남아 있다.

　파도는 잔잔하고 바다 밑은 맑다. 젖은 모래 위에 있는 조가비와 조약돌들을 줍니다. 그 언젠가 그냥 바닷가로 내달렸다. 뭐. 의논할 사람조차 없으니 내 멋대로 쌩쌩.

　내가 어떤 때는 고운 빛을 발하는 것들이 있기에, 헤뜨려 버리기도 하고 모아두었던 생각이 난다. 보여주고 싶은 사람이 문득 머리를 스친다.

　일요일이다. 늘 일요일 외롭게 느낀다. 몇 주 일요일은 산행을 했는데, 소금강, 오색, 대관령, 삽당령 등이.

　당신은 자식들이 거의 보이는 날이고, 그렇지 않더라도 시간을 내 줄 것 같지도 않은 상황이었으니, 바닷가나 '횟' 다녀올까. 고민 중이었다.

　가장 큰 행복이란 사랑하는 것이며, 그 사랑을 고백하는 것이다. 사랑하라. 그것이 행복을 얻는 지름길이다. 그리고 그 사랑을 고백하라, 그것이 행복을 손안에 넣는 비법이다.

　당신을 그냥 사랑해보는 거야. 그것만으로 난 생기가 돌잖아. 더 이상 진전의 욕심이 없으니 이렇게 마음이 편한 것을. 마음을 비우고 좋아하고 사랑만 하는 거야.

　"사랑이 올 때"라는 시를 아시나요.

사랑이 올 때

나태주

가까이 있을 때보다
멀리 있을 때

자주 그의 눈빛을 느끼고
아주 멀리 헤어져 있을 때
그의 숨소리까지 듣게 된다면

분명히 당신은 그를
사랑하기 시작한 것이다

의심하지 말아라
부끄러워 숨기지 말아라
사랑은 바로 그렇게 오는 것이다

고개 돌리고
눈을 감았음에도 불구하고.

나태주 대표시 선집 / 걱정은 내 몫이고 사랑은 네 차지

사랑이 올 때

신현림

그리운 손길은
가랑비같이 다가오리
흐드러지게 장미가 필 땐
시드는 걸 생각 않고
술마실 때 취해서 쓰러지는 걸
염려하지 않고
사랑이 올 때
떠나는 걸 두려워하지 않으리

봄바람이 온몸 부풀려갈 때
나달 가는 걸
아파하지 않으리

오늘같이 젊은 날은
더 이상 없으리
아무런 기대 없이 맞이하고
아무런 기약 없이 헤어져도
봉숭아 꽃물처럼 기뻐
서로가 서로를 물들여가리

인간의 따스한 인간애도 알고 보면 연민의 정에서 출발한다.

하루는 그야말로 다양성의 집합체이다. 밝아졌다가 어두워지고, 찼다가 기울어지며, 기온이 높았다가 낮아지며, 바람이 있었다가 없어지기도 한다. 거리에는 천만 가지의 다양한 양상과 요소와 성분이 휩싸여 있다. 이게 하루의 본질인 것이다. 이러한 하루하루가 엮어진 인생은 그 얼마나 다양하겠는가. 어떤가. 한번 살아볼 만하지 않은가.

5월은 고백하기 좋은 계절이다. 햇살은 잔물결 위로 윤슬을 만들고, 저녁이면 산들바람이 귓불을 타고 넘나든다.　고백기 순간에 어울릴만한 노래가 있다.-조코키가 부른 '유아 소 뷰튜플' 이다.

'내게 당신은 너무나 아름다워요/당신은 모르시나요?/당신의 내가 소망하는 모든 것이어요.'

조지프 브룩스의 '유라이트 업 마이 라이프' → 캐시시사익

'수많은 밤을 창가에 앉아 있었죠/내게 그의 노래를 불러줄 누군가를 기다리면서……하지만 이제 당신이 나타났어요/당신은 내게 살아가는 희망을 주었죠.'

계절의 뭐 그렇게 중요할까? 고백할 수 있는 누군가 있다는 건 행복한 일이다.

일속산방(一束山房) 좁쌀한 톨만 작은 집. 인생은, 특히 신의 섭리는 아무리 피하려고 해도 피할 수 있는 것이 아니야. 결국 우린 만날 꺼야. 난 기다릴 거야. 언제 까지 라도........

모든 인간은 마음 속 어딘가에 흉터를 가지고 있다. 우리들 대부분이 그것을 미소와 화장 옷으로 감추고 있을 뿐이다.

나는 단지 바깥에 흉터를 갖고 있을 뿐이다. 하지만 우리 모두는 똑같다.

시련은 평범한 사람을 특별한 사람으로 만든다. 그것이 바로 나

다 난 특별한 사람이다.

화난 마음으로 과거를 돌아보지 말고 두려움으로 미래를 내다보지 말라. 다만 깨어 있는 눈으로 주위를 보라.

조건이 주는 만족은 짧지만 사랑과 믿음이 주는 만족은 영원하기 때문이다.

두 연인이 서로 밀고 당기기를 할 때 한쪽이 굽혀 올 때 상대쪽이 포근하게 포용을 하지 못하면 그 사랑은 가늘고 옅어지리라.

사랑은 인간을 치료 한다. 그것을 주는 사람과 받는 사람 모두.

당신은 당신의 동료들을 위해 시간을 내야 한다. 설령 그것이 아무리 작은일 일지라도 다른 사람을 위해 뭔가를 하라. 그것을 하는 특권 외에는 아무런 보상도 바라라지 않는 뭔가를.

때로는 너의 인생에서 엉뚱한 친절과 정신 나간 선행을 실천하라. 만일 우리 인생이 단지 5분밖에 남지 않았다면 우리는 공중전화 박스로 달려가 자신의 소중한 사람에게 전화를 걸 것이다. 그리고는 더듬거리며 그들에게 사랑한다고 말할 것이다. 세상 일이란 마음먹기에 달렸다.

"섹스 중심과 감정 우선의 낭만적 선택!"

역사를 살펴보면, 성적 매력이 자랑하는 힘과 사랑받기 위해 필요한 미모의 중요성을 증언하는 사례들은 차고 넘쳐난다. 하지만 오늘날 우리가 상대방을 평가하는 데 결정적인 역할을 하는 '섹시함'이라는 범주는 잠재적인 연인/섹스 파트너를 평가하는 전혀 다른 새로운 방식이다. 문화의 범주로서 '섹시함'은 '미모'와 다르다.

19세기 중산층 여인들은 '아름다움' 때문에 매력적이지 '섹스 어필'로 매력적이지 않았다. 사람들은 아름다움을 몸과 마음의 특성으로 이해했다. 성적 매력 그 자체는 아름다움은 물론이고 도덕의 성격으로부터도 분리된 새로운 평가기준이거나, 오히려 성격과 마음씨마저 색시함에 종속되었다. '섹시함' 이라는 말은 현대에서 남자도 그렇지만 특히 여자의 성정체성이 일련의 의식적이고 의도적인·신체·언어·복장 코드로 이뤄지는 섹스 정체성으로 변모했음을 드러내는 표현이다. 물론 이런 코드들은 성적 욕구를 불러일으키려는 목적을 가진다. 이렇게 해서 다시금 섹시함은 애인 선택의 자율적이고 결정적인 기준이 되었다. 이런 변화는 섹스를 강조하는 소비문화가 심리학과 페미니즘의 세계관이 성정체성을 정당화하는 과정과 맞물리며 빚어낸 결과다.[89]

봄바다에 가서 물었다.

이기철

봄바다에 가서 물었다.
근심없이 사는 삶도
이 세상에 있느냐고

봄바다가 언덕에
패랭이 꽃을 내밀며 대답했다

닿을 수 없는 곳에
닿고 싶어하는 마음이
근심이 된다고

꼭 나보고 하는 말 같았다. 요사이 많은 번민과 마음의 방향이 많다. 결국 아무 의미 없이 결과는 뻔한데, 왜 이리 머리가 무거운지 허 "닿을 수 없는 곳에 닿고 싶어 하는 마음이 근심이 된다." 딱 맞는 말이다.

이 나이쯤에는 용기와 의지가 다 사라지는 것이다. '용기 있는 자가 미인을 얻는다' 는데.

"신분 상승의 새로운 기준, 성적 매력!"

낭만적 계층화는 매우 다양한 요소로 이루어진다. 사회 계층이 성적 욕구에 결정적 영향을 주는 방식이 그 하나의 요소다. 사회적 신문이 성적 욕구를 불어일으키고 형성하는 방식 말이다.

사랑과 섹스의 자유는 승리했고, 이는 경제가 욕망의 기관차 한 가운데로 돌진해 들어온 결과로 압축되는 사건이다. 현대의 섹스 관계에 일어난 가장 중요한 변화들 가운데 하나는 욕구가 경제와 몸값이라는 문제, 해당 인물의 자기 가치까지 포함하는 문제와 밀접하게 맞물려버렸다는 점이다. 경제원리가 자꾸 욕구의 발목을 잡는 통에 이제 경제는 개인의 욕구를 말살할 지경까지 이르렀다. 이 표현으로 내가 지적하고 싶은 것은 당연한 일상처럼 되어버린 섹스 경쟁이 우리의 의지와 욕구 자체의 구조를 뒤바꿔놓았다는 사실이다. 욕구가 경제의 거래 행위 형태를 취하면서 수요와 공급의 원칙, 희귀함과 과잉의 원리에 의해 규제되는 것으로 전락하고 말았다.[90]

어떤 암탉

다시 연애를 시작했다. 나를 거들떠보지도 않던 어떤 여자가 요즘 날 찾아왔기 때문이다. 내가 가까이 가는 눈치만 보여도 달아나던 그 여자, 토라지던 모습만 보여주던 그 여자가, 사실 이런 못돼

먹은 그 여자의 버릇 때문에 내 여태 잊지 못하고 살아있는지도 모른다.

어느 놈 품에서는 꼬리 열댓발이나 늘어놓고 살랑살랑 애교를 떨다가, 내 눈에 이 꼴이 안 보일 수 없는 것이다. 억을 쓰고 소리를 질렀다거나, 전보다 넉넉하게 요모조모 가다려 온 것이나, 내 기다리는 일구월심이 막무가내로 깊어지긴 깊어진 모양이다.

불여우같은 그 여자가 다시 돌아온 것을 보면, 칙칙하지만 않은 동굴 하나를 파놓고 그 안에서 귀순도 넘볼 술상 하나 차려놓고 불렀더니, 마지 못해 돌아오긴 온 것이다. 특권을 베풀다가 은총이라도 내리듯이.

지가 뭐라고? 뭐긴 뭐야, 시를 품고 우는 암탉이지. 모처럼 기회를 주는 거야, 나를 잘 거두어.

"섹스의 배타적 독점전략!"

여자가 더 적극적으로 사랑을 수용하는 자세를 보이는 건 의심의 여지 없이 배타적 독점에 방향에 맞춘 짝짓기 전략의 직접적 결과다. 1970년대와 1990년대 사이에 실제로 남자가 자신보다 젊은 여자와 결혼한 미율은 높아진 반면, 여자가 연하의 남자와 결혼한 비율은 줄어들었다. 남자가 자신보다 덜 배우고 재산이 더 적더라도 될 수 있는 한 젊은 여성들을 고른다는 것은 단적으로 그만큼 고를 수 있는 여성의 폭이 훨씬 넓다는 뜻이다. 사실 이런 사실을 종합해보면 남자와 여자의 선택 폭에 확실히 차이가 있음이 드러난다. 그 결과 교육 수준이 높은 여성일수록 고를 수 있는 상대 남성은 줄어든다.

이는 결혼을 기피하는 두려움이 선택의 상태에서 일어난 근본적 변화와 맞물려 있음을 다시금 암시해 주는 대목이다. 이 변화는 남자들에게 성관계의 조건을 자기 입맛에 맞게 강제할 수 있도록 허락해 주었다. 좀더 쉽게 더 많은 여성에게 성적으로 접근할 수 있다는 것, 자신의 본래 신분을 가리기 위한 수단으로 성행위 횟수에 초점을 맞추는 일 등이 남자가 많은 선택의 기회를 우린다는 사실이 설득력 있게 설명된다.[91]

그대를 더 오래 사랑하기 위하여

소운동장 갓길으로 개나리꽃 벌써 지고 그 옆의 복사꽃 만발하여 자기 자리 잡았을 때 옛날 애인 찾아왔다.

박재삼의 첫사랑 개나리꽃 환한 꽃가지 사이에도 요지부동이던 옛 사랑이 다시 날 찾아왔다.

봄날 홀연 산에 들면 꽃피는 나무들은 지난 겨울울 목구멍 밑으로 구겨 넣고, 구겨 넣다가 못참고 터져오르는 중이렸다.

광활하게 취해 있다가 문득 내가 나에게서 놓여나는 수도 있으리라. 잎부터 내미는 나무들 자욱한 거기서 꽃나무 꽃피우는 사이 그 대를 더 오래 사랑하기 위하여 황지우의 몹쓸 동경, 어디 있다 이제 왔느냐는 애 옛 애인을 위하여 나는 오늘 신들메(들메끈)를 고쳐 매고 있는 것이다.

위로 받겠다는 생각을 자꾸 하니 삶이 더 힘들게 느껴지는 것은 아닐까요?

자꾸 위로 받겠다고 생각하면 그 누구도 내가 만족할 만큼 위로를 해주지 못해요. 차라리 마음 굳게 먹고 내 기도를 통해 나 스스로를 위로 하고 남도 위로해줘야지, 마음 먹으세요. 그때 위로가 되고, 그때 힘이 납니다.

어쩜 내 심정이 그럴지도 모른다. 심장 깊숙이 자리하고 있는 모성애를 기다리고 있는지도 모른다. 위로 받기 위해 외롭고 허전한

가슴을 채울 그런 마음을 동경하고 있는지도 모른다.

얼마 동안 인가, 십수년 동안 반복되는, 아직도 받아들일려고 하는가. 그런 사랑은 내 곁에는 존재하지 않은데, 그래도 기다려야지, 그 때가 되면 무한한 사랑으로 순화되어 사랑으로 변화되어, 행복의 문 앞에 서겠지 하는 염원과 함께, 이 모든 게 당신에 대한 굶주림인가.

살면서 고마움을 많이 느낄수록 더 행복해집니다. 세상에 나 혼자 뚝 떨어져 있는 '외로운 나'가 아니고, 서로서로 연결되어 있는 '사람 속의 나'를 느끼기 때문입니다. 고마움을 느낄 때 우리는 진리와 더 가까이 있습니다.

우리를 약하게 만드는 것들….

자신의 가치를 다른 사람으로부터 인정받고 싶어 하고 검증받고 싶어 하는 욕망.

남을 진정으로 위하고 남이 잘될 수 있도록 '어떻게 도와줄까?' 고민하는 그런 선한 마음은 나를 따뜻하고 행복하게 만들어줍니다. 잡념도 없어지고, 보약이 따로 없습니다.

오늘, 기분이 나쁘다면, 비록 작은 일이라도 누군가를 도와 줄 생각을 하십시오.

작두 위에 선 무당의 굿소리가 들린다. 그 굿소리에 맞추어 나도 덩실거린다.

당신을 진정으로 사랑한다면 무슨 도움으로 환심을 살 수 있을까 하는 번민으로 가득 찬 마음이 이기적인가. 작주 위에서 피를 철철 홀리는 실패의 쓴잔을 마셔도 계속 북소리에 귀를 기울려 덩실덩실 미쳐야 하는가. 왜?

무엇이 그렇게 심장을 찢어지게 만드는가. 젊음의 용기도 없는데, 그래 시간에 온몸을 맡기고 장고와 북소리에 한바탕 놀아보자.

끝이 어찌 되더라도.

"쾌락에 물든 관계 공포증!"

관계맺음, 곧 결혼이나 약속을 두려워하는 태도에는 문화적으로 볼 때 두 가지 서로 다른 방식이 있다. 그 하나는 "쾌락에 물든" 태도이며, 다른 하나는 아예 관계를 맺을 "의지가 없는" 태도다. 첫 번째 경우는 오로지 즐기는 만남만 이어가느라 관계맺음을 미루고 망설이는 태도에 해당한다. 두 번째는 아예 관계를 맺을 생각조차 하지 않는 것을 말한다. 관계를 맺고야 말겠다는 의지가 조금도 없다. 이런 구별을 다르게 설명해볼 수도 있다. 하나는 무수한 관계를 갖되 단 한 명의 배우자에게 자신을 묶어두지 않으려는 태도이며, 다른 하나는 도대체 관계를 맺을 생각이 없는 경우다. 첫 번째 경우는 욕구가 넘쳐나는 게 특성인 반면, 두 번째 것은 욕구가 불충분하다. 또 첫 번째 것은 넘쳐나는 선택 가능성들로 누구를 택해야 좋을지 난감함을 갖는 게 특성이며, 두 번째 것은 도대체 아무도 원하지 않는다는 문제를 가진다.

선택할 섹스상대가 넘치는 탓에 어떤 일이 빚어지는지 보여주는 좋은 사례는 『뉴욕타임스』가 개최한 '대학생 러브스토리 콘테스트'에 우승한 마거릿 필즈의 글이다. 이 글에서 그녀는 자신의 남자친구들 가운데 한 명을 두고 이렇게 썼가. "스티븐은 나에게 여기서 문제가 되는 건 신의(여자 친구에게 보여주는)가 아니라 기대라고 설명했다. 자신이 다른 여자와 자지 않으리라는 기대는 품지 말아야 한다고 했다. 자신도 내가 다르게 생각하리라는 기대를 품지 않겠다나. 우리 둘은 젊고 뉴욕에 산다. 그리고 뉴욕에 사는 사람은 누구나 알고 있듯, 언제나 어디서나 누군가 만날 가능성은 차고 넘친다." 이 인용문에서 분명히 드러나듯, 사랑의 상대를 선택하는 일의 어려움은 너무나 많은 가능성이 있다는 생각, 그것도 언제나 마음 먹으면 고를 수 있다는 생각에서 비롯된다.

하이테크닉 기업에 근무하는 한 직원은 인터넷만 열심히 뒤져도 상대여성을 얼마든지 찾을 수 있다고 한다.[92]

행복해지는 연습을 해요

전승환

당신의 세계는 귀하고 빛나는 것이다

우리의 삶은
누군가가 정해 놓은 것이 아니다.

스스로가 의미를 만들어 가는
지극히 주관적인 경험의 산물이다.

누구나 인정하고 알 만한 삶은
정작 나 자신에게는 적용되지 않는다.

이 세상 어느 누구도
내가 보는 세상을 똑같이 보고 있지 않듯이
나의 경험으로 얻은 교훈과 지식은
나에게만 적용되어 나만의 세계를 만든다.

그러니
세상 모든 사람들은
각자 다른 세계에 사는 사람들이다.

타인의 세계관을 기준으로 삼아
내 세계관에 적용시키거나
관철시키려고 할 때
끊임없이 흔들리게 된다.
그렇게 내 삶을 조금씩 갉아먹는다.

행복의 실마리는
타인이 아닌 나 자신에게 있다.

내 삶의 의미를 존중하고 소중히 하면
내가 아닌 다른 이들의 세계와
비교하는 것 자체가 무의미해진다.

당신의 삶은
유일무이한 것이고
아름다운 세계이기에
스스로를 더 가치 있게 여겨도 된다.

당신의 세계는
당신만의 것이기에
귀하고 빛나는 것이다.

　자신은 삶을 찾고, 그리고 앞으로 나아가기 위해 오력해 보았는
가. 시도도 해 보지 못하고 가슴만 저리고 아프게 만들어 마비되게
만들 작정인가.
　현 상황에서 가치 있는 삶은 어떤 것을 선택하는 것인가. 수없이

반복되는 고뇌의 꺼진 불을 소생시켜 환희의 시간을 만드려는 허황된 꿈이런가

지그문트 마우만(Zygmunt Bauman)의 '개인화된 사회'에 나오는 한 구절이다. "사랑은 이성을 두려워 한다. 이성은 사랑을 두려워 한다. 둘 다 상대방 없이 견디려고 애쓴다. 그러나 그럴 때마다 문제가 생긴다. 이것이 가장 명료하게 표현한, 사랑이 처한 곤경이자 이성이 처한 곤경이다."

대다수 사람들은 안다. 사랑과 이성의 소통 방식이 다르다는 것을, 사랑은 무엇보다 마음으로 소통하고, 그 마음에는 '자기 나름'의 이유가 있다. 이 '자기 나름'의 이유로 남들에게 뻔히 보이는 것을 보지 못하기 때문이다. 이성은 그래서 사랑이 눈을 멀게 한다고 여긴다. 사랑에게도 할 말이 있다. 우리 마음에도 이성 못지않은 나름의 질서와 논리가 있다는 것이다. 관계가 이렇다 보니 사랑은 이성에, 이성은 사랑에 귀 기울이지 않는 일이 일어난다.

여자와 하룻밤을 자면서 사랑과 결혼을 맹세했다고 하더라도 이는 반드시 지킬 필요는 없으리라.

그 여자는 곧 새로이 몸단장을 하고 새로운 남자를 맞기 위해 순진한 미소와 순결을 가장하고 있을 테니까.

물론 그 남자와의 약속을 까맣게 잊은 채……

모든 남녀의 관계는 그런 수순 속에서 반복하고 진실이라고 믿으며 살고 있는지도 모르지.

김수영의 "욕망에서 입을 열어라 그 속에서/사랑을 발견하겠다."는 담대한 발상처럼 우리 안에 불볕이 자라는 기쁨을 반복적으로 경험하는 일을 필요로 한다.

특별한 날 평범한 사람을, 평범한 날 가장 특별한 사람을 떠올리자. 머릿속에 목록을 미안하다고, 사랑한다고, 고맙다고, 존경한다

고 말할 사람들, 너무 늦지 않게 다시 만나야 할 사람들로 차곡차곡 정리해 볼 필요가 있다. 그리고 마음을 전해볼까.

그 여정에서 『우리가 인생이라 부르는 것들』이 함께 하면 더욱 좋을 것 같다. 굳이 이 책이 아니더라도 나의 마음을 오롯이 담은 시집이어야 한다. 그리운 사람에게 시를 건네는 마음, 참 소중하고 아름다울 수 있을 것 같다.

"낭만적 선택의 새로운 아키텍처(architecture) 또는 의지의 해체!"

현실과 상상에서 섹스 파트너의 지나친 증가와 과잉이야말로 선택의 생태에 변화를 불러온 주된 원인이다. 이 변화는 종교, 윤리, 인종, 계급 등과 관련한 동족결혼(endogamy)이라는 규범이 무너지면서 빚어진 것으로, 원칙적으로는 누구나 짝관계나 결혼시장에 진입할 수 있게 허락해주었다. 이런 전환은 인터넷이라는 형식, 곧 누구에게나 엄청난 수의 섹스 파트너나 연애 상대에게 어렵지 않게 접근할 길을 열어준 기술적이고 문화적인 형식 대문에 더욱 첨예하게 이루어졌다. 이제 선택 가능한 파트너의 수는 괴이할 정도로 증가했다. 현실이든 상상이든 선택 가능성의 과잉은 물론이고 선택의 자유와도 맞물린 이런 변화 가운데 하나는 개인이 끊임없이 자신의 선호와 원하는 조건은 무엇인지, 또 자신의 느낌이 확실한지 확인하기 위해 자문해야만 한다는 것이다. 물론 요기에는 본질적인(진정성 있는) 감정의 결정짓기 체계가 보충되어야 한다. 이 체계에서는 상대방과 함께하겠다는 결정이, 자신의 고유한 감정을 알아보고 그 감정을 미래에 투사하는 능력을 기반으로 해서 내려져야만 한다.

최고의 배우자를 찾아내는 일은 자기 자신의 본질에 상응하는 인물의 선택이자 결정이다. 이런 식의 선택에서 결정적인 점은 철

저한 자기 성찰의 과정을 통해 당사자와 상대방이 서로 어울리는 성격을 지녔다고 합의할 수 있는 치열한 인지 과정이 수반되어야 한다는 생각이다. 다시 말해 자기 성찰은 감정에 걸맞은 명료함을 이끌어내야 한다. 이런 뜻에서 자기성찰은 배우자 선택의 핵심 요소다. 남성이든 여성이든 자기감정의 강도와 깊이를 명확히 알아내고 관계가 성공하거나 실패할 확률과 그 미래를 냉정하게 그려볼 수 있어야만 하기 때문이다.[93]

역시 가장 중요한 것. 남자는 숭배자를 필요로 한다. 자기를 가장 괜찮게 생각하는 사람을 필요로 한다. 자신의 여자가 바로 그런 사람이다. 자신에게 홀딱 빠져 있는 팬(fan)을 확보하는 것, 남자에게 필요하다.

만약 그대가 나를 사랑해야 한다면

만약 그대가 나를 사랑하여야 한다면,/ 오직 사랑 그 자체를 위해서여야만 합니다./ "그녀의 미소, 그녀의 미모, 그녀가 부드럽게 말하는 방식,/ 또는 내 생각과 딱 맞는, 그런 날 확실히 안락감을 주는,/ 그녀의 기발한 생각 때문에 사랑한다" 고는 말하지 마세요./ 왜냐하면 이런 것들은, 사랑하는 이여!/ 그 자체로도 변할 수 있고, 그대로 인해서 변할 수 있기 때문입니다./그리고 사랑이 이렇게 만들어지면 그렇게 풀릴 수도 있습니다./ 그리고 내 뺨의 눈물 닦아 주는/ 그대의 귀한 동정심 때문에도 나를 사랑하지 마세요./ 그대의 위로를 오래 받은 그런 연인은 눈물을 잊어버릴 수도 있습니다./오직 사랑 그 자체를 위해 나를 사랑해 주세요./ 그리해 영원한 사랑의 시간을 함께 할 수 있게 해주세요(엘리자베스 베렛 브라우닝).

당신이 날 사랑해야 한다면

E.B 브라우닝

당신이 날 사랑해야 한다면

당신이 날 사랑해야 한다면 오로지
사랑을 위해서만
사랑해주세요
미소 때문에, 미모 때문에 부드러운 말씨 때문에
그리고 또 내 생각과 잘 어울리는 재치 있는 생각 때문에
그래서 그런 날엔 나에게 느긋한 즐거움을 주었기 때문에
"그녀를 사랑해"라고는 정말이지 말하지 마세요

사랑하는 이여,
그러한 것은
그 자체가 변하거나 당신으로 하여금 변할 테니까요
그러기에 그처럼 짜여진 사랑은
그처럼 풀려 버리기도 한답니다
내 뺨의 눈물을 닦아주는
당신의 사랑어린 연민으로도
날 사랑어린 연민으로도
날 사랑하진 마세요

당신의 위로를 오래 받았던 사람은 울음을 잊어 버려

당신의 사랑을 잃게 될지도 모르니까요

오로지 사랑을 위해서만
날 사랑해주세요
그래서 언제까지나
당신이 사랑을 누리실 수 있도록
영원한 사랑을 위해

사랑보다 소중한 인연!

현실적 입장에서는 상황에 따라서 사랑이 가치를 다양하게 생각할 수 있다. 그러나 '사랑'은 함부로 취급당할 대상은 아니라고 본다. 사랑은 돈이 줄 수 없는 많은 것을 줄 수 있고 사랑의 인연은 계산으로 함부로 다룰 수 있는 게 아니다. 이기적인 사람은 욕심만 많아 상대가 내 사람이다 싶으면 함부로 대하고 딴 데 눈 돌리곤 한다. 그러다 정작 상대가 떠나려고 하면 '정말 소중한 걸 놓쳤구나' 하는 뒤늦은 깨달음에 울고불고 매달린다. 사랑을 잘하려면 사랑의 연을 소중히 해야 한다. 상대의 가치를 충분히 인정하고 고마워할 수 있고 또 사랑에 힘입어 열심히 살 수 있어야 한다. 사랑을 소홀히 해 사랑을 놓치면 평생 불행하고 되돌이킬 수 없기도 하다.

사랑의 인연을 소중히 하고 감사하는 자가 사랑에 성공할 것이다. 사랑의 인연은 아마도 그 사람을 고귀하게 드높여 줄 것이다.

당신을 만난 것은 행운일까? 불행일까? 모든 건 다 나에게 달렸겠지? 천사도 악마도 다 내 마음이 만드는 거니까요. 당신은 내 많은 업을 차단해줬어요. 내 모진 업들을 정리해줬지요. 그리고 내가 진정한 내가 돼서 애(愛; 십이 인연의 하나로, 탐하고 사랑하는 마음) 영광을 위해 살게 도와줬어요. 당신이 아니었다면 나는 모질게 끌려다니고 찢기다가 저 아래로 퇴락해버렸을 거야요. 지치고 갈기갈기 찢겨서. 내가 더 망가지기 전에 나타나줘서 고마워요. 내가 더 망가지기 전에 날 잡아줘서 고마워요. 삶은 모질고 우리 앞에 놓인 시련은 만만치 않겠지만 우리는 최고의 감성을 유지할 수 있을 거야요. 당신의 선택이, 새로 태어난 나의 선택이 그리고 지향할 테니까요.

당신을 만난 것은 행운일까? 불행일까? 모든 건 다 나에게 달렸겠지요. 천사도 악마도 다 내 마음이 만드는 거니까요. 당신과 함께 하는 세월, 영광으로 가득 차도록 노력할게요. 그래서 당신은 천사가 되고 나는 빛나는 존재가 돼서 한껏 드높아 볼게요.

당신을 만난 것은 행운일까? 불행일까? 모든 건 다 나에게 달렸겠지요. 천사도 악마도 다 내 마음이 만드는 거니까요. 당신과 함께 하는 세월, 영광으로 가득 차도록 노력할게요. 그래서 당신은 천사가 되고 나는 빛나는 존재가 돼서 한껏 드높아 볼게요.

"당신! 잊지 마십시오. 나는 당신의 팬이 되어 주기를 마다하지 않음을. 당신의 팬이 되고 싶어 열망하고 있음을.

다. 우리 함께

연인으로 맺어지자는 약속은 미래를 향한 것이다. 그럼에도 이 미래에서, 흔히 우리가 가정하듯, 쌍방은 지금과 같은 사람이며, 지금 원하는 것을 그때에도 원하게 되리라고 본다. 이것이 약속의 시간 구조이다.

말로 하는 약속이라고 해서 다른 형태의 표현보다 덜 불안정한 것은 아니다. 실제로 약속은 상당히 불안하다. 약속에는 시간적 괴리가 따라붙기 때문이다. 약속을 입 밖으로 내는 것은 현재라는 순간이지만, 그 발설이 갖는 힘은 미래를 향하고 있으며, 앞을 내다본다는 점에서 전망의 성격을 띤다.[94]

결과적으로 "약속하는 현재는 그 지켜짐에 비추어볼 대 언제나 과거다." 외견상 정확히 드러나는 이 시간의 괴리가 현대인의 자아를 꾸미는 문화적 구조에서 문제가 된다. 이것은 바로 심리학 문화에 물든 자아의 화법이 감정을 내보이며 그에 알맞은 예를 갖춰 소중하게 떠받드는 의식(ritual)을 제거하거나 최소한 약하게 만들었기 때문이다.

독신자로 살아가는 한 남자는 결혼과 가정생활에 반대하는 자신의 입장을 두고 『뉴욕타임스』에 쓴 칼럼에서 이렇게 주장한다. "이 인생에서 가장 큰 도전들 가운데 하나는 아직 살아보지 못한 인생을 주목하며, 가보지 않은 길을 가보는 것이자 아직 활용하지 못한 잠재력을 발휘하는 일이다." 자아실현이라는 이상은 꾸준한 것이고 확실한 것으로서 자아와 의지의 이념을 뒤흔들며 파괴한다. 그러나 변함없고 확실한 것이야말로 칭찬받아 마땅한 자아의 특성이 아닐까.

앤서니 기든스(Anthony Giddens)가 민주주의를 잘여하는 특징이라고 추켜세우는 현대 애정관계의 가장 중요한 특징은 언제라도 관계를 끝낼 수 있다는 점이다. 현대의 애정관계에서는 감정과 취향과 의지가 더는 조화를 이루지 않는다. 이런 문화적 맥락이 약속을 비로소 '우스운 일'로 만들어버린다. 약속과 결합은 이제 자아가 자신을 스스로 한껏 꾸며내는 비유로 선택을 활용하는 틀 안에 자리잡았다. 부단히 선택의 자유를 행사하면서도 선택이 본질적 감정영역에 기초해야 한다는 확신, 다시 말해 관계는 올곧은 감정에 바탕을 두어야 하며 이런 감정이 관계에 선행하면서 이 감정을 계속 빚어낼 줄 알아야 한다는 확신이 관계를 지탱하는 게 마땅하다고 한다면, 이런 낭만적 맥락에서 약속은 우스운 일이 되고 만다.[95]

이룰 수 없는 사랑

내 마음에는 그대만이 가득차서
내 맘속에 그대만이 살아 숨쉬네
그러나 그제야 나는 깨달았다

우리 사이에는 결코 이루어질 수 없는 사랑이라는 것을,
끝나지 않는 아픔과 후회

그대가 내게 준 선물은
가장 아름다운 꽃다발이 되었지만
그리움만이 남았다, 우리 사이엔
끝이 아닐 순 없었는데

누군가 한때 내게 말해줬다
사랑은 우리의 마음을 깊게 침범하는 카페인 같은 것이라.
그리고 슬픔도 사랑의 일부분이라고 말한다고.

우리의 사랑이 어느 곳에서 결국 끝나던가
내 맘속의 그대는 영원히 남아서
한숨도 쉴 수 없는 아픔 속에 서성이겠지만,
내 손길은 유난히 뜨거워져선 그리우리.

결국 우리 사랑은 우리의 기억일 뿐이었다
그 시절은 오로지 내겐 꿈일 뿐이었고
이젠 나 혼자 그리움 속에서 잠 못 이루며
우리의 사랑 속의 추억을 추억한다.

사랑은 결코 우리가 예상했던 대로가 되지 않습니다. 이루어질
수 없는 사랑도 있고, 자신의 마음을 감추어야 하는 사랑도 있습니
다. 그러나 우리는 이러한 사랑에 대한 꿈을 꾸기 마련입니다. 혹
시 모를 우리의 가능성, 우리가 얼마나 애정이 깊게 된다면 어떤
일이 일어날까에 대한 상상이 들어있기 때문입니다.

하지만 우리는 일상적인 것들에서 일어나는 생각에 집중하며, 부딪히는 것에서 순간적인 삶을 바라보는 것이 더욱 중요합니다. 하지만 우리는 언제나 희망과 꿈을 가지고 있습니다. 우리는 스스로가 어떤 상황에서든 꿈을 이룰 수 있다고 생각합니다.

그러나 이루어질 수 없는 사랑은 또한 어떻게 움직여도 우리가 바라는 대로 진행되지 않습니다. 이러한 종류의 사랑은 예상치도 못한 곳에서 찾습니다. 그리고 때로는 그러한 영역이 다루기 어려울수록 그리움이 더욱 강해집니다.

이루어질 수 없는 사랑은 마음의 상처를 남기기 마련입니다. 그것은 자신의 무능력을 뒤따른 것입니다. 그러나 그것은 또한 우리가 능력을 갖기 위해 더 높은 곳으로 나아가야 한다고 강제하기도 합니다. 그렇게 강제된 경험은 결국 우리의 마음과 삶을 이루어갈 수 있는 무대를 구성하게 됩니다.

우리는 이루어질 수 있는 삶을 바라보며 함께 걸어갈 수 있습니다. 그러나 삶은 불확실하고, 그것은 우리가 몇 일 또는 몇 년 후에 만날 수 있는 무언가일지도 모릅니다. 그리고 이러한 삶에서 얻어진 경험은 우리 자신을 더욱 성장시키는 것입니다. 이루어질 수 없는 사랑은 결코 쉽지 않습니다. 하지만 그것은 우리가 더 나은 사람이 되기 위해 가능성의 문제를 다룰 때의 기본원칙이 되며, 삶에서 소중한 경험으로 남겨지는 것입니다.

이렇게 2023년이 저물어가는 어느 날 아침에 K여인에게서 전화가 왔다.

"당신과 나 우리를 위해서, 쭉 영원히" 그리고 "하루에 5천보씩 걷기로 했어요."

우리는 이러한 말과 함께 사랑을 위해 약속을 서슴치 않았다. 다시금 사랑의 불꽃은 거세졌다.

시간 약속을 지키지 않는 것은 시간을 도둑질하는 것이다

ㅡ오스카 와일드

성도의 모든 환난은 하나님의 약속을 성취하기 위한 수단이다

ㅡ옥한흠

사람들은 약속을 지키지 않는 것이 양자에게 다같이 유리할 때 약속을 지킨다   ㅡ솔론

하나님께서 그분의 약속을 즉시 성취하시기를 기대한다면 우리의 믿음이 개입할 자리가 없다   ㅡ존 칼빈

집중은 자신감에서 나오고 자신감은 연습에서 나오며 연습은 약속에서 나온다   ㅡ대니 그레고리

실현불가능하게 보이거나 상황이 반대인 것처럼 보일 때에도 하나님의 약속은 이루어진다   ㅡ콜린 우크하트

너무 많은 것을 약속하는 자와 너무 많은 것을 기대하는 자는 둘 다 몸을 망친다   ㅡ레싱

행복할 때 약속하지 마라 화났을 때 답변하지 마라 슬플 때 결심하지 마라   ㅡ지아드 압델루어

믿음이란 자신을 약속위에 던지는 것이다   ㅡ찰스 스펄전

인간은 행동을 약속할 수는 있어도 감정을 약속할 수는 없다. 영원한 사랑을 약속하는 사람은 애정의 그림자를 약속하는 것이다

ㅡ니체

약속이 맺어졌다는 것은 상대방의 신뢰를 얻었다는 증거다

ㅡ앤드류 카네기

2024년부터 서로 간의 불편함이 없는 스케줄을 서로 맞추었다. 각자의 생활에서 불편함이 없이 시간을 활애해서 알차게 시간을 보내자는 것이었다. 물론 저녁 7시 전화 데이트는 빠짐없이 하기로

했다.

K여인은 허리 협착(脊椎管狹窄症: 척추 중앙의 척주관이 좁아져서 허리의 통증이나 다리의 복합적 신경 증상을 일으키는 질환)을 완화하기 위해 2023년에는 일주일에 두 번씩 한방 치료를 했으며 일주일 내내 수영으로 물리치료를 했는데 월요일에는 수영을 하지 않았다. 그러다 2024년에는 수영 물리 치료는 계속하고, 한방 치료는 멈추고 병원에서 특별한 주사로 허리 협착 통증을 완화하는 처방을 시행했다. 물론 3개월에 한 번씩 루푸스(전신 홍반성 루푸스((Rufus); 자기 자신의 여러 기관에 면역 반응을 일으켜 정상 조직을 파괴하는 만성 자가 면역 질환. 종종 고열과 함께 피부, 관절, 신장, 장막 등 여러 기관을 침범한다. 관절염과 관절통, 신장염, 흉막염, 심막염, 백혈구 감소증, 혈소판 감소증, 용혈성 빈혈 등 다양한 질환을 보인다) 재발 확인도 병행했다.

따라서 만나는 요일은 수영을 하지 않는 날을 선택하여 한 달에 두 번씩 만나기로 잠정 결정했다. 그날은 식사후 드라이브(drive; 분전환을 위하여 자동차 따위를 타고 돌아다님 또는 그렇게 하는 일)를 하는 조건으로.

이러한 연인(?)간의 어쩔 수 없는 데이트(date; 연인이나 친구, 가족끼리 특정 장소를 정하여 만나 시간을 함께 보내는 일) 약속에는 K여인만의 사정이 있었다. 하지만 나는 불편하기도 하고 섭섭하기도 하였다.

K여인의 사정은 이러하다. 부유한 가정에서 태어났으며, 성장하여 강릉에서 이름있는 집안으로 시집을 가서 20년 동안 행복하게 살다가 남편의 사망으로 23년 동안 소위 수절과부(?)를 한 셈이다. 이러한 관계로 주위를 의식하지 않을 수가 없었다. 게다가 70을 넘은 나이에 나와의 연인 관계가 남들의 주의나 시선인 이목(耳目)으

로 집중될 가능성이 높아 늘 불안해하는 기색이 보였다.

하지만 나의 입장에서는 탁구장에서 오래 전부터 트레이너를 한 적이 있기에 탁구장이 없어진 후 거리에서 우연히 만나 차 한잔도 할 수 있고, 식사 또한 마찬가지고 때론 누나 동생으로서 데이트도 할 수 있지 않겠느냐는 주장이었다.

더욱더 K여인을 힘들게 한 것은 나를 좋아하게 되어 고민에 빠지게 된 것이다. "이상해! 내가 당신을 사랑하고 있는가 봐, 어쩌다 당신에게 엮였는지 모르겠어" 라는 말을 이따금 하곤 했다.

이러한 상황에서도 서로 간의 '사랑' 이라는 마음 때문에 주저할 수 없는 자주 만남으로 이어졌다. 그러면서 사랑하는 마음은 더 깊어져 포옹과 키스는 더욱더 격렬해졌다.

단지 『춘매(春梅)는 아직도』라는 시집이 완성될 때까지 몸을 섞는 일은 잠시 미루기로 했다. 자유란 서늘한 외로움과 함께 몸을 섞는 일이기 때문이다

하지만 똥파리들이 계속 K여인 주위를 맴돌고 있는 분위기가 마음을 불편하게 만들었다. "밥 한 끼 합시다" 이게 남자들의 일상적인 추파였다. 그전까지는 추파를 던졌지만 걸림돌이 있음을 알고 포기를 했는데 그 작자가 산속으로 떠나니 걸림돌이 데리고 놀던 물건이니, 나도 한 번 해보자 하는 속셈들이었다.

K여인은 알고 있는지, 그저 그들의 관심을 일반적으로 받아 주고 있으니 도무지 마음이 아파서 견딜 수가 없었다. 그렇다고 '내 소유다' 라고 말 할 수도 없고 해서, 잠시 관망하는 시간을 보내기로 했다.

"내 몸 가지고 내 마음대로 하는 데 누가 뭐라고 할 수 있을까?" 그래서 남자들은 여자들을 만나면 소유하려 하는가 보다 하는 생각까지 들었다.

약속의 후예들

이병률(1967~)

강도 풀리고 마음도 다 풀리면 나룻배에
나를 그대를 실어 먼 데까지 곤히 잠들며 가자고

배 닿는 곳에 산 하나 내려놓아
평평한 섬 만든 뒤에 실컷 울어나보자 했건만

태초에 그 약속을 잊지 않으려
만물의 등짝에 일일이 그림자를 매달아놓았건만

세상 모든 혈관 뒤에서 질질 끌리는 그대는
내 약속을 잊었단 말인가

사람은 모순적인 존재다. '지금 여기'에 뿌리를 단단히 내리고 싶은 욕망과 '바로 여기'를 떠나고 싶은 욕망이 함께 존재한다. 이건 현대인만의 특징은 아니다. 이를테면 유럽의 18세기는 각종 여행기가 탄생하는 여행가들의 세기였고 조선의 문인들은 금강산 유람을 위시 리스트로 꼽았다. 전자의 목적은 호기심과 새로운 것의 탐구였고, 후자의 목적은 자유로움과 자연에의 몰입이었다. 여행의 이유는 그때나 지금이나 참 한결같다.

그런데 이유가 꼭 필요할까. 아무 이유 없이도 떠나고 싶을 때가 있다. 문득 '아 떠나고 싶다'는 마음이 느껴질 때는 이병률의 시집을 추천한다. 오늘의 시에서 말하는 약속 역시 같이 떠나자는 여행의 약속이다. 참 어려운 약속이어서 잊지 말자고 그림자로 남겨 놓았지만, 지금 당신은 그것을 잊고 말았다는 이야기다. 일부러 책상에서 일어나 잊혀진 그림자를 어루만지게 되는 그런 시다. 나는 하지도 않았고 기억나지도 않았던 약속이 저절로 생겨나는 그런 시다. 다시 의자에 주저앉으면서도 잊고 싶지 않은 그런 시다. 봄이 오는 까닭에 강이 풀리고 있다. 저 굳은 약속을 지키고 싶다.[96]

"사랑은 왜 좋은 느낌을 줄까!"

사랑을 일종의 광기로 간주한 철학자들은 너무도 많다. 그러나 이때 광기란 다름 아니라 자아가 스스로 자신의 가치를 높임으로써 힘이 솟는 느낌으로 얻는 녹특한 형태의 충만감이다. 낭만적 사랑은 남의 시선을 매개로 자신의 자화상을 멋지게 꾸며낸다. 남이 바라봐주는 내가 아름답기만 한 게 바로 사랑의 감정이다.

고전에서 이런 감정에 맞는 사례를 인용해보자. "나를 사랑한다! 이 얼마나 소중하게 만들어주는 일인가! 이 얼마나 내가, 나는 당신에게 이런 말을 할 수 있어, 당신은 그럴 만한 감각을 갖고도 남음이 있지, 그녀가 나를 사랑한다는 것을 알게 된 이래 얼마나 나는 나 자신을 숭배하는지!" 바로 괴테의 『젊은 베르테르의 슬픔』에 나오는 구절이다. 사랑에 빠진 사람은 상대를 무비판적 시각으로 바라본다.

데이비드 흄(David Hume)은 이런 사정에 맞춤한 아이러니로 이렇게 묘사한다. "감각적 욕정으로 불타는 사람은 적어도 잠시나마 욕구의 대상에서 친근한 마음가짐을 갖는 동시에 상대를 평소보다 아름답게 여긴다." 사이먼 블랙번(Simon Blackburn)은 이렇게 촌평한다. "사랑에 빠진 사람이 정말 눈이 머는 것은 아니다. 다만 피부의 점 하나까지 놓치지 않고 피하지방까지 꿰뚫어볼 정도로 상대를 실눈뜨고 바라본다. 기묘한 것은 조금도 어색하지 않고 오히려 황홀하게 여긴다는 점이다." 이 같은 흡합은 사랑에 내재하는 것이며, 당사자가 자신을(잠시나마) 훨씬 귀하게 여기는 결과를 낳는다.

프로이트(Sigismund Schlomo Freud) 역시 에로스라는 현상이 가치평가의 독특한 방식을 불러온다는 사실에 깊은 인상을 받았다. "사랑에 빠짐이라는 테두리 안에서 우리는 애초부터 섹스의 과대평가라는 현상에 사로잡힌다. 이는 곧 사랑하는 상대를 일체의 비판으로부터 자유롭게 바라보며, 그의 모든 특성을, 그를 사랑하지 않는 사람보다 혹은 아직 사랑하지 않았을 때보다 훨씬 높게 평가한다는 사실을 뜻한다.[97]

남자와 게임의 연상은 끝없이 전개될 수 있다. 온갖 게임에 남자를 대비할 수 있을 것이다. 그중 재미없는 연상은 골프 치는 것 같은 남자나 테니스 치는 것같은 남자인데, 편견 때문이리라. 골프나 테니스는 푸른 풀밭을 전제로 하는데, 풀밭과 남자는 그리 잘 안 어울리는 것 같다.

다시 만나고 싶은 그런 사람이 되자

사람들은 무수한 인연을 맺고 살아간다
그 인연 속에 고운 사랑도 역어가지만
그 인연 속에 미움도 역어지는 게 있다
고운 사람이 있는 반면
미운 사람도 있고
반기고 싶은 사람이 있는 반면
외면 하고 싶은 사람도 있다

우린 사람을 만날 때
반가운 사람일 때는
행복함이 충족해온다

그러나
어떤 사람을 만날 때는
그다지
반갑지 않아 무료함이 몰려온다

나에게
기쁨을 주는 사람이 있는가 하면
나에게
괴로움을 주는 사람도 있다

과연 나는 타인에게
어떤 사람으로 있는가

과연 나는 남들에게
어떤 인상을 심어 주었는지

한번 만나면
인간미가 넘치는 사람이 되어야겠다
한번 만나고 난 후
다시 만나고 싶은 사람이 되어야겠다

진솔하고 정겨운 마음으로
사람을 대한다면
나는 분명 좋은 사람으로 인정을 받을 것이다

이런 사람이야말로
다시 만나고 싶은 사람이 아닐까
이런 사람이야말로
다시 생각나게 하는 사람이 아닐까

한번 만나고 나서
좋은 감정을 얻지 못하게 한다면
자신뿐만 아니라 타인에게도
불행에 속할 것이다

언제든 만나도 반가운 사람으로
고마운 사람으로
사랑스러운 사람으로

언제든 만나고 헤어져도
다시 만나고 싶은 그런 사람이 되자

당신과의 사랑은 어떻게 이루는지…

내가 당신에게 어떻게 다가가는지
내가 당신과의 사랑을 어떻게 이루는지
세월이 흐르면 알게 될 거예요.
나는 당신을 설득하지도 붙들지도 않지만
당신! 당신을 사랑해요.
당신에게 부담을 드리지는 않으리다.
나는 당신에게 행복이고 사랑이고 기쁨이오. 잔잔히 스며들 것이오
내가 모자라 당신이 못 알아보거들랑
머물러 닦아 당신을 비추리다.
내가 당신을 어떻게 사랑하는지
열 말 하지 않고 내가 어떻게 오랫동안 사랑하는지
당신은! 당신만을 볼 수 있을 것이오.

내 사랑!

당신의 말을 믿음이 아니오.

당신을 믿음이오.

나는 당신이 내게 오기에 사랑하는 것이 아니오.

그리 사랑하는 것이오.

내가 공상 속에 사랑한 이를 그리는 것이 아니라

내 앞에 실체를 보여 주는 현실의 사랑을 그리오.

당신의 뒷모습을 비평하기 위함이 아니라

당신의 앞모습을 맑게 하기 위함이오.

나는 당신을 비판하기 위해서 당신의 아픔을 건드리는 것이 아니라

당신이 날 나만큼 사랑하지 않는 게 아닌가 하여 투정을 부리는 것이오.

결국…… 어차피…… 하는 말들이,

체념에 가까운 당신의 말들이 내 마음을 아프게 합니다.

내 손을 힘 있게 잡은 당신의 손이 계속 끄덕이며 뭔가를 다짐하는 당신의 모습이 결과야 뭐 어떻든.

내가 당신 삶의 중요한 몫임을 새삼스레 느껴지면서 뿌듯합니다.

내가 어떤 말을 내뱉든 나는 당신을 사랑하오.

다른 사람이 아닌 바로 당신을, 다른 사람이 아닌 바로 내가 사랑하오.[98]

춘매(春梅)는 아직도 1

누님, 친구, 연인
풀리지 않는 언어에 시간을 보낸다

누님은 외로울 때 친구가 되고
가슴을 여미는 쓸쓸함이 밀려보면
연인이 되고

새삼 뮤즈라는 언어의
편리함을 느낀다

이런 때 부르는 노래
심수봉의 백만송이 장미
이춘근의 어서 말을 해

하지만
김광석의 너무 아픈 사랑이 아니었으면
이 노래가
저 멀리서 들려온다

　사이먼 블랙번(Simon Blackburn)은 '사랑은 왜 좋은 느낌을 줄
까'에서 비판의 사라짐에 찍히든 사랑하는 행위의 생생한 활력에
찍히든 상관없이 사랑에 빠진다는 것은 평소 자신을 괴롭히던 열
등감, 이를테면 내가 너무 보잘것없는 존재가 아닐까 하는 감정을

떨쳐버리고, 자신이 유일한 존재이며, 더 나아가 소중하기 이를 데 없는 존재라고 느낀다.[99]

"사랑에 빠진 사람은 그 욕구의 대상뿐 아니라 자기 자신도 상상을 통해 지어낸다. 이를테면 이리저리 흔들리는 지지대 기능을 바라보며 마치 자신이 바다 위에 있다고 상상하고는 꼭 잡아 하고 외치는 식이다. 사랑의 시나 공상에 사로잡힌 우리는 적어도 그 순간만큼은 우리가 상상한 바로 그 사람이다."

춘매(春梅)는 아직도 2

상사화의 꽃말은 '이룰 수 없는 사랑' 이다.
상사화는 이룰 수 없는 사랑이란다

아버지의 극락왕생을 빌며
백 일 동안 탑돌이.
큰스님 수발승이
탑돌이를 하는 여인을 연모하다
그리움에 사무쳐 숨을 거둔 스님.

이듬해 봄,
스님의 무덤에 잎이 진 후 꽃이 피었는데,
세속의 여인을 사랑한다는
말 한 마디 건네지 못했던
스님을 닮았다 하여
꽃의 이름을 상사화라 지었다네.

한편으론
스님을 사모하던 여인이 상사병으로
세상을 떠난 뒤
피어난 꽃.

아아! 슬프다
상사화는 이룰 수 없는 사랑이란다

어찌하리
이 절절한 사연
바라보며
춘매(春梅)가 다가오기를
기다리는
나의 심정을
그 누가 아리오

1897년 구애의 예절을 다룬 두 권의 책이 출간된다. 험프리(Humphry)라는 이름의 부인이 쓴 이 책들은 『남자를 위한 예절(Maner for Man)』『여자를 위한 예절(Manner for Women)』이라고 제목을 달았다. 이 책들은 중산층을 겨냥해 계급과 성에 맞는 연애예절이 어때야 하는지 충고한다.

이 책들이 소개하는 짝짓기에 인정받는 요령은 무엇보다도 "행동과 관련해" 해도 좋은 일과 해서는 안 될 일을 목록으로 정리한 것이다. 물론 그 목적은 자신의 소속계급과 성정체성을 드러내 보이며, 상대방의 소속계급과 성정체성을 확인하고자 함이었다. 상대방의 인격을 존중해준다는 것은 곧 자신과 상대방의 소속계급과 성정체성을 인정하고 확인하는 표시를 해준다는 뜻이다. 상대방을 모욕하는 것은 사회학자 뤽 볼탄스키(Luc Boltanski)가 위엄(grandeur)이라 부른 것, 곧 상대자의 상대적 중요성과 사회체계에서 그가 차지하는 지위를 모욕한다는 것을 뜻한다.

오늘날 짝짓기 요령을 알려주는 책들은 『마네킹을 위한 데이트』의 첫장 제목은 "나는 누구인가?"이며 "자신감을 가져라"와 "나를 움직이게 만드는 것은 무엇인가" 따위의 부제가 붙어 있다. 『화성남자 금성여자의 완성』은 '남성과 여성 욕구의 역동성', '남자는 인정을, 여자는 흠모를 원한다'와 '불확실성' 같은 주제들을 다룬다. 반면 『데이트 혹은 소울 메이트』는 '당신 자신을 사귀어보세요'와 '건강한 감정의 중요성' 들을 다룬다. 이런 현대의 책들에서 짝짓기 문제는 초점을 다른 곳에 맞추었다. 더는 (시민)예절을 강조하지 않으며 성정체성도 문제시하지 않는다. 오로지 사회적 계층으로 떨어져 나와 내면과 감정을 통해 정의되는 자아가 가장 강조되는 중심이다. 좀더 정확히 말하자면, 연애를 둘러싼 현대의 논의에서 남성과 여성 모두에게 똑같이 중요하게 여겨지는 것은 상대방의 적절한 인정의례를 통해 자신의 가치를 가늠하는 일이다. 그 전형적 사례를 『화성남자 금성여자의 완성』에서 읽을 수 있다.

" '거절'의 위험을 감수하고 여인에게 전화번호를 묻는 남자의 자신감은 여인으로 하여금 내가 그렇게 '매력적인가' 하는 생각에 '회심의 미소'를 짓게 만든다. 여자가 남자의 부탁을 받아들여 자신의 전화번호를 준다면, 이는 남자의 자신감을 키운다. 남자의 적극적인 관심이 여자에게 특별한 감정을 불러일으키듯, 그녀의 수동적 관심은 남자에게 자신감을 키워준다."[100]

춘매(春梅)는 아직도 3

누님은 아시나요
눈이 흐리지도 않은 마음에
늘 선명하지 않게 보이는 것을

삶의 무게가 서로 다른 삶 속에서
바라보는 염원이
마음 헤집고 다니고 있으니

이런 날 미친 동물처럼
저 모래밭을 맨발로 뛰고 싶다
아무 생각 없이 순수한 눈빛으로
당신을 바라보듯

그래 기다리고 기다려보자
어둠이 걷히면 새벽이 오는 것을
또 다른 황홀한 사랑의 세계를 염원하며

그래
겨울이 지나고
찾아올 봄을 동경하며
춘매(春梅)는 봄에 꽃이 피는 매화나무다.
춘매(春梅)는 봄에 꽃이 피는 매화나무이까

　19세기에 사랑의 결정적 증명으로 여겨진 것은 충실한 헌신과 약속을 지킬 줄 아는 의무감이었다. 그러나 이제 그것만으로는 부족하다. 사랑이 끝없이 이어지는 '확인'과 '인정'의 변했기 때문이다. 그러니까 현대의 사랑은 자아의 독특한 개성과 그 가치를 부단히 확인해 주어야 한다.

사르트르(Jean-Paul Sartre)가 주장하듯, 사랑하는 사람이 사랑받기를 요구한다면, 그 이유는 바로 이 요구안에 인정받고 싶다는 욕구가 자리잡고 있어서다.[101]

춘매(春梅)는 아직도 4

눈시울이 붉어지는 건
눈물이 흐르는 걸 참기에도 힘들어
낙엽처럼 온 누리를 뒤덮는다.

나에게 당신이 전부이지만
당신에게 나는 일부일 뿐이지

이제 그만 손을 흔들어 준다는 것이
눈물이 흘러내리 듯
톡 떨어져 내린다.

그러나 당신은 알까.
당신 손을 떠난 내가 떨어져 내린 곳은,
그렇게 내가 눈물이 되어 당도한 곳은
그대의 품속이라는 걸

그러나 당신은 모르겠지
떨어져 내린 그곳에서도
당신은 나의 전부이지만
나는 수많은 사람들 사이에 묻힌
한 줌 낙엽이기에

그렇게 당신을 덮고 있건만
심장을 닮은 붉은 눈물이 되었건만
당신에게 나는 일부일 뿐이지
저 쌓여 있는 낙엽처럼.....

　남자가 애인을 만나기 전에 옷차림과 머리모양과 몸에서 나는 냄새와 저녁 계획 그리고 '아무튼 자신이라는 인물 전체'를 놓고 걱정하는 것은 현대에서 사랑이 한 개인의 가치를 구성하는 결정적인 것이 되었기 때문이다.[102]

춘매(春梅)는 아직도 5

당신을 꼭 끌어안은 채로
온몸이 산산조각나면

나는 나대로 그대로 유리조각이 되어
당신의 온몸에 박히고 싶다.

수천, 수만 조각이 난 파편 중
하나라도 당신의 핏속으로

들어갈 수 있다면
바다의 깊이를 재기 위해 바다로
뛰어들었다던 소금인형처럼
당신 안에 녹아들 수 있을 텐데

나랑 의견이 다르고,
나를 밀어내는 것 같아도
당신 안으로 들어가

흔적도 없이 녹아버리기 위해……

　"내가 당신을 칭찬한다고 해서 제발 상처받았다고 느끼지 말아
요, 당신. 나는 오로지 진실만을 이야기하고 있는 거라오. 결국 당
신에게는 결점이 하나 있다고 인정하지요. 그것은 바로 자기를 낮
추는 일이에요. 그런데 말이요. 당신의 자기낮춤은 덕목이자 장점
이라오. 그것은 그 어떤 이기주의도 없기 때문에 빚어지는 태도라
오. 이기주의야말로 가장 심각한 성격 결함 가운데 하나지요." [103]
　"그 어떤 것도 당신의 사랑만큼 저를 이렇게 겸허하게 만들 수는
없을 겁니다. 만약 당신이 그 강한 사랑의 능력으로 저를 바닥으로
부터 들어 올리는 일을 멈추지 않는다면, 저는 당신이 제 안에 심
어놓은 희망을 충족시킬 수 없을 겁니다." [104]
　뒷모습. 단순히 눈에 보이는 모습만이 아니다. 그 남자의 깊은
속을 보여주는 모습이다. 여자들이여, 남자를 고르겠거든 뒷모습에
매력을 느낄 때 골라 보라. 남자들이여, 뒷모습에 자신 있는 남자
가 되어 보라. 뒷모습에 힘이 느껴지면 분명 진정한 힘이 있을 게
다.

춘매(春梅)는 아직도 6

나뭇잎이 이별을 준비한다

한 여름밤 더위와 모진 비바람을
함께 견디어냈던
소중한 누군가와 이별을 준비한다

이별의 대상이 눈치채지 못하게끔
천천히 묵묵히 이별을 준비한다

앞으로 다가올 겨울의 추위를
견디어낼 수 있도록
따뜻한 이불이 되어주기 위해
이별을 준비한다

그리고 모진 이별을 맞이했던 당신이
새로운 잎사귀를 틔워낼 수 있도록
양분이 되어 주기 위해
이별을 준비한다

나뭇잎이 이별을 준비한다
이별의 감정을 억누르며
천천히 묵묵히 이별을 준비한다
그러나 붉어지는 눈시울은
채 감추지 못했나 보다

쏟아지는 눈물을 어찌할 수 없으니...

　사랑받는다는 사실 하나만으로 우리는 불안함으로부터 우리는
불안함으로부터 구원받는다. 사랑은 우리 자신의 중요성을 보장한
다.[105]

춘매(春梅)는 아직도 7

비가 오니까
그래서 당신이 보고 싶다
외로우니까 그래서 당신이 보고 싶다

나이 먹어도
감정에 솔직하지 못한가 보다

당신이 보고 싶다는
이 한마디 내뱉기 위해
이렇듯 변명을 늘어놓아야 하는 걸 보면

사랑하는 사람이 있다는 것은
참 행복한 일이다

오늘처럼 비가 내리는 날
울적한 듯 설레기도 한
묘한 감정으로 쓴 시 한 구절을

부끄러움에 여기저기 적어둘 수도
아무에게도 보여줄 수도 없는 그 말들을
당신에게 고백할 수 있을 테니까

지금 사랑하는 사람이
있다는 것은
참 행복한 일이다

 사랑은 사적인 동시에 공적이고, 감정이자 곧 의례인 과정을 통해 현대인의 자아는 자신의 가치를 인정한다. 분명한 점은 현대의 에로스 관계 혹은 낭만적 사랑에서 문제가 되는 것은 바로 자아, 곧 자아의 감정과 내면이며, 무엇보다도 이런 감정과 내면이 타인에게 인정받는 혹은 인정받지 못하는 방식이다.[106]

춘매(春梅)는 아직도 8

사랑이 찾아온다면
들풀 같은 사랑을 하고 싶다

햇살도
한 줌 흙과 바람도
비도 사랑도 모두 다 당신에게 주고서
아무런 꽃을 피우지 않아도
된다면
당신을 다독여주고 싶다

모두가 당신 곁은 스쳐 지나칠 때
나만이 당신을 알아보는
그래
나는 그런 사랑을 하고 싶다

　플라톤(Platon) 철학의 영향을 받은 기사도 사랑은 지극히 이상주의적이었으며, 사랑과 아픔을 더욱 고결한 경험으로 승화할 수 있었다. 더욱이 사랑과 그 아픔은 사랑하는 사람은 물론이고 사랑받는 사람까지 기품을 자랑하게끔 만들었다. 이런 도식에서 결국 사랑은 "인간을 좀더 훌륭하고 품위 있으며 타고난 인간본성을 유감없이 실현하도록 만들곤 했다."

　"나는 사랑의 아픔을 기꺼운 마음으로 받아들인다. 아픔이 나를 죽이려 한다는 것을 알지라도, 나는 당신 없이 살고 싶지 않으며, 감히 그럴 엄두조차 낼 수 없다. 내 행복을 다른 곳에서 구한다는 건 말이 되지 않는 소리다. 그녀의 충직한 연인으로 죽는 것을 택하는 게 내 명예를 높여줄 정도로, 고녀는 고결한 여인이다. 아니, 더 나아가 그녀가 내 곁을 지켜준다면, 이는 몇백 배 더한 명예다. 그러므로 그녀에게 봉사하는 데 게으름은 용납될 수 없으리라." [107]

　사랑이라는 틀 안에서 자아는 남자다운 용감함과 충직함과 강인함, 여인에게 보이는 헌신으로 자신을 완성한다. 아픔은 귀족적이며 고결한 가치의 표현이다. [108]

춘매(春梅)는 아직도 9

가녀린 그 손가락으로

나보다 더 많은 세월을
힘들게 버텨 낸 당신을
어떻게 안아주지 않을 수 있겠어요

눈을 감으면 그곳에 당신이
선연한 모습으로 존재하기에
당신 이외엔 아무 것도 보지 않겠노라며
눈을 감습니다

맹인의 눈으로
세상을 바라보고
그 세상의 중심에 당신을 세우는 것

그것이 맹목적인 사랑이며
당신을 향한 나의 사랑입니다

당신이 잠들고 나면
당신의 지친 하루를 꼭 닫아주고 나서
잠이 듭니다

혹여라도 당신의 꿈 자락에
찬바람이 스미는 일이 없도록

　현대의 상사병(相思病, xiāng sī bìng) 역시 의술의 힘을 빌려 다
스리기도 했다. 물론 여기에는 자아를 완전히 이해하는 배경, 곧
심리학 문화가 깔려있다. 이를테면 심리적 건강을 실용적이고도 쾌

락주의적인 관점에서 접근해 아픔의 원인을 근절하려는 시도가 그런 예다. 이 모델은 아픔을 심리발달의 장애로 보거나 사회적 자존감이 받는 근본적 위협으로 간주한다.[109]

춘매(春梅)는 아직도 10

내가 철모르는
어린애 투정 잘하는 못난이
심술꾸러기라 해도
절대로 떠나지 않는 내 사랑이 있으니
이 세상이 든든해요

둘레둘레 돌아다니다 보면
어디나 당신을 느껴요.
이 세상이 포근해요

내 마음 이제 더 이상 아프지 않으니
당신을 아프게 하지도 않을 거야

내 마음 이제 행복이 넘치니
당신은 사랑의 속삭임을 들을 거야

아직은 여기저기 상처가
아물지 않았지만
당신이 어루만졌으니 금방 나을 거야

당신한테 할 얘기가 너무 많아서
늘 얘기를 해요

하늘 보고 땅 보고 사람들 보고,
살며 느끼며 생각한 것들을
모두 모두 얘기해 주고 싶어요

그러다가 진짜 당신을 보게 되면
빨리빨리 모두 얘기하려니
숨이 기쁘고 빼먹는 것이 많아요

　내가 욕구하는 상대방 역시 나를 욕구해야만 한다는 상황은 모순으로 가득하다. 저마다 스스로 결정하는 자율권을 자랑하는 인간들이 그 결정을 서로 합치시킬 방법은 무엇일까? 결국 "우리는 상대에게 그저 열광하는 존재가 되거나, 스스로 결정하는 존재가 되거나, 이 둘 가운데 하나를 선택할 수밖에 없다." 주디스 버틀러(Judith Butler)의 말을 들어보자.[110]

　"욕구는 그것이 지닌 모순 때문에 좌절한다. 그래서 자신으로부터 분열된 열정이 되고 만다. 분열된 열정은 아픔일 수밖에 없다. 세상과 합치된 모습을 보이려는 노력 속에서 자율적 존재는 세계 도처에 자신과 같은 자율적 존재들이 넘쳐나는 것을 발견하면서 욕구하는 존재라는 자신의 정체성에 다른 사람으로부터 욕구받아야 한다는 필연성이 아로새겨졌음을 어쩔 수 없이 자각한다." [111]

　사랑을 하며 상대를 갈망할 때 우리는 화답을 얻지 못하고 자신의 사랑이 충족되지 않은 채 남을 위험을 언제나 함께 고려해야만 한다. 내 욕구가 좌절되지 않을까 하는 두려움은 사랑의 경험을 상당히 반성적으로 바꾸어놓는다. 이런 반성은 나와 상대방이 서로 인정을 받으려고 하는 과정에서 각종 갈등을 빚으며 상호작용할 수밖에 없는 방식으로 생겨난다. 여기서 결정적 역할을 하는 것은 자존감을 세워주고 인정하는 의례, 곧 자율성을 존중하는 의례다. 그리고 나는, 여기서 인정은 인격적 존재의 문화적 정의에 따라 강조된다는 주장을 하고자 한다. 다시 말해 문화는 양쪽의 자율성이 강제한다. 곧 한쪽에서는 상대를 인정한다는 의례를 행하고 다른 쪽은 이 의례를 받아들이며 서로 동시에 확인받아야만 한다고 강제하는 것이다. 바로 이 동시성이 문제를 상당히 복잡하게 만든다.[112]

"잃어버린 확실성!"

데카르트(René Descartes)의 방법적 회의가 현대성에 어떤 의미를 갖는지 생각해보며 한나 아렌트(Johanna Cohn Arendt)는 이렇게 썼다. "현대에 들어와 우리가 잃어버리고 만 것은 물론 현실을 알고 진실을 헤아리거나 믿고 따를 능력이 아니다. 감각과 이성의 증거들을 의심 없이 인정하는 일도 여전하다. 그런 것마저 없다면 아무도 살아갈 수 없으리라. 우리가 잃어버린 것은 한때 지식이든 믿음이든 뒤를 받쳐주며 따라다니던 확실성이다. 우리 역시 마찬가지로 말할 수 있으리라. 낭만적 아픔을 겪는 일에서 우리가 잃어버린 것은 존재의 확실성이라고!"[113]

춘매(春梅)가 꽃을 피웠다

내가 사랑한 것은
빙산이었다
얼음덩어리

뒤덮인
빙산이었다

내가 사랑한 것은
사막이었다

바람도
불꽃이 되는
사막이었다

내가 기다린 것은
빙산과 사막 속에서
아름답게 피어난
춘매(春梅) 꽃이었다

    "사랑의 이유를 대거나 설명할 수 없다!"
    큐피드(Cupid)의 화살은 제멋대로이며 이유를 댈 수 없는 감정인 사랑의 가장 오래된 상징이다. 그래서 기욤 드 로리스(Guillaume de Lorris)는 일단 몸과 살을 파고들어온 화살이라면, 여인 사랑하기를 멈출 수 없듯 그것 역시 뽑아낼 수 없다고 강조한다. 사랑하지 않을 수 없다는 마당에 무슨 이유를 들먹일까. 사랑은 그 자체로 불 때 누군가를 사랑하도록 강제하는 힘이다. 감정이 불러일으키는 열정의 충격을 표현하기란 극도로 어려운 일이다. 사랑은 직접적이며 거역할 수 없는 것이다. 사랑이 의지를 넘어서는 몸의 깨우침으로 이해되기 때문이다.[114]

당신과의 사랑은 어떻게 이루었는지

열심히 썼어요. 이 말을 하고 싶어서,
오로지 당신에게 보여 주기 위해서 썼어요.
이것저것 마음에 부담되는 것도 있고
하지만, 당신이 볼 것을 생각하니 기쁘기도 하고
가슴 설레기도 하고 부끄럽고 그래요
오늘은 당신 생의 중요한 날이지요.
당신 꿈을 성취하기 위해 태어난 날이니까요. 선물이예요.
기다림! 기다림! 얼마나 오랜 세월을 기다려야 하는 것인지 모르나
우리의 사랑은 반드시 실현될 것으로 믿었어요.
내 사랑! 만남에서 끝없는 부담과 상처를 안겨 주었지만 내 영혼은
이미 당신의 것! 그러나 우리의 인연이 사랑으로 허락지 않기에 기
다리고 또 기다렸어요.
그리스어로 사랑은 에로스·아가페·필리아라는 3개의 단어로 표
현된대요. 에로스는 정애에 뿌리를 둔 정열적인 사랑이며, 아가페
는 무조건적 사랑으로 대표되는 것으로 사람과 사람 간의 독립적
존재를 바탕에 둔 사랑이래요. 필리아의 사랑도 독립된 이성간에
성립되는 우애를 의미하는 데 상대방이 잘 되기를 바라는 순수한
마음의 상태를 쌍방이 인지하고 있는 상태를 가리킨데요.
플라토닉 러브(platonic love), 플라톤 사랑은 순수하고 강한 형태의
비성적(非性的)인 사랑을 말하고요.
플라톤의 '대화' 「향연」편에 따르면 다른 사람을 사랑하는 올바
른 방법은 지혜를 사랑하는 마음처럼 사랑하는 것. 즉 아름답고 사
랑스러운 진정한 플라토닉 러브란 마음과 영혼을 고무시키고 정신

적인 것에 집중하는 것이래요.

우린 플라토닉 러브(platonic love)를 선택했지요.

내가 잔잔한 기쁨이 있으므로 당신께 화사한 웃음을 지을 수가 있어요.

그래서 체념이 아니라 기쁨으로 내게 오는 당신을 맞이하려고 노력했어요. 그러기 위해 체념과 한숨이 함께 있어야 함을 알고 있지만, 나는 그래도 당신이 내게 옴에 기쁨이고 싶었기 때문이지요.

꼭! 건강하세요.

사랑해요.

라. 당신에게 바치는 노래

설악산115) 대청봉116)에 올랐을 때 나는 한 사람의 이름을 부르려고 했지. 이 이름 저 이름 스쳐갔지만 마지막에 부른 이름은 당신이었어요.

내 일생 최대의 행운이 있다면 당신을 만난 것. 내 일생 가장 고마운 사람이 있다면 당신. 그러면서도 나는 아직도 업에 허덕이고 있지요. 당신은 가까이 있으면서도 아직 닿지 못하고 있는 여인만 같아요. 우리는 오랜 시간 함께했으나 아직도 사랑의 꽃을 피우고 있는 중이지요.

사랑이 이렇게 가혹할 줄 몰랐어요. 처음 당신을 만나 사랑하고, 서로 사랑할 때는 으레 그런 것인 줄만 알았지요. 하지만 그때 그 사랑이 얼마나 소중하고 가치로운 것인지, 이제야 그 가치를 알 수 있을 것 같아요. 많은 사람을 만나고 많은 여자를 만났지만 당신처럼 나를 지켜주고 사랑하는 사람은 없으니까요. 그 소중한 사랑을 너무 쉽게 만나니 소중함을 잘 몰랐던 거지요.

당신의 오랜 인내, 눈물, 희생! 이 모든 것은 다 사랑의 꽃을 피우기 위함이지요. 당신의 사랑의 꽃은.

나는 덤으로 사는 인생을 내가 알 수 있기까지 적지 않은 시간을 걸어오면서 이것저것 많은 경험을 한 것 같아요. 이 모든 것을 할 수 있도록 나를 지켜줘서 너무 고마워요. 속이 시커멓게 타들어가면서도 나를 견뎌줘서 고마워요. 당신 사랑에 어떻게 보답할 수 있을까? 언젠간 기회가 있겠지. 언젠가는 ……

아직도 나는 인연의 길을, 업을 짊어지고 있지만 언젠가는 당신과 자유롭게 둘이 만나 마음껏 사랑의 꽃을 피울 날이 있겠지요. 가장 쉬운 것이 가장 어렵고 가장 쉽게 얻은 것이 가장 힘들게 얻는 것이었음을 깨닫는 요즘입니다.

조금만 더 일찍 깨달았으면 나는 좀더 업을 둘일수 있었을 텐데요. 하지만 후회하지 않아요. 이것이 나의 인생이니까요.

이기적인 나의 삶을 지켜주고 견뎌줘서 너무 고마워요. 언젠가 이 빚을 갚을 날이 꼭 왔으면 좋겠어요. 신께서 허락하겠지요. 당신의 사랑은 최고니까요.

당신과 나의 삶이 피어나고 우리의 삶이 꽃을 피우고 더 나아갈 수 있을 거예요. 당신의 사랑은 반석과 같으니까요.

사랑해요. 이런 말할 자격이 있는지 모르지만요. 그리고 고마워요. 지금까지 함께해줘서요. 앞으로도 함께 해줄 거지요.

업이 많이 얽혀 있긴 하지만 당신에게는 가능한 한 부담을 안주려고 노력해요. 내 삶이 모질어 굽이치지만 당신 삶에까지는 영향을 주지 않도록 할게요.

우리 나머지 생에 조금씩 다가서며 더욱 꽃 피울 수 있도록 노력할게요. 사랑해요.

7. 나 보다 나를 더 사랑하고 있는 당신께

봄의 연인

다시 봄이 왔습니다. 너무나 긴 겨울 같지 않은 겨울이었습니다. 봄이 오면서 예쁜 색들도 다시 돌아왔습니다. 죽은 듯한 나뭇가지에도 초록색 새순이 자라나고, 칙칙한 진녹색 잎 위로 예쁜 연두색 아기잎이 자라났습니다. 사람들도 무거운 검정옷을 집어넣고 예쁜 색 옷을 꺼내 입습니다. 봄처럼 예쁜 모습으로, 봄처럼 따뜻한 마음으로, 봄처럼 다시 시작하는 각오로 새 계절을 맞이해봅니다. 봄이 다시 돌아오면서 예쁜 색들도 돌아왔습니다.

당신이 너무 보고 싶을 때 글을 써요. 글을 쓸 땐 항상 당신과 함께 있으니까 너무나 행복해요. 당신의 숨결을 그린다는 것은 작업이지만 난 반드시 해 낼 거예요.

우리의 사랑과 염원을 내 영혼을 바쳐서 그대로 쓸 거예요. 이 글을 빨리 완성해서 당신께 바치고 싶어요. 난 벌써 내 사랑이야기를 소중히 감싸 안고 환하게 웃는 당신의 모습이 느껴져요. 나보다 나를 더 사랑하고 있는 당신은 항상 내 글을 좋아했으니까.

돌이켜보면 소중했던 그 시절 그렇게 슬프고 아팠을 때 누가 나에게 현명하게 충고하고 지도하고 길을 바로잡아줬다면 나는 좀더 효율적으로 인생을 살았을 것입니다. 시간을 되돌려 과거로 돌아갈 수 있다면 아마도 난 그렇게까지 아파하지 않았을 것입니다.

첫사랑 그녀는 잔인하게 떠나갔고 나는 수년간 아파하며 괴로워했지요. 그녀가 그럴 리가 없다, 그녀는 필시 무슨 사연이 있을 거라고 공상이나 하면서. 그때를 지나 60대에 또다시 계속되는 내 아픔에 치우치다 보니 많은 시간들을 고통과 방황 속에서 보내야 했고 운 좋게 맞은 소중한 기회도 살리지 못하고 물거품이 되었습니다. 그 아픔은 시간이 지난 지금까지도 지속되고 있었습니다.

아무리 욕망이나 인연에 휘둘렸다고는 하지만 분별력을 잃고 유혹에 넘어가는 것은 위험하고도 철없는 짓이었습니다. 그리고 지금도 마찬가지입니다. 사랑 없이 살 수 없는 듯 자꾸 인연을 만들다가 결국은 그 인연에 발목, 아니 모가지를 잡혀 아직도 헤매고 있는 듯합니다. 사랑은 양쪽 날이 시퍼렇게 선 칼과 같아 잘만 휘두르면 멋지게 인생을 살 수 있지만 잘못 휘두르면 자기가 다치고, 그 생채기는 의외로 깊어 평생을 가기도 합니다.

내가 워낙 여리고 거절을 못해 사랑에 빠지고 또 빠지곤 했는데, 그러다 보니 사랑에 대한 경험만은 많이 축적되었어요. '사랑'이란 것은 참 묘해 잉태하고 싹이 돋고 봉오리를 이루고 꽃이 피고 모진 비바람을 견디고 열매를 맺는 모든 순간에서 아픔과 환희가 상존합니다. 사랑에 빠지면 분별력이 흐려지고 매달리고 상대를 자기 뜻대로 지배하려고 하고 욕심을 부리다가 어느 날 예상치 못한 아픔에 뒹굴고 마는 것입니다.

사랑한다는 것은, 한쪽은 엷디넓게 펼쳐지는 푸른 풀밭이고 다른 한쪽은 천길 낭떠러지로 굴러떨어지는 외길을 걷는 것입니다. 사랑할 때는 너무너무 좋은데 싸울 때는 세상에 그런 원수가 없으니 말입니다. 항상 함께 있고 싶고 하나가 되고 싶지만 상대가 막무가내로 지배하려고 할 때는 그 사람을 죽여서라도 벗어나고 싶지요. 사랑하는 사람들은 한 번쯤 감정이 왜 이렇게 극과 극으로 치닫고 심지어 미친 것처럼 통제가 안 되는지를 고민해봤을 것입니다. 마치 정신병처럼…….

　감정의 극과 극이 현실을 잘못 치고 나가면 그때부터 당사자는 지옥 같은 고통을 겪어야 합니다. 사랑이 저만치 멀어지는 것을 바라보면서. 영원히 함께 하자 약속했지만 사랑의 감정이 지나쳐 현실에까지 결정적인 영향을 주게 되면 그 약속은 물거품과 같이 허무하게 사라집니다. 특히 사랑을 처음 해보는 사람들에게 사랑의 열병은 극심합니다. 이런 천국이 없고 이런 지옥이 없기 때문입니다. 그러나 사랑을 반복하면서 사랑에도 매너가 있고 넘지 말아야 할 선이 있으며 사랑으로 모든 게 다 되는 게 아님을 발견하게 됩니다. 사랑을 하면 할수록 겸허하게 됩니다.[117]

지구라는 행성에 맨몸으로 와서

벚꽃 그늘 아래 누워
초저녁 하늘을 봅니다.
금성이거나 화성이거나
더 먼 어느 별이거나
거기가 내 고향처럼 여겨집니다.
하기야 과학자들이 이르기를
우리 인간이 다 별에서 온
존재라 하였으니
무리한 상상은 아닙니다.
무슨 일로 왔는지 모르겠으나
여하튼 이 지구라고 하는 행성에
무일푼으로 와서
참 많은 걸 거저 얻고
소유하며 잘 살고 있습니다.

맨 몸으로 이 행성에 와서
이렇게 멋진 삶을 누렸는데
공유라도 해야지요.
어짜피 끝은 무소유인 것.
뭐라도 베풀고 나누어야
하지 않겠어요?
그래야 고향 행성으로
되돌아갈 때
빈손으로 가벼이
이 지구라는 행성을
떠날 수 있는 것이겠지요.
자, 우리 이 다음에는
어느 별에서들 만나실까요?

가. 우리, 다시 사랑

현대사회에서 사랑은 더욱 중요해졌다. 사랑을 어떻게 관리하고 다스리느냐에 따라 그 사람의 행불행, 심지어 성공과 성채가 결정되기도 한다. 그러나 사랑에 대해 가르쳐주는 교과목은 없다. 결국 사랑에 대해서만은 각자가 알아서 해결하고 극복해야만 한다. 나 역시 사랑에 대한 아무런 사전지식이 없이 사랑과 맞닥뜨렸다가 한평생 지독하게도 환희와 고통을 왔다갔다 해야 했다. 그러나 보니 여러 가지 체험이 쌓였지만 솔직히 이제는 사랑이 두려울 때도 있다. 차라리 외롭더라도 사랑없이 사는 것이 편하고 건강하게 오래 사는 길일 것만 같다.

다시는 사랑하지 않겠다고 내 얼마나 다짐했는가. 그러나 사랑은 피한다고 피할 수 있는 게 아닌 것 같다. 사랑의 업은 교묘하고도 집요하게 나를 얽기 때문이다. 처음에는 순수하고도 환희롭게 다가와 그것이 고통의 입구일 거라고는 상상도 못한다. 하지만 점점 깊이 빠져들다 보면 아픔은 견딜 수 없이 사방에서 조여오고 나의 무분별한 사랑 때문에 주변 사람들 모두 고통에 신음하게 된다. 사랑은 비즈너스와 마찬가지로 특히 주의하고 자제해야 한다. 하지만 이 사실을 깨달았을 때는 이미 모든 것이 산산조각이 난 뒤이기도 하다.[118]

기다림!

그 어떠한 기다림에도 반드시 믿음이 전제되어야 한다. 그래서 기다림과 믿음은 한 뿌리다. 사실 반드시 올거라는 확신과 믿음이 없는 기다림을 무작정 기다릴 수 있는 사람이 세상에 몇이나 될까?

누군가를 기다리는 사람의 마음에는 언젠가는 반드시 그가 올거라는 굳건한 믿음이 담겨져 있기 마련이다. 그런데 우리는 어떤 것을 간절히 바라고 기다릴 때 너무나 애가 타다 보면 쉽게 지친다. 물론 절절하고 간절한 마음이 없으면 하늘의 마음을 움직이지 못한다. 다만 조그만 더 기다렸으면 될뻔 했던 일을 조급한 마음 때문에 기다림을 중단하는 어리석고 가슴 아픈 경우가 비일비재하다는 것이다. 결국 조급한 마음이 일을 그르치고 만 것이다.

그래서 기다림에도 요령이 있어야 한다. 느긋하되 간절하며, 은근하되 끈기를 가진 믿음과 기다림이 우리에게는 필요하다. 그런 믿음을 가지고 기다려야 제대로 기다릴 수 있다.

완전히 믿고 기다릴 때 내 마음에도 평화가 머문다. 너무 성급하고 조급하게 결과를 바라며 상대방에게 부담을 주는 믿음이 아니라 언젠가는 이루어지겠지 하는 느긋한 믿음의 기다림이 무엇보다 우선이다.

　그래야 비로소 진정한 파워가 생겨나고 에너지가 발생되어 원하는 목적과 성과를 거머쥘 수가 있는 법이다. 안달과 조급함이 만연한 시대를 살고 있는 우리는 어쩌면 기다림의 진정한 가치를 잃어버리고 살고 있는지도 모른다.

　우리들은 어떤 것들에 대한 믿음을 오래 간직하려 하지 않는다. 그만큼 마음의 여유조차 점차 잃어가고 있다. 그래서인지는 몰라도 점점 더 기다림을 어려워하고 있다. 그렇다고 서울 가는 기차가 빨리 오지 않는다고 해서 반대편 부산행 기차를 탈 수는 없는 노릇이 아닌가? 빨리 달리는 기차 안에서는 바깥세상은 대충 스치듯 보일 수밖에는 없다.

　그러니 완행열차를 탄 것처럼 목적지를 향해 느릿느릿 달리는 동안의 시간을 기다리기도 하고 또 더러는 특급열 차를 먼저 보내기 위해 몇번씩 연착을 할지라도 그 열차는 끝내는 목적지에 이르게 된다는 믿음을 가지고 평안히 그 기다림의 시간을 즐길 줄 알아야 한다.

　그런 완행열차와 같은 삶의 기차를 타고 가는 동안 이런저런 구경거리의 재미도 느끼고 또 그렇게 즐겁게 가다 보면 결국에는 자신이 원하는 목적지에 반드시 도달하게 된다는 사실을 우 리는 알아야 한다.

　지구가 자전하고 공전하는데 더 빨리 돌아가라고 로켓엔진을 달아 놓는다고 해서 더 빨리 도는 것도 아니다.

　자연사, 인간사의 순리적 흐름에는 꼭 걸려야 할 절대적 소요시간이란 게 있다. 사랑도 마찬가지다. 조급하게 그것을 바꾸려 한다면 그건 순리를 역행하는 일이 된다.

　달리는 버스 안에서 아무리 바쁘다고 자신도 덩달아 뛴다고 해서 버스의 속력이 더 빨라지는 것도 아니다. 달리는 버스 안에서 뛰어내려 본들 자기만 손해다. 자기만 다친다.

길을 건너려는 달팽이의 느릿느릿한 걸음조차도 우리에게 달팽이의 소중한 생명을 지키고자 하는 숭고한 뜻만 있다면 우리는 자동차를 세우고 기다려야 한다. 속이 터져나갈 것 같은 지루한 시간이 계속될지라도 우리는 기다려 주어야 한다.

알고 보면 기다림은 우리에게 주는 것도 많다. 누군가를 기다리고, 그 무엇을 기다리 는 동안 우리는 삶의 인내와 끈기를 배운다. 그것은 누구에게나 막 주어지는 값싼 싸구려의 흔한 기회가 아니다.

사랑을 믿고 기다릴 줄 아는 사람에게 만 주어지는 인생의 몇 안 되는 공부다. 여유롭게 기다리는 가운데 보다 멋진 상대의 모습도 재발견하게 되고 아울러 또 그런 기다림을 기다릴 줄 아는 자신의 넉넉한 모습이 대견하기도 해 진다. 믿어 주고 믿음을 받는 마음의 교류를 통해 우리는 서로를 더 많이 이해하게 된다.

기다림이란 그렇게 멋진 일이다. 지치고 힘겨움 속에서도 우리를 견뎌 내게 하는 힘의 원천은 그가 반드시 올거라는 믿음이 있는 기다림이 있기 때문이다.

사랑하는 사람을 기다릴 때는 더욱 더 강한 믿음을 가지고 조용히 기다려 주는 것이 되어야 한다. 상대를 조르고 보채기만 한다면 그는 달아난다,

그냥 곁에서, 혹은 멀리서 말없이 지켜 보며, 속 깊게 자신을 기다려주는 그 진실한 마음이 전해진다면 오히려 그런데서 더욱 큰 사랑이 확고하게 자리하게 된다는 것을 염두에 두어야 한다. 사랑의 감정은 언젠가는 때가 되면 오게 되어 있다.

기다려 보자. 그게 바로 기다리는 사람의 믿음이다.[119]

메멘토모리 '죽는다는 걸 잊지마라.' '우리는 언젠가 죽는 존재라는 걸 잊지마라.'

카르페디엠. 카르페디엠. '오늘을 즐겨라' 이 말의 원조 격인 고대 로마의 시인 호라티우스는 그대가 현명하다면 포도주는 오늘 체에 거르라고, 짧기만 한 인생에서 먼 희망은 접으라고, 시간은 우리를 시샘하며 흘러가 버리니 내일은 믿지 말라고 했습니다.

그러니 지금 이 시간이 얼마나 소중한지 생각해 보라는 의미에서 볼 때 카르페디엠은 메멘토모리와 상통하는 말입니다. 카르페디엠과 메멘토모리는 죽음이 아니라 삶에 대한 교훈인 것입니다.

"나우 이즈 굿(Now Is Good)" [120]

지금 당장! 하고 싶은(?) 반전녀 테사! 당신은 지금 사랑하고 있나요? 나쁜 짓은 다하고 다니는 그녀의 이름은 테사! 도둑질, 무면허 운전, 마약, 싸움, 유명해지기 등을 위시리스트로 삼고, 절친 조이와 실행에 옮기느라 바쁘다.

어느 날, 원나잇스탠드에 실패한 테사 앞에 운명처럼 나타난 옆집 훈남 아담. 테사는 점차 아담에게 끌리게 되고, 그와의 첫 키스에서 살아있는 순간 자체의 소중함을 느낀다. 그러나, 첫 데이트를 앞두고 그에게만은 보이고 싶지 않았던 모습을 들키게 된다. 사실 테사는 원나잇스탠드는 커녕 제대로 된 연애조차 해본 적이 없는 반전녀! 4년 전 암 선고를 받은 테사는 또래 소녀들이 즐기는 평범한 행복을 누리지 못해왔다.

자신에게 남겨진 시간 동안 지금 당장! 하고 싶은 잇 리스트를 실행해가던 테사는 마침내 찾아온 짜릿한 첫사랑 아담을 놓치고 싶지가 않다. 테사는 자신의 아픈 모습을 들켜버리고, 그와의 헤어짐을 예감한다. 하지만 반전의 반전으로 그녀의 인생에 가장 빛나는 순간을 선물할 작전을 세우는 아담!

다음 날, 테사의 소원 중 하나가 기적처럼 이루어지고, 모두를 치유해 줄 마지막 순간은 곧 다가오는데…!

"기억해… 가장 소중한 건 바로 지금이라는 사실을."

[스포츠월드]

시한부 영화가 모두 눈물을 쥐어짜는 신파극일 것이라는 편견은 옛말이다. 영화는 영국 베스트셀러였던 제니 다우넘의 동명 소설을 원작으로 한 영화 '나우 이즈 굿' 은 '버킷 리스트-죽기 전에 꼭

하고 싶은 것들’ ‘50/50’의 뒤를 잇는 긍정 시한부 영화의 탄생
을 예감케 한다.

4년 전 암 판정을 받은 후, 평범한 10대 소녀의 행복을 누리지
못했던 테사(다코타 패닝)는 과감히 치료를 중단한다. 자신에게 남
은 시간 동안 해보고 싶은 모든 일들을 위시리스트로 작성한 테사
는 절친 조이(카야 스코델라리오)와 함께 그 리스트를 하나씩 실행
해나간다. 가장 첫 번째는 바로 남자친구와의 뜨거운 사랑. 그러던
어느 날, 옆집 훈남 아담(제레미 어바인)을 만나게 되고 짜릿한 첫
사랑에 눈을 뜨기 시작한다.

전 세계인들의 국민 여동생으로 그 성장기를 관객과 함께 한 다
코타 패닝이 어느덧 19살의 숙녀가 되어 돌아왔다. 다코타 패닝은
영화 ‘나우 이즈 굿’에서 소녀에서 여인이 되어가는 사랑의 순간
을 경험하는 테사 역을 맡았다. ‘나우 이즈 굿’은 그의 첫 멜로
연기이기도 하다.

‘아역 신동’으로 불리던 다코타 패닝은 이번 영화를 통해 성
인 연기자로서의 역량을 시험대에 올렸다. 그리고 그 결과는 꽤 훌
륭하다. 로버트 드 니로, 숀 펜, 톰 크루즈 등 기라성 같은 배우들
사이에서도 강한 존재감을 드러냈던 그는 십여년간 축적된 내공을
이번 영화에 쏟아냈다. 암 선고를 받은 주인공의 분노, 후회, 그리
고 삶에 대한 긍정을 오롯이 표현해낸 것.

또한 다코타 패닝은 아담이 길거리를 걷는 딱 한 장면을 제외하
고 모든 장면에 출연한다. 그만큼 ‘나우 이즈 굿’은 다코타 패닝에
의한, 다코타 패닝을 위한 영화다. 그래서 관객에 따라 루즈함을
느낄 위험도 있다. 하지만 관객들은 주인공 테사가 ‘지금 이 순
간’의 소중함을 경험하는 과정을 통해 자연스럽게 ‘나우 이즈 굿
(Now is Good)’의 제목이 품은 뜻을 느끼게 될 것으로 보인다.[121]

아담은 사랑이 힘들 때 우리가 할 수 있는 가장 좋은 선택이 무엇인지 알고 있었습니다. 더 사랑하는 것. 사랑이 힘들 때는 더 크게 사랑을 외쳐야 했습니다. 아담은 마지막 순간까지 사랑의 옆자리를 지켰어요.

사랑하지만 상황 때문에 망설이나요. 시간이 지나면 상황이 바뀔 수도 있습니다. 좋아질 수도 있고, 반대로 나빠질 수도 있겠죠. 좋아지면 그때는 현실을 걱정하지 말고 계속 사랑하면 됩니다. 하지만 테사는 죽기 전에 꼭 이루고 싶던 꿈을 이루었습니다.

담담하고도 평화로운 두 사람의 얼굴은 말하는 것 같습니다. '그래도 사랑하기를 참 잘했다. 더 늦기 전에 사랑의 손을 잡기를 참 잘했다.'

어려워 보일 수도 있겠고 실제로 어려울 수도 있지만 사랑은 자주 오지 않아요. 그러니 너무 오래 망설이다 놓치지 않았으면 좋겠어요.

손을 잡아요, 뛰어들어요, 지금.

사랑할 시간은 지금, 지금이 가장 좋아요.[122]

두 사람은 계속 만났다. 남들보다 한참이나 느린 속도였지만 남자는 적응했다. 사랑이 있는 한은 어떻게든 적응하는 법이다. 하루 종일 그녀를 생각하다 보면 조급해지기도 한다.

"하루에 몇 번이나 내 생각을 하나요?"

속내를 감추던 여자였는데 마음이 훤히 보이는 질문을 하는 것이 재미있어서 남자는 웃었고 대답 대신 여자를 꼭 안아주었다. 남자에게 안겨 여자는 오늘 내가 참 바보 같다며 작게 한 한숨을 쉬었다. 그 말이 사랑스러워 남자는 여자를 더 깊게 안고 말했다. "당신이 바보 같아지니 나는 참 좋다."

나. 함께, 그래도 사랑

왜 나는 단순하지 못하고 생각이 많은 걸까? 그렇다면 그런 질문에 한 번이라도 진지하게 생각은 해 보았는가? 물론 우리는 인간이기 때문에 어떤 문제에 대한 생각과 거기에서 파생되는 집착에서 벗어날 수 없다.

그렇다면 이제는 그런 생각과 집착을 어떻게 다루느냐하는 문제가 남는다.

"하지 않고 후회하는 것 보다, 해 보고 후회하는 것이 낫다" 는 말이 있다.

인생을 길게 보면 맞는 말이다. 나는 이 말에 동의한다. 사실 우리는 살아가면서 많은 것들을 후회한다. 그리고 그런 후회의 대부분은 망설이고 우물쭈물하다가 놓친 것들에 대한 후회들이다.

사실 결과가 어찌되었든 적어도 해본 것들은 그나마 경험이 된다. 그러나 해보고 싶었는데 하지 않았던 것들은 그저 미지의 영역에 남는다.

인생은 천천히 흐르는 것 같지만 어영부영하다 보면 세월은 어느새 지나가 버린다. 분명한 것은 우리가 어떤 일에 대한 선택과 결정을 차일피일 미루는 것보다는 그것이 어떤 선택이 되든 또 어떤 결정이 되든 확실히 내리는 게 낫다는 것이다.

선택과 결정되지 않은 상태이면 우리의 마음은 늘 불안하다. 빨리 결정되어야 결정에 소모되는 에너지도 절약된다. 적당한 생각은 건강한 긴장감을 주지만 생각이 많아지면 우리의 용기는 줄 어든다. 이런저런 과도한 생각은 결국 우리를 겁쟁이로 만든다. 그리고 시간이 지날수록 그것은 잡념과 망상으로 변질된다.

어떤 결정을 내리든 자신의 결정을 확 신하면서 그 선택을 내가 옳바르게 만들어가면 그만이다.

세상에 완벽한 것은 존재하지 않는다. 사랑도 그렇다. 세상에 완벽한 사랑의 조건같은 건 없다. 무엇보다 그런 조건이 따로 있을수도 없다.

과연 당신은 오늘 행복한 삶을 살았는가? 그렇지 않다면 내가 생각하는 행복한 삶이 무엇인지 한번이라도 곰곰히 생각해 볼 필요가 있다. 사실 우리는 대개 모든것이 완벽히 갖 춰진 상태를 기다리며 실패를 두려워 한다. 그러나 세상에는 그런 완벽히 준비된 사랑같은 것은 없다.

그것을 알아차리는 것부터 사랑은 시작이다. 비록 실패와 미완성도 적극적으로 받아들려는 자세가 중요하고 또 필요하다.

우리들은 아름다운 사랑을 꿈꾼다. 마음만 바꿔도 사랑의 조건은 차고 넘친다. 두려워서 도망가 본 적이 있는가!

도망간다고 해서 두려움이 떨어져나 갈 것 같은가? 착각이다. 사랑, 두려운가? 그러나 어차피 극복해야 할 대상이다. 우리 모두가 두려워했지만 결국은 모두가 그 길을 갔다. 사랑에서 두려움은 절대 사라지지 않는다.

우리가 사랑에서 느끼는 두려움은 모든 두려움 중에서도 가장 강력하다. 왜 그럴까? 바로 자신을 믿지 못하기 때문이다. 두려움을 인정해야 한다. 일단 시작해 보는 것이야말로 그런 두려움을 극복하는 최상의 방법이다.

내일의 행복은 무엇인가? 미래의 행복은 무엇인가?

오늘의 행복을 미룬채로 미래의 행복 이 올 것이라고 보는가? 그저 막연한 내일과 미래를 쳐다보며 오늘의 행복을 포기하며 희생하고 있지는 않은지 돌아볼 필요가 있다.

우리는 때로는 자신의 내면의 소리를 애써 외면하는 경우가 있다. 사랑에 조금이라도 더 접근하려면 그것에 집중하고 몰입하는 연습도 필요하고 노력도 필요하다. 사실 생각만 바꾸면 우리는 엄청난 사랑의 조건을 가지고 있다. 어차피 우리는 물리적으로 지나간 과거에서도 살 수 없고, 아직 오지 않은 미래에서도 살 수가 없다.

사랑하며 행복하고 싶다면 지금 밖에는 없다. 그것은 유한(有限)한 삶을 사는 우리 들에게 神이 던져준 시험문제다. 아름다운 사랑을 하고 싶다면 자신부터 변해야 한다. 내가 먼저 좋은 사람이 되어야 한다.

사랑을 듬뿍 받고 싶다면 내가 먼저 듬뿍 주어야 한다. 사랑도 자신의 그릇 크기 만큼만 누릴 수 있다. 사랑을 모르는 사람에게는 아무리 사랑을 퍼부어도 모른다. 그런 사랑은 하지 마라.

우리는 입으로는 한 번뿐인 인생이라 면서 실은 대부분 무감각하게 받아들인다. 절실함과 절박함이 없기 때문이다. 내일이면 또 다시 어김없이 찾아오는 내일 믿기 때문이다. 그래서 해도 그만, 안 해도 그만인 것이 되는 것이다. 그래서 "나중에" "다음에"라는 변명같지도 않은 변명을 풀어 놓는다. 그리고 그것은 결국은 앞으로도 하지 않겠다는 말이다. 물론 "나중에" "다음에" 할 수 있는 일 도 있지만 "나중에" "다음에"는 할 수 없는 일도 분명 있다. 바로 사랑이 그렇다.

당신이 철석같이 믿고 있는 그 내일이 내일에는 안 올 수 있다. 인생은 짧다. 자신의 나이에 누릴수 있는 최대한 사랑을 누려라. 어쩌면 사랑은 선택의 문제가 아니라 역량(力量)의 문제다.

왜 사랑하지 못할까? 너의 등에 칼이 꽂혀도 내 손톱밑에 박힌 가시를 더 아파하는 것이 우리들이다. 그것은 내것이 아까워 너를 더 아끼지 못하기 때문이다. 그것은 내 상처만 보이고 네 상처를 보지 못하기 때문이다. 그래서 사랑은 아무나 할 수 없다.

사랑은 사랑할 역량이 있는 사람들만이 사랑할 수 있다. 나보다 너를 더 사랑하는 역량은 그저 주어지는 것이 아니다. 결국 사랑은 역량의 문제다.

매사 자기중심적이고 이기적인 나를 돌아보려는 시간들이 쌓여 만들어진 역량.

너가 더 편해지기를 바라는 마음으로 내 것을 내어 줄 수 있는 역량.

내가 더 힘들고 불편해지는 것을 기꺼이 감당할 수 있는 그 역량.

사랑하고 싶으세요?

그렇다면 아프게 다시 물어봐야 한다.

"나는 정말 사랑할 수 있을까?" 라고..[123]

우리, 함께, 살아가는 인생

인생길에
동행하는 사람이 있다는 것은
참으로 행복한 일입니다

힘들 때 서로 기댈 수 있고
아플 때 곁에 있어 줄 수 있고
어려울 때 힘이 되어 줄 수 있으니
서로 위로가 될 것입니다

여행을 떠나도 홀로면 고독할 터인데

서로의 눈 맞추어 웃으며
동행하는 이 있으니
참으로 기쁜 일입니다

사랑은 홀로는 할 수가 없고
맛있는 음식도 홀로는 맛없고
멋진 영화도 홀로는 재미없고
아름다운 옷도 보아줄 사람이 없다면
무슨 소용이 있겠습니까

아무리 재미있는 이야기도
들어줄 사람이 없다면
독백이 되고 맙니다

인생길에 동행하는 사람이 있다면
더 깊이 사랑해야 합니다

그 사랑으로 인하여
오늘도 내일도 행복할 수 있습니다.

　집에 돌아온 여자는 청소를 했다. 왠지 모르는 이유로 저절로 그러게 되었다. 깨끗해진 집을 보며 웃고 있을 때, 문자메시지가 왔다. 그 남자였다. 집 근처 공원을 찍은 사진 아래, 단 한줄 이렇게 적혀 있었다.
　　"비 그치면 우리 산책할래요?"
　짧지만 여자를 오래 웃게 하는 문장이었다.

당신의 마음속에 대립하는 감정의 방향을 틀지 않으면 절대(Pursue the absolute truth)로 만날 수 없는 평행선/우리, 함께, 살아가는 인생을 위해서 노력하자

"에로틱(erotic) 체험의 미학!"

섹스는 아리스토텔레스(Aristoteles)가 말하는 의미에서 충족이자 몰입의 행위, 주변의 그 어떤 방해로부터 벗어나 자유롭게 집중하는 행위로 향유되는 동시에 이와 맞물려 일어나는 좋은 기분이다.

섹스는 자신의 주관을 온전히 만끽하는 동시에 하나의 대상으로 지향하는 현상학의 차원을 강력히 과시한다. 나를 인지하며 상대에 몰입하는 이런 경험은 다른 무엇으로도 맛볼 수 없는 품격을 형성하며, 의미라는 중요한 차원을 열어준다.[124]

너무나 그리운 당신

너무나 그리운 당신
나를 사랑하는
당신이 있다는 것이

쓸쓸한 마음을
가지려다가도

나를 사랑하는
당신이 있다는 것이

이렇게 마음이
포근해 집니다

당신에 대한 그리움이
가슴 한켠을 차지하고 있지만
나를 사랑하는
당신이 있다는 것이

이 세상을 모두 얻은 것만큼이나

마음이 부자가 되어버렸습니다

그리운 당신
당신에게 조금씩 다가가는
내 자신을 느끼지만

바다처럼 넓은 마음을
가지고 있기에

모든 고민은
잊고 지내렵니다

언제나 행복한
미소를 머금은 채

내게 다가와
살포시 안아줄 당신

당신이 날
생각하고 있다는 것만으로도

이렇게 마음이 편안한 것을
이렇게 마음이 행복한 것을

너무나 고마운 당신입니다.

"에로틱(erotic) 체험의 핵심!"

섹스 행위는 자신의 몸과 음을 깨우치며 섹스 파트너의 몸과 마음을 헤아리는 일을 매개해주는 인지경험을 나타낸다. 서로 하나로 전제가 되는 응집력과 완전함도 이 경험을 이루는 부분이다. 이로써 섹스는 더할 수 없이 만족스러운 충족을 향해 발전한다. 섹스경험은 일상의 따분한 흐름으로부터 확연히 벗어나는 일탈이다. 섹스경험은 아주 폭넓은 정서를 포괄하며, 이 가운데 어떤 정서들은 그 무엇도 능가할 수 없는 밀도를 자랑한다.[125]

"온리 유(Only You)" [126]

결혼 직전, 거짓말처럼 운명의 이름이 찾아왔다 결혼을 앞둔 팡유안(탕웨이)에게 우연히 걸려온 전화. 전화 건 사람은 어릴 적 점괘에서 2번이나 나왔던 운명의 이름 '송쿤밍'. 팡유안은 평생 꿈꿔온 운명을 만나기 위해 주저없이 이탈리아로 떠난다. 무작정 떠난 낯선 이탈리아 한복판에서 운명의 이름 '송쿤밍'과 기적처럼 만나지만 꿈 같은 시간도 잠시 그의 진짜 이름이 '펑달리'라는 양심고백을 듣고 실의에 빠진다. 과연 그녀는 평생 꿈꿔왔던 운명의 이름을 만나 사랑을 이룰 수 있을까? 10월, 기적 같은 사랑이 시작됩니다.

"온리 유, 로맨틱한 명대사 BEST 3 공개" [127)

BEST 1. "'송쿤밍'이란 이름이 머릿속을 안 떠났지만 실제로 있을 거라곤 생각 못 했어요"

결혼을 앞둔 팡유안(탕웨이)에게 한 통의 전화가 걸려온다. 바로 어릴 적 점괘 속 2번이나 나온 운명의 이름을 가진 송쿤밍으로부터의 전화. 운명의 사랑을 만나기 위해 무작정 이탈리아로 떠난 팡유안은 기적처럼 자신의 이름이 송쿤밍이라는 남자와 마주친다. 보는 순간 사랑에 빠진 두 남녀는 밀라노의 낭만적인 심야 데이트를 즐기고, 드디어 평생 꿈꿔온 운명의 남자를 만난 팡유안은 "'송쿤밍'이란 이름이 머릿속을 안 떠났지만 실제로 있을 거라곤 생각 못 했어요"라며 진심으로 행복해 하는 대사는 보는 이들에게 가슴 뛰는 설렘을 선사한다.

BEST 2. "보자 마자 평생 기다려온 여자인 걸 알았죠"

하지만, 행복한 순간도 잠시. 운명의 남자인 줄만 알았던 그는 자신의 이름이 송쿤밍이 아닌 펑달리(리아오 판)라는 사실을 털어 놓고, 팡유안은 실의에 빠진다. 밀라노 거리에서 우연히 팡유안과 눈이 마주친 순간 첫 눈에 반해버린 펑달리가 그녀의 사랑을 받고 싶은 마음에 무심결에 거짓말을 해버리고 만 것. 거짓말을 하고 난 뒤 양심의 가책을 느껴 결국 진짜 이름을 고백한 펑달리는 팡유안 에게 문전박대 당하고, 그녀의 친구에게 도움을 요청한다. 펑달리 의 진심을 묻는 친구에게 "보자 마자 평생 기다려온 여자인 걸 알았죠"라며 진심어린 사랑을 고백하는 펑달리의 일편단심 순정 남의 면모가 돋보이는 대사로 여심을 심쿵하게 만든다.

BEST 3. "당신이 부러워요. 원하는 걸 위해 올인하는 그 용기 가"

이탈리아를 떠나려는 팡유안을 붙잡은 펑달리는 진짜 운명의 남 자 송쿤밍이 있는 곳을 알아내 그곳까지 직접 안내해주겠다고 약 속한다. 밀라노에서부터 피렌체까지 6일간의 여행을 함께 동행하게 된 두 남녀는 여행 내내 티격태격하며 알콩달콩 케미를 쌓아간다. 우연한 실수로, 루카라는 도시에 하루 동안 머물게 된 두 사람. 교 회 앞 카페에 앉아 대화를 나누던 펑달리는, 운명의 사랑을 찾아 이탈리아까지 모든 걸 내려놓고 떠나온 팡유안의 용기 있는 모습 에 "당신이 부러워요. 원하는 걸 위해 올인하는 그 용기가"라며 진심을 드러낸다. 전에 보여줬던 장난기 어린 모습과는 달리 진지 한 모습으로 색다른 매력을 발산하는 펑달리의 매력에 팡유안처럼 푹 빠지게 되는 순간을 그린다.

멜로의 여신 탕웨이와 함께 떠나는 이탈리아 밀라노에서부터 루 카를 거쳐, 피렌체까지 6일동안의 낭만적인 이탈리아 여행으로 각광 받고 있는 영화 온리 유 속 마음을 간질거리게 하는 로맨틱한 대사들이 올 가을 진정한 사랑을 꿈꾸는 관객들의 로망을 자극하며 스크린에 핑크빛 바람을 이어가고 있다.[128]

영화 온리 유(Only You)는 질문하고 있습니다.

운명이란 미리 정해져 있는 것일가? 혹 우리가 선택하고 믿는 것이 그대로 운명이 되는 것은 아닌가, 하고 말이죠.

인연은 이미 옆에 있습니다. 바로 등 뒤에 말이에요. 그렇고 해서 팢지 못하고 오래 방황하는 자신을 탓할 필요는 없어요. 모두가 다 보물을 찾아가는 즐거운 과정이고, 스스로 보물이 되는 시간인 것이니까.[129]

다. 살아가는 인생, 거기 우리가 있었다

수없이 많은 인연들에 엉켜 살았다. 챙겨야 하는 게 많을수록 나눠야 하는 것도 많아졌다. 그건 꼭 물질적인 것뿐만이 아니었다. 중요한 것은 시간과 그것에 비례하는 마음이다.

언제나 마음의 일방통행은 의미가 없다. 단 하나의 인연이라 해도 탄탄해야 한다. 서로가 믿고 적당한 힘을 주어 당겨줘야 그 인연은 해지지도 않고 끊어지지 않은 채 나를 지켜준다. 오히려 너무 많은 인연은 실처럼 엉켜 내 목을 조인다.

내게 안부를 묻고 나를 소중히 생각하는 사람과 마음을 나누며 살아야 한다. 얼마나 오랫동안 미움을 품고 살 수 있을까. 누군가를 미워하는 일은 나의 일이지 미움받는 사람의 일이 아니다.

누군가를 미워할수록 생기는 화는 미움받는 사람에게 생기는 것이 아니라 내 가슴에 생기는 것이다. 내 마음에 멍이 드는 것이다. 멍도 오래되면 상처가 되고 병이 된다. 그러니 누군가가 밉다고 해서 그 사람을 마음에 안고 살지 말자.

결국 그 사람을 놓아주는 것도 나의 몫이니까. 싫은데 괜찮은 척 좋은데 아닌 척하지 말고 좋으면 좋다고 싫으면 싫다고 분명하게 얘기하는 게 좋다. 솔직하게 표현하고 행동해야 우리의 관계도 확실해질 수 있다.

손절(損切; 앞으로 주가가 더욱 하락할 것으로 예상하여, 손해를 감수하고 가지고 있는 주식을 매입 가격 이하로 파는 일)은 빠를수록 좋다. 가끔은 미련스럽게 붙들고 있는 사람보다 포기가 빠른 사람이 성공하는 경우가 있다. 사람이든 일이든 어떤 것이든 그동안에 들였던 시간과 정성이 아까워 더 큰 고통의 비용을 지출하지 않아야 한다. 노력해서 되는 것과 지금이라도 놓아야 할 것들 사이에서 우리는 항상 고민에 빠지지만 언제든 기회는 다시 오고 그게 내 것이라면 자연스럽게 내 것이 되고 아니라면 아무리 노력해도 아니게 된다. 미련 떤다고 해서 안 될 일이 될 일이 되지 않는다.

손절은 빠를수록 좋다. 다가오지 않은 시간에 대해 상상하지 않기. 지나간 일에 대해서 생각하지 않기. 그렇게 갖지 못한 것에 미런 두지 않기. 오지 않을 것에 미리 겁먹지 않기. 항상 지금을 살 것. 곁에 있는 사람을 지킬 것.

어차피 인생은 채워지지 않는 잔입니다. 삶에 대한 갈증은 늘 오게 마련입니다.

하지만 밤이 어두울수록 아침은 눈부시게 다가옵니다. 밤은 낮보다 짧으니 이제 밤에 집착하지 맙시다. 또 다른 세계는 항상 당신에게 열려 있습니다. 고통의 순간보다 희망의 시간이 더 많다는 의미이기도 합니다. 밝은 시선으로 보면 인생은 어둠의 시간보다 광명의 시간이 더 많다는 뜻이기도 합니다.[130]

희망의 눈으로 인생을 보면 어둠보다는 빛이 더 많습니다. 동물은 아픔을 겪을 뿐이지만, 사람은 그 고통을 승화시킬 줄 압니다. 아픔을 겪어본 당신은 나의 이야기를 공감할 것입니다.

성공한 자의 과거는 비참할수록 아름답고, 실패한 자의 과거는 화려할수록 비참하다는 것을, 이제 행복해지고 싶은 당신께 이 이야기를 전합니다.

당신은 세상에서 제일 기분 좋은 사람입니다. 살아가는 데 기분을 좋게 하는 그런 사람이 있습니다.

이런저런 이야기를 많이 나눠서라기보다는 그냥 떠올리기만 해도 입가에 미소가 저절로 한 아름 번지게 하는 그런 사람이 있습니다. 가끔 안부를 묻고 가끔 요즘 살기가 어떠냐고 흘러가는 말처럼 건네줘도 어쩐지 부담이 없고 괜시리 마음이 끌리는 사람이 있습니다.

그 사람은 꼭 가진 게 많아서도 아니고 무엇을 나눠줘서도 아니며 언제나 마음을 편안하게 해주는 그런 사람입니다.

커피 한잔을 마시며 마음을 내려놓고 싶고 감춤없이 내안의 고통까지 보여 줄수 있는 사람 그 사람은 심장이 따뜻한가 봅니다.

그 사람에게 눈물을 보여도 내 눈물의 의미를 알아주며 보듬어
주는 한마디도 나 살아가는 세상에는 빛보다 고마울 때가 있습니
다.

다가가고 싶을 때 다가오도록 항상 마음을 열어 놓는 사람 그
사람이 내 가까이 있음은 나 사는 세상의 보람이고 은혜입니다.

그 사람이 누구냐고 물으면 나는 혼쾌히 나를 유쾌하게 해주는
사람 바로 당신이라 말하겠습니다.

당신은 언제나 그렇게 내곁에 머물러 있으면서 나에겐 기분 좋
은 사람입니다. 당신과 마시는 차 한잔에 인생의 아름다운 이야기
가 있고 행복의 에너지가 넘쳐 흐릅니다. 당신은 세상에서 제일 기
분 좋은 사람입니다.

“앙: 단팥 인생 이야기(Sweet Red Bean Paste)” 131)

납작하게 구운 반죽 사이에 팥소를 넣어 만드는 전통 단팥빵
‘도라야키’를 파는 작은 가게. 빵 냄새에 이끌려 우연히 가게에
들른 할머니 ‘도쿠에’는 ‘마음을 담아 만든다는’ 비법의 단팥
으로 무뚝뚝한 가게 주인과 외로운 단골 소녀의 마음을 사로잡는
다. 하지만 이내 할머니의 비밀이 밝혀지게 되는데… “당신에게
는, 아직 못다 한 일이 남아 있습니까”

가슴 뭉클한 감동 드라마 '앙: 단팥 인생 이야기', 제목부터 달
콤함이 풍겨오는 일본 영화 ‘앙: 단팥 인생 이야기’의 티저 포스
터와 예고편이 공개됐다.

영화 ‘앙: 단팥 인생 이야기’는 전통 단팥빵 ‘도라야키’ 가
게에 모인 사람들이 서로 상처를 치유해 나가는 가슴 뭉클한 드라
마다.

납작하게 구운 반죽 사이로 팥소를 넣어 만드는 전통 단팥빵
‘도라야키’를 파는 작은 가게. 어느 날 ‘도쿠에’ 할머니는 아

르바이트를 하고 싶다며 가게를 찾는다. 가게 주인은 할머니의 나이를 이유로 거절하지만 이내 할머니가 만든 단팥 맛에 반해 그녀를 채용하기에 이른다. 이후 가게는 할머니의 단팥으로 인해 인기를 얻게 되지만 서서히 그녀에 관한 이상한 소문이 돌기 시작한다.

한 번 먹으면 잊을 수 없는 단팥을 만드는 할머니 역은 일본의 국민 여배우 '키키 키린'이 맡았다. 또 무뚝뚝한 가게 주인과 외로운 단골 소녀 역에는 각각 '나가세 마사토시'와 '우치다 카라'가 맡아 감성 연기를 선보일 예정이다.

최근 공개된 티저 포스터는 '앙'이라는 독특한 제목을 전면에 내세웠다. 특히, 벚꽃 풍경과 영화 소재인 '도라야키'가 시선을 잡는다.

함께 공개된 티저 예고편은 작품의 주연을 맡은 키키 키린의 나레이션이 인상적이다. 그녀는 '못다 한 일이 남아 있나요?'라는 질문과 함께 '이번 영화에서 모든 장면에 최선을 다했다'는 고백을 통해 영화가 전하는 '진심'에 대해 생각하게 한다.[132]

9일 '제 1회 서울국제음식영화제' 개막식을 앞두고 공개된 '앙: 단팥 인생 이야기'의 티저 포스터 2종과 티저 예고편이 공개됐다.

'앙'이라는 독특한 제목을 전면에 내세웠으며, 벚꽃을 바라보는 세 주인공의 모습과 영화 소재인 일본의 전통 단팥빵 도라야키가 각각 담겨있어 작품에 대한 기대를 높인다.

'앙: 단팥 인생 이야기'는 납작하게 구운 반죽 사이에 팥소를 넣어 만드는 전통 단팥빵 도라야키 가게에 모인 사람들이 서로 교감을 나누며 상처를 치유해 나가는 가슴 뭉클한 드라마다. 한 번 먹으면 잊을 수 없는 맛의 단팥을 만드는 할머니 역에 일본의 국민 여배우 키키 키린이, 무뚝뚝한 가게 주인과 외로운 단골 소녀 역에 각각 나가세 마사토시, 우치다 카라가 캐스팅됐다.

이 작품은 1997년 첫 장편 영화 '수자쿠'로 칸영화제에 진출해 황금카메라상 최연소 수상 기록을 세우고, 2007년 '너를 보내는 숲'으로 심사위원대상을 수상한 일본을 대표하는 가와세 나오미 감독의 신작이다.

가와세 나오미는 일본 감독 중 칸영화제 최다 진출 기록을 가지고 있으며 현재 절찬 상영 중인 장건재 감독의 '한여름의 판타지아'제작자로 화제를 모았을 뿐 아니라 부산국제영화제의 20주년 기념 단편영화 프로젝트에 참여하는 등 다양한 활동을 했다.[133]

영화 '앙: 단팥 인생 이야기'(감독 가와세 나오미)가 개봉 5일째, 1만 관객을 돌파하며 흥행 청신호를 켰다. 지난 10일 개봉한 '앙: 단팥 인생 이야기'는 납작하게 구운 반죽 사이에 팥소를 넣어 만드는 전통 단팥빵 도라야키를 파는 가게에 남모를 사연을 간직한 할머니가 아르바이트로 오면서 무뚝뚝한 가게 주인과 외로운 단골 소녀에게 다시 시작할 용기를 선사하는 감동 드라마다.

칸이 사랑하는 거장 가와세 나오미 감독의 신작으로, 올해 칸영화제 주목할 만한 시선의 개막작으로 선정돼 호평을 받았다. 특히 주연을 맡은 일본의 국민 여배우 키키 키린의 자연스러우면서도 섬세한 연기가 보는 이들의 마음까지도 움직인다는 반응이다.

10일 개봉, 40개 미만의 절대적인 상영관 열세에도 불구하고 높은 좌석점유율을 바탕으로 알찬 흥행을 이어가고 있는 '앙: 단팥 인생 이야기' 는 개봉 5일 째인 14일 오후, 1만 명을 돌파했다. 최근 개봉했던 소규모 개봉작(상영관 40개 미만) 중에는 가장 빠른 속도로, 가와세 나오미 감독의 전작인 '소년, 소녀 그리고 바다' 와 '너를 보내는 숲' 등의 최종 스코어를 5일 만에 가볍게 넘어섰다.

'앙: 단팥 인생 이야기' 의 흥행은 최근 개봉했던 '심야식당', '종이 달' 등과 함께 한 동안 침체기를 겪었던 일본 다양성 소규모 영화의 부활을 알리는 결과라고도 할 수 있다.[134]

영화 "앙: 단팥 인생 이야기(Sweet Red Bean Paste)" 는 상처 받은 사람이 상처 받은 사람을 구원하는 이야기입니다.

왜 상처를 두려워 하나요. 상처가 오히려 사랑을 더 단단하게 엮어줄지도 모르는데. 걱정하지 않아도 괜찮아요. 상처입은 당신이라도 괜찮고 특별하지 않아도 괜찮아요. 우리가 부지런히 사랑을 한다면 사랑이 상처를 치유하고, 사랑이 우리를 특별하게 할 테니 우리는 사랑만 하면 됩니다.[135]

임께서 부르시면

신석정(1907~1974)

가을날 노랗게 물들인 은행잎이
바람에 흔들려 휘날리듯이
그렇게 가오리다.
임께서 부르시면……

호수에 안개 끼어 자욱한 밤에
말없이 재 넘는 초승달처럼
그렇게 가오리다.
임께서 부르시면……

포곤히 풀린 봄 하늘 아래
굽이굽이 하늘 가에 흐르는 물처럼
그렇게 가오리다.
임께서 부르시면……

파아란 하늘에 백로가 노래하고
이른 봄 잔디밭에 스며드는 햇볕처럼
그렇게 가오리다.
임께서 부르시면……

 최근의 시에 익숙한 사람들에게 이 시는 어떻게 읽힐까. '임'
이라는 단어를 읽자마자 구식이라는 생각을 할 수 있다. '가오리다'는 말투에서 고전이라는 단어를 떠올릴지도 모른다. 맞다. 이 시는 조금이 아니라 아주 예전 작품이다. 우선 탄생부터가 1931년 이어서, 몇 년 후면 100주년이 된다. 하지만 오래된 것이 항상 뒤에 머물러야 하는 것은 아니다. 때로는 지금의 것이 아니어서 눈길이 가는 경우가 있다.

이 작품은 신석정 시인의 초기 대표시다. 당시의 신석정 시에 대해서 김기림은 '목신이 조는 듯한 세계를 소박하게 노래한다'고 칭찬한 적이 있다. 무엇보다 이 시가 좋은 이유는 여기에 생활이 없기 때문이다. 돈, 빚, 일, 싸움, 경쟁과 같은 일상과 생활이 이 작품에는 없다.

삶의 현장과 동떨어져 아름다운 자연만 찾는 태도를 비판하는 목소리도 있을 수 있다. 그런데 우리에게 삶의 공기청정기가 필요한 것도 사실이다. 세파에 흔들리고 찌든 마음을 안고 살다가도 이런 시를 보면 눈이 시원해지고 마음이 맑아진다. 실제 눈에는 흐린 봄 하늘만 보여도 마음으로는 맑은 봄 하늘을 상상할 수 있는 법이다. 이제 바람이 봄을 재촉하는 계절이 찾아왔다. 모든 것이 다시 시작되는 이때는 잠시 시 속에 들어가 마음과 영혼을 닦고 나올 시간이기도 하다.[136]

8. 빛이 머무는 사랑

"모든 삶은 자기 자신에게로 이르는 길이다"
-헤르만 헤세(Hermann Karl Hesse)-

  내 삶은 그럭저럭 좋은 마무리를 향해 가고 있었다. 직업은 좋았고 하고 싶은 일을 해왔다. 물론 삶의 고비마다 좌절과 절망을 견디고 위기를 넘어서고 세상과 싸우면서 생의 길을 걸어왔다. 돌이켜보면 삶이란 가슴에 남겨진 추억들을 말없이 돌아보는 것이었다.

  누가 인간은 회유 동물(回游 動物, Migrate creature)이라고 했던가. 그러다 호흡처럼 살았던 삶의 터를 떠나는 날이 왔다. 직장을 떠나는 일은 누구에게나 있는 일이다. 그동안 많은 선배들은 담담히 보내드렸다. 섭섭함을 보이는 선배들을 보면 삶의 미련이라고 치부했다. 그 정도면 됐다. 뭘 그렇게 미적거리며 뒤돌아보냐고 애둘러 넋두리를 했다. 직장생활을 하면서 '마무리를 잘 준비하자'고 다짐에 다짐을 해왔다. 그리고 37년의 공직생활을 마치고 삶의 터전을 하슬라[137) 집으로 옮겼다.

  직장을 떠나던 마지막 밤을 지금도 잊지 못한다. 내 소중한 추억들을 보듬으면서 뜬 눈으로 지새웠다. 누구도 위로가 되지 못했다. 아무 소리도 들리지 않았다. 시간은 절벽처럼 내 앞에 머물렀고, 흘러갈 기미를 보이지 않았다. 삶이란 맞서보지 않았다면 극복할 힘을 만들 수 없었을 것이다. 그렇게 나는 떠났다. 아무도 잡지 않은 길을 가야 했다. 도저히 멈출 수 없었던 나의 길을 찾아 떠나야 했다. 떠나지 않으면 버틸 수가 없었다. 심신의 외로움을 떨쳐내기 위해서....

  퇴직 전에 구상하고 공부하면서 해보고 싶었던 소망은 전국 100대 산을 다녀보는 것이었다. 그들 산의 정상까지 오르기는 어려워도 아마 7~8부 등선쯤에는 사찰이 있을 거라는 기대였기 때문이다. 실제적 목적은 우리나라의 절[138]을 살피고 조사하는 탐험(探險)이었다. 그러나 현실을 달랐다. 막상 실행으로 옮겨야 한다는 절박함에 접어들자 내 삶을 송두리째 흔드는 일이 벌어졌다.

  어느 날 불치병이 왔으나 받아들일 수 없는 것처럼 나는 나의 현실을 외면했다.

  모든 상황이 예상치도 못하게 왔다. 아직은 아니라고 생각했다. 내가 할 역할이 있었다. 내가 바라던 퇴직 후의 계획과 바람이 이럴 수가 없다. 도저히 받아들일 수가 없었다. 나의 인생을 이렇게 초라하게 버려둘 수가 없었다.

  사람은 살면서 아픔을 만난다. 자신에게 그렇게 화가 났을 때, 자신을 견딜 수 없을 때가 있다. 누구도 피할 수 없는 현실이 있다. 시간을 보낸다는 것이 그렇게 짐이 되는 순간이 있다. 나는 병원을 드나들면서 어떤 순간도 피할 수 없음을 알았다. 어떤 순간도 나 자신뿐이라는 것을 절실하게 알았다. 어떤 상황도 내가 견뎌야 함을, 내 자신에게 답이 있음을 체험했다.

  나와 함께 병원 생활을 한 사람들을 만나면서 삶은 스스로 버티는 것임을 배웠다. 자신들의 삶을 묵묵히 담아내고 있음을 절실히 보았다. 그들도 나와 같았다. 나와 같이 외로웠고, 막막했고, 한치 앞도 내다볼 수 없을 정도로 어려웠으나 삶을 끊임없이 밀고가고 있었다. 삶을 감당하고 있었다. 삶은 누구에게나 똑같다.

  앞만 보고 달렸으나, 어느새 달릴 앞이 안 보였다. 삶이 눈 깜짝할 사이에 지나갔다. 내가 가는 길이 답인 줄 알았다. 살다보니 자신만을 보고 살았다. 일이 곧 인생인 줄 알았다. 하고 싶은 일을 했다고 자위해 왔는데도 만족감은 없었다. 답을 찾을 수가 없었다.

사람은 삶의 궤적이 무엇보다 중요함을 알았다. 당신은 스스로 생각할 줄 알았으나, 나는 변변한 생각이 없었다. 그러다보니 생각하는 법도 달랐다. 나는 모든 문제에 이분법적 답이 있었으나 당신은 답을 찾는 진지함으로 가득 차 있었다. 삶의 환경도 상신은 정상적 과정을 거쳐 온 데 비해, 나는 얼개가 엉성했다. 자존심과 자의식도 당신은 확고한 바위였으나, 나는 정신의 면역 체계조차 없었다. 나는 백화제방식 언설을 폈으나, 당신은 촌철살인의 말을 절약하면서 나를 괴롭혔다. 그러다보니 당신은 오르막 나는 내리막이었다.

나는 국외자처럼 살았다. 아무리 발버둥 쳐도 헤쳐나올 수 어뵤는 수렁이었다. 그러다 시몬느 베이유(Simone Weil)[139]를 만났다. "용기를 내어 고통과 마주서면, 마침내 거기서 사랑의 얼굴을 마주할 것이다."

그녀는 현대 인간은 냉기가 뼈속까지 스며든 시대를 살면서 공포에 질려 세계를 외면하려고 잠들어있는 자들이라고 진단한다. 이같은 절망적 실존 속에서 작가가 스스로에게 그나마 소명을 부여한다면 깨어 있는 자로 머물며 잠든 이를 혼들어 깨우는 역할이라는 것이다. 그리고 이 역할은 필수적 수행요건으로 오늘날의 인간들이 선호하는 크림처럼 맛있는 미식이 아니라 빵과 같은 시를 쓰기를 요청한다.

남의 아픔을 느낄 때 상대방 입장에서 나를 볼 수 있다. 용서할 수 없는 사람을 용서하면 외 눈물이 나면서도 후련해지는 줄을 알겠다. 나도 아프면 그도 아프다는 것을 알겠다. 그래 아픔은 천착해야 한다. 나를 알아야 한다. 나는 혼자다. 나는 나일 수밖에 없다. 기웃거리고, 머뭇거리고, 우물쭈물하는 모습 그대로 내 길을 가야 한다. 고도를 기다리는 베켓(Saint Thomas Becket)처럼 기다림을 기다려야 한다. 나만이 갈 길을 찾아야 한다. 자크 엘륄(Jacques Ellul)[140]이 말했다. "모든 인간은 실패한다." 실패를 고백해야 한다. 상처가 상처를 싸맬 수 있다. 아물 수 없는 상처를 내놓고 상처를 말해야 한다. 바람은 바람길을 간다. 길은 언제나 어디에도 있다.[141]

오랜 세월은 버티는 나무들은 자신을 비워가면서 죽어간다. 또한 혼자 서 있는 나무들이 잘 쓰러진다. 의지할 뿌리가 없고 바람막이가 없다. 바람을 온몸으로 막다 쓰러진다. 벼락도 이들을 피해가지 않는다. 그리고 벼랑에 서 있는 나무가 쓰러진다. 벼랑에 서 있으면 뿌리가 약하다. 돌을 앉고 있는 나무도 잘 쓰러진다. 다만 바위틈으로 자라는 나무는 절대 쓰러지지 않는다. 나무도 누군가에 기대야 오래 살 수 있다. 우리 삶도 그렇다. 혼자는 오래 가지 못한다. 함께 가야 뿌리를 견고하게 박을 수 있다. 함께 서 있어야 버틸 수 있다. 사람도 자신을 지우고 비워야 자아를 찾을 수 있다. 나무나 삶이나 똑같다.[142]

가. 사랑의 모순들

"사랑이 어떻게 변하니?" 영화「봄날은 간다」에 나오는 이 한마디는 상대방의 식어가는 사랑 때문에 냉가슴을 앓는 이들의 심경을 압축하고 있다.

영화에서 이별의 경험이 있는 여주인공은 사랑이 변할 수밖에 없다고 생각한다. 그러나 처음 사랑에 빠진 주인공은 그것을 이해할 수 없다. 사랑에 빠지면 누구나 그 사랑이 변하지 않으리라 믿는다. 지독한 배신을 당해 이성에 대한 환멸을 느끼고 연애 따윈 이제 거들떠보지도 않으리라 다짐한 사람도 다시 큐피드(Cupid)의 화살을 맞으면 그 모든 악몽을 말끔히 잊어버린다. 그리고 믿는다. 바로 이 사람을 만나기 위해 그 사람이 떠나가 준 것이라고, 이 사랑은 진짜라고. 그런 최면에 걸리지 않고 영화의 여주인공처럼 '쿨 (cool)' 하게 상황을 관조할 수 있는 사람은 아주 드물다.

그러나 새롭게 다가온 사랑 또한 순탄치 않다. 황홀은 짧고 번민은 길다. 처음 사랑이 시작될 때는 함께 있다는 것만으로 충만하고 감사했다. 빈 마음으로 존재 그 자체를 누린 것이다. 그런데 시간이 생기면서 욕심이 생긴다. 상대방에 대해 요구하는 것이 많아지고 그것이 관철되지 않으면 짜증과 분규가 생긴다. 처음에는 가벼운 미소 한 자락 보내 준 것만으로도 감동했지만, 이제는 문자 메시지에 곧바로 답을 보내 주지 않는다고 낙심하고 투정을 부린다. 기대에 부응해 주지 않는 상대방에 대해 끊임없이 채근한다. 왜 너는 내가 너를 생각하는 만큼 나를 생각해 주지 않느냐고 닦달한다. 존재의 향연이 막을 내리고 소유의 실랑이가 시작된 것이다. 그러한 집착 속에서 관계는 끊임없이 흔들린다.

연애 감정의 모순이 바로 이것이다. 최초에는 오로지 상대방의 됨됨이 그 자체에 매료되고 그 사람 위주로 생각하고 행동한다. 그것이 사랑의 본디 모습이고, 누구에게나 그러한 순정이 있어서 연애의 처음 단계를 채워 준다. 그러나 시간이 지나면서 아집이 싹튼다. 애당초 아무런 대가를 바라지 않고 아낌없이 베풀었던만, 뒤늦게 그에 대해 보상을 요구한다. 서로의 감정을 견주는 게임이 관계의 중심에 자리 잡는다. 성적 충동이 중첩되면 강박은 고조된다. 하지만 그러한 변질을 자각하기는 쉽지 않다. 사랑이라는 이름으로 상처를 주고받는 까닭이 바로 여기에 있다. 그 복잡다기함과 우여곡절은 대중가요와 드라마, 영화에서 줄기차게 다뤄져왔다.

다행히 둘 사이에 호흡이 척척 맞아 순조롭게 행진하는 경우도 많다. '눈에 콩까지가 씌어' 늘 붙어 다니며 남 보기에 만망한 언행도 서슴지 않는다. 그러나 상호독점의 균형 상태가 얼마나 갈 수 있으랴. 상대방을 사로잡기 위해 알뜰하게 준비해 구사하던 유머도 고갈되고, 달콤한 데이트를 위해 연출하는 이벤트의 레퍼토리도 식상해진다. 심각한 것은 기법이나 프로그램의 문제가 아니다. 근본적으로 처음의 열정이 식어간다. 상대방에 대한 호기심이 사라지고 만남과 대화에도 긴장감이 사라진다. 타성에 길들여지면서 '아주 오래된 연인들'이 되어가는 것이다.

"저녁이 되면 의무감으로 전화를 하고 / 관심이 없는 서로의 일과를 묻곤 하지 / 가끔씩은 사랑한단 말로 서로에게 위로하겠지만 / 그런 것도 예전에 가졌던 두근거림이 아니야" -공일오비, '아주 오래된 연인들' 중에서.

바로 여기에 연애 감정의 또 한 가지 모순이 있다. 상대방과의 안정된 관계를 희구하나 막상 안정되고 나면 감정이 희석되어 버린다. 이 세상 어디든 쫓아가 함께하리라던 다짐, 무슨 일이 있어도 변치 말자던 언약이 무색해진다.

왜 그렇게 될까? 어쩌면 상대방을 사랑했다기보다는 그 누군가를 사랑하는 자기의 감정에 도취되었는지도 모른다. 여기서 대상 그 자체는 별로 중요하지 않을 수 있다. 도는 정반대로 처음부터 그 사람에게 인정 받고 싶은 욕망을 사랑이라고 착각했는지 모른다. 그 사람이 나를 좋아하도록 만드는 것이 연애의 목적이었던 것이다.

루보미르 레미는 저서 『우리는 왜 친구의 애인에게 끌리는가』에서 사랑은 정말 사랑하는 것이 아니라 '사랑한다고 믿고 있는 것'에 지나지 않는다고 말한다. 그 믿음을 굳게 하기 위해 사랑 그 자체가 아니라 여러 역학관계를 고려해 상대를 선택하고, 지속적으로 그 상대를 바꿔 나가고 있을 뿐이다. 어떤 상대와 안정된 관계에 들어섰을 때 이제 그 사람의 마음을 쟁취하였기에, 나의 매력이 그를 사로잡을 수 있음을 확인하였기에, 더 이상 추가적인 '투자'가 필요 없다. 그래서 어쩌면 연인 사이가 가장 사랑하기 어려운 관계인지도 모른다. 이기적인 욕망이 사랑이라는 허울을 쓰고 나올 때가 많기 때문이다.[143]

> "서로 사랑하는 사람들은 서로 만나기를, 사랑하는 사람과 결합하기만을 바란다. 둘이 아닌 단 하나의 존재를 추구하는 것이다. 이렇게 우리 모두는 자신의 반쪽이 없음을 아쉬워하며 어딘가에 있을 반쪽을 만나려고 노력한다. 그러나 우리를 보완해 줄 진정한 반쪽을 만나지 못한다면, 우리는 그 반쪽과 가장 유사한 존재에 애착을 느끼게 되고, 진정한 반쪽을 만날 때까지, 즉 사랑의 친구가 되어, 자신에게 운명 지워진 인연을 발견하고 만나는 그 순간까지 파트너를 바꿔가며 여행을 계속한다."

에크하르트 톨레(Eckhart Tolle)는 현대인이 빠지는 사랑의 대부분이 에고(ego)의 결핍감과 욕구가 극대화된 것이고, 상대방에 대해 자신이 가지고 있는 이미지에 중독된 것이라고 말한다. 그는 그 욕구의 실체를 다음과 같이 파헤친다.

"낭만적인 관계의 초기 단계에서는 상대방으로부터 매력을 끌기 위해 어떤 모습을 연출하는 것이 공통된 일이다. 특히 에고가 '나를 행복하게 해 주고, 나를 특별한 존재로 느끼게 해 주고, 나의 모든 욕구를 충족시켜 줄 사람'이라고 여기는 상대방을 유혹해 옆에 두기 위해서는 그것이 필요하다. '나는 당신이 원하는 사람의 모습을 연기할 테니, 당신은 내가 원하는 사람의 모습을 연기해줘.’ 말로는 하지 않지만 이것이 서로 간의 무의식적 동의이다. 하지만 어떤 모습으로 연기하는 것은 힘든 일이며, 따라서 그 모습은 무기한 유지될 수 없다.”

남녀가 자발적으로 건설하는 오붓한 소우주(小宇宙; 우주의 일부이면서도 그 자체가 하나의 독립된 우주로 여겨지는 것), 그것은 피곤한 현대생활에서 벗어나 숨을 고르며 힘을 회복하는 발판이다. 그러나 그곳은 자칫 이기심의 동맹으로 변질되어 정직한 자아를 외면하는 도피처가 될 수도 있다. 사랑이라는 미명하에 집착과 강박으로 매이고, 상호학대의 병적인 증상이 열정이라고 착각한다. 경쟁을 통해 위축된 자존감, 소비를 통해 비대해진 욕망이 관계와 소통을 비틀어댄다. 속물적인 겉멋과 자아를 드높여 세우면서 우상숭배의 자리에 상대방을 무릎 꿇게 한다.[144]

당신과 나는 시간이 가면서 간격이 좁아졌다. 삶의 벽돌이 무너졌다. 애틋함과 함께 5년의 세월이 흘러갔다. 수많은 사연들이 중첩되면서 삶의 언덕이 되고 있었다.

당신의 숨결이 나를 이끌었고, ‘사랑은 내가 아니라 우리가 만들어 간다’ 는 진리를 일깨워 주었다.

나. 숨결이 나를 이끌었다

삶의 내리막이 현실로 다가서는 순간, 그렇게 분명하던 삶의 모습들이 견디는 문제로 다가섰다. 한걸음 내딛으면 또 다른 세상인데 여전히 머뭇거렸다. 미룰 수 없는데도 저항한다. 그러나 삶은 새로운 현실을 만나야 한다.

우선 나의 속내를 들키지 않는 일이 중요했다. 삶의 아쉬움을 감추어야 했다. 모두에게 ‘잘 만들어진 나’ 를 보여주어야 했다. 떠나면서 슬픔을 보이지 말아야 했다.

괴테(Goethe, Johann Wolfgang von)145)는 창조의 영감이 고갈되었다면서 "새벽 3시, 칼스바트를 몰래 빠져나왔다. 그렇지 않았다면 사람들이 떠나지 못하게 했을 것이기 때문이다" 라고 말했다. 떠나지 못할 사람이 있다니, 『이탈리아 기행(Italienische Reise)』146) 첫 문장이 그렇게 가슴을 칠 줄 몰랐다. 그런데 나는 누구도 잡지 않았다. 나는 떨쳐버리기 위해 떠나야 했다. 도저히 견딜 수 없는 나를 어딘가 놓아버리기 위해 떠나야 했다.

"나는 대기실 난로 옆에 앉았다. 웬일인지 잘 타고 있는 불의 따스함이 나에게 새로운 편지를 쓸 용기를 불어넣어 준다. 자신의 최근 생각을 이렇게 먼 곳으로부터 써 보내고, 자신의 환경을 언어에 의탁해서 전할 수 있다는 것을 생각하면 유쾌해진다. 날씨는 굉장히 좋고, 해도 눈에 띄게 길어졌으며, 월계수나 회양목과 아몬드도 꽃이 피기 시작했다. 오늘 아침 나는 이상한 광경에 놀랐다. 아름다운 제비꽃 색깔에 싸인 높은 막대기 모양의 나무가 멀리 보여서 가까이 가서 자세히 보았더니 그것은 식물학자가 체르시스 실리콰스트룸이라고 부르는, 독일의 온실 등에서 자주 볼 수 있는, 일반적으로 유태나무라고 하는 나무였다."

나는 가장 무거운 짐을 진 오비디오스(Publius Ovidius Naso)147) 처럼 떠나야 했다.

"로마의 마지막 밤이, 그날 밤의 슬픈 광경이 내 영혼 앞에 펼쳐진다."

고향에서 멀리 떨어진 흑해 연변에서 비참한 자신을 돌아보고 있는 형상이 흡사 나의 모습이었다.

괴테의 로마가 아닌 나의 심신의 안식처를 향해 태양이 이글거리는 대낮에 목적지 없이 어디론가 떠나야 했다. 매일 나는 낯설었다. 내가 서 있는 곳은 더 이상 갈 곳이 없는 땅의 끝 같았다. 이제 되돌아갈 수는 없었다. 알 수 없는 그 무엇인가가 있었다.

이슈마엘(Ishmael)은 "신성한 진리란 변화될 수밖에 없는 것이고, 결코 완성될 수 없다. 언제나 삶에서 완전해야 하는 일은 그 이유 때문에 반드시 불완전해질 수밖에 없다. 인간이란 삶의 기대치를 낮추거나 바꾸어야 한다"고 역설했다. 이에 반해 허만 멜빌(Herman Melville)의 장편소설 『모비딕(Moby-Dick)』148)에서, '모비딕'을 쫓는 에이허브 선장의 "인간의 목적은 궁극적 진리를 밝히는 데 있다. 나를 모욕한다면 나는 태양이라도 공격하겠다"는 결연한 의지와 격렬한 목표의식이 나를 사로잡았다. 그는 삶의 기대치를 바꾸지 않는다. 흰 고래라는 벽을 뚫기 위해 결코 흔들리지 않는 불굴의 정신을 지킨다.

돌이켜보면 '모비딕'은 알 수 없는 삶처럼 내게 다가왔다. 내게 처절한 시간과 맞설 수 있는 힘을 주었다. 역설적으로 비우다보니 모든 문제에 자신을 열 수 있었다. 그러면서 삶에 더 가까이 다가설 수 있었다. 진실한 삶은 내가 살아내고 있는 실천만이 있을 뿐임을 알았다.149)

삶은 삶이라서 어려운 것이다. 삶이기 때문에 모진 것이다. 삶은 희극도 되고 비극도 된다. 삶의 속성에 따라 달라진다. 내 삶의 상처들도 모진 상황 속에서 한낱 없어지는 안개일 뿐이다. 상처는 시간이 지나면 없어진다. 상처는 무거워서 내려놓을 수밖에 없을 때 소멸해간다. 그래, 사람은 누구에게나 보이지 않는 구멍 하나쯤은 있다.

살면서 구멍 하나를 메우기 위해 무진장 애를 썼다. 이때 나를 구원해 준 것은 책이었다. 책은 내게 세상을 정면으로 응시게 해주었다. 운명이 내 앞에 있음을 보여주었다. 운명은 내 힘으로 만들어야 함을 알았다. 갇힌 자는 벽을 부수어야 밖으로 나올 수 있다. 모든 것은 끝이 있다. 삶의 궁극적 목적은 행복이다. 자기 삶을 사랑하는 사람은 성장한다. 자기 것은 자기가 싸워서 지키고 얻는다. 삶은 지금 여기에 있다.

삶을 가만히 들여다 본다. 왜 견디기 힘들어 했나? 왜 휘청거리고 있었나? 그래, 대가를 치르고 있는 것이다. 대가를 치르지 않고 얻어지는 것은 없다. 이제 새로운 삶을 찾기 위해 내 길을 찾는 것이다. 낙타가 사막에서 길을 찾듯 내 길을 찾아 걸어야 한다. 나를 위해 준비해놓은 길을 찾아야 한다.

커피 애호가다. 커피 미학을 이야기 한다. 11세기 이후 에티오피아의 목동이 빨간 열매를 먹고 흥분하여 춤추는 염소를 보고 먹기 시작했다. 15세기 초 예멘의 이슬람 신비주의자들이 즐겨먹다 우럽에 건너왔다. 유럽에서는 커피가 이교도 악마의 음료로 지탄 대상이 되었다. 커피 찬반론이 팽팽하다가, 17세기경에 교황 클리멘트 8세가 커피에 세례를 주면서 기독교인들도 마셨다. 그리고 영국 런던의 '로이드 카페' 는 브라질산 담배와 예멘 산 커피를 대중화시켰다. 바로크의 거장 바흐도 1732년 커피에 중독된 딸이 신랑과 커피를 함께 얻는다는 희극 '커피 칸타타' 를 만들었다.

발자크도 있다. 33세 유부녀를 사랑하여 18년 동안 작품을 썼다. 결혼 자금과 시간을 아끼기 위해 5만 잔의 커피를 마셨다. 그리고 결혼 뒤 신부는 5개월 뒤 죽었다. 신부와 커피 몇 잔을 마셨을까? 아! 행복한 커피니까? 유럽을 매혹시킨 후 이제는 우리나라에서도 세례를 받고 향기를 전파하고 있다. 나는 뜨거운 물로 우려낸 커피보다는 찬물로 내리는 눈물의 커피로 알려진 더치커피를 좋아한다. 더치커피는 시간과 함께 숙성시켜 먹어야 제 맛이다. 내 인생도 더치커피처럼 시간을 보내면 무게감을 가질 수 있을까? 커피는 영혼

처럼 향기가 나는 추억이다.[150]

운명은 나에게 커피 같은 여인을 만나게 했다. 그 여인이 내 몸에 닿을 때마다 나는 설렘이라는 감정을 오랜만에 느끼게 되었다. 그 여인은 나를 전부터 모든 걸 알았던 것처럼 내 마음을 어루만져 주었다. 누군가와 통한다는 기분은 '공감'이라는 부분을 자극한다.

다. 사랑은 내가 아니라 우리가 만들어 간다

남자들은 단연 유희적 사랑을 선호한다. 반면에 여자들은 사랑을 우정, 소유, 실용적 측면에서 인식하는 경향이 뚜렷하다. 따라서 서로 사랑에 빠진 한 남자와 한 여자가, 서로를 누구보다 잘 이해하고 알고 있다는 건 착각이다.

필사적으로 견뎌온 삶! 그래도 고맙다. 이렇게 멈추지 않고 살아갈 수만 있다면, 나는 어떤 난관도 이겨내듯이 내 삶의 길도 제대로 걸을 수 있을 것 같다. 새로운 삶을 다시 만날 수 있을 것만 같았다.

나도 배워야겠다. 사랑은 몸을 던지듯이 해야 한다는 것을. 나는 무엇을 지키려 하고 있는가. 나에게 소중한 것은 무엇인가. 내가 앞으로 견디고 갈아야 할 가치는 무엇인가. 의미 있는 삶을 나 스스로에게 묻는다.

나는 아직 뚜렷한 방향을 찾지 못한 방랑자다. 나의 상황을 극복하기 위해 걷고 있다. 오솔길을 가면서 숨겨진 삶의 길들을 찾고 있다. 어느새 칠순이 넘은 석양과 같은 나이다. 그동안 어렴풋하던 삶의 말년이 다가선다. 이제는 삶 자체가 새로운 현실이다.

그러나 외로움을 떨쳐버려야 한다는 현실에 스스로 무너지는 모래성이 된다. 그러면서도 사람들은 시선을 의식하고 껍데기에 불과한 체면치레에 나선다. 무너져도 다시 쌓을 수 있는 힘을 가져야 한다고 말을 하면서도, 막상 현실이 되자 도망가는 그런 사람이 되고 말았다. 내 삶의 고통과 좌절은 아문 수술자국처럼 또렷이 남아 있다.

삶은 때때로 어려운 역경을 만난다. 삶은 파도를 헤쳐나감과 같다. 밀물이 있듯 썰물이 있다. 그것은 삶의 경험으로 아는데도 녹녹한 삶은 역시 없다. 나는 지금 넘어지지도 실패하지도 않았다. 그런데도 벌써 일어서는 것이 두렵다. 물론 답은 나와 세상이다. 내 삶은 내가 맏고 보고 듣고 생각하는 방향으로 간다. 삶은 어두워도 바람이 불어도 흔들려도 끝까지 갈 수밖에 없다. 지금 이 자리에서 버틸 수밖에 없다.

나란 존재를 알아가면서 나무도, 풀도, 새도 소중한 존재임을 깨달았다. 나는 세상과 연결되어 있음을 알았다. 사람을 사랑하는 힘이 가장 위대한 힘임을 알았다. 삶을 그대로 마주하는 법과 사람의 삶을 보려고 했다 "나는 내일 죽을 것처럼 산다" 는 조르바(Zorba)[151]처럼 내 삶을 새롭게 하고 싶었다. 어쨌든 인생에 막다른 길이란 없었고, 어디를 가든 세상과 연결되어 있었다.

그 여인으로 인해 나는 '덤으로 사는 인생(?)' 이지만 새로운 삶을 살게 되었다. 그 여인과 나는 영원히 함께 하자고 약속했다. 그 여인의 입김마저, 웃음마저, 작은 움직임마저 내 몸에 문신처럼 새겨졌다. 점점 나는 그 여인의 색으로 물들었다.

진심이란 하루아침에 완성되지 않는다. 동전을 모으는 것처럼 하루하루가 차곡차곡 쌓여 진정한 마음이 된다. 진심은 내 몸 어딘가에 있는 세포처럼 은밀하고, 순간의 감정처럼 외설적이고 자극적이지 않다. 그렇지만 우리는 그 진심을 먹고 살아간다.

"당신의 버킷리스트(bauker list)[152]는 무엇인가요"

당신의 버킷리스트는 무엇인가요? 나의 버킷리스트는 당신과 함께 대한민국 명소를 찾아 여행하면서 맛있는 음식을 먹어보는 겁니다. 그리고 혼자, 아니 당신과 함께라면 더 좋고, 소박하게 배낭 하나만 들고 우리나라의 이곳저곳을 유람했으면 좋겠습니다. 기왕이면 젊은 시절처럼 민박이나 캠핑 시설을 이용하며 여행을 하면 좋겠군요.

평생 한 번쯤 해보고 싶은 일, 혹은 죽기 전에 해야 할 일들을 적은 목록을 버킷리스트라 합니다. 버킷리스트(Bucket list)라는 말은 '죽다'라는 뜻의 속어 '킥 더 버킷(Kick the Bucket)과 관련이 있습니다. 중세 유럽에서 자살이나 교수형을 할 경우 목에 줄을 건 다음 딛고 서 있던 양동이(Bucket)를 발로 찼던 관행에서 유래했다고 합니다.

버킷리스트를 쓰다 보면 그 성취 여부와는 상관없이 자신의 참 모습을 발견하는 망외(望外; 바라던 이상의 것)의 소득이 생기기도 합니다. 리스트를 계속 수정하면서 내가 진정으로 원하는 것이 무엇인지 깨닫게 되니까요. 또한 그저 막연한 꿈이 아니라 구체적인 꿈이 설정되면서 행복이 실현 가능한 목표로 다가오거나, 혹은 실현 가능한 목표로 삼으며 살게 되는 겁니다.

삶의 마지막 순간에는 지우고 싶은 후회들이 참 많이도 남는다고 합니다. 천명의 죽음을 지켜본 한 호스피스가 쓴『죽을 때 후회하는 스물다섯 가지』라는 책이 있습니다. 사람들이 죽을 때 가장 많이 후회하는 것 중 첫 번째는 '사랑하는 사람에게 고맙다는 말을 많이 했더라면 좋았을 텐데'였답니다. 그다음은 '진짜 하고 싶은 일을 했더라면', '조금만 더 겸손했더라면', '친절을 베풀었더라면', '나쁜 짓을 하지 않았더라면', '꿈을 이루려 노력했더라면', '감정에 휘둘리지 않았더라면', '만나고 싶은 사람을 만났더라면', '기억에 남는 연애를 했더라면', '죽도록 일만 하지 않았더라면', '가고 싶은 곳으로 여행을 떠났더라면', '고향을 찾아가 보았더라면', '맛있는 음식을 많이 맛보았더라면', '결혼했더라면', '자식이 있었더라면' 등이었다고 합니다.[153]

특별한 날 가장 평범한 사람을, 평범한 날 가장 특별한 사람을 떠올려보는 건 어떨지요?

영혼의 아픔 혹은 심적 고통에는 두 가지 주된 특징이 있다. 쇼펜하우어(Schopenhauer, Arthur)가 썼듯 고통은 우리가 "기억하고 예견함으로써 인생을 살아간다는 사정에서 생겨난다. 달리 말하자면 고통은 상상력이 빚어낸다. 우리의 기억, 기대, 갈망 등이 얽혀 그려낸 그림과 관념이 고통을 낳는 원인이다. 사회학적으로 표현하자면 고통은 자아의 문화적 정의로 중재된다. 두 번째로 고통은 의미연관을 경험할 줄 아는 능력의 상실과 맞물려 생겨나는 전형적 현상을 보여준다.

결과적으로 폴 리쾨르(Paul Ricoeur)가 말한 것처럼 고통은 어째서 세상일을 이토록 맹목적이고 제멋대로인가 하는 불평의 형태를 흔히 취한다.154) 고통은 우리의 일상생활에 불합리함이 침입한 것이기 때문에, 합리적 설명과 '받아 마땅한 보상'의 해석을 요구한다. 달리 말해 고통스러운 경험은 거기서 얻어내는 의미가 적을수록 그만큼 더 견디기가 힘들어진다. 고통을 설명할 수 없을 때 우리는 이중의 아픔을 겪는다. 우선은 당장 당하는 고통을 참을 수 없고 그다음에는 그 고통에 의미를 부여할 수 없는 무능력 때문에 괴롭다.

인간관계, 특히 애정관계에서 일어나는 아픔은 현대라는 조건 아래 놓인 자아의 상황을 고스란히 반영한다. 낭만적 사랑으로 빚어진 고통은, 더 심할 것으로 짐작되는 다른 형태의 고통을 가볍게 논의할 성질의 것이 아니다. 사랑의 낭만적 고통은 현대인의 자아가 겪는 딜레마와 무력감을 고스란히 드러내기 때문이다. 응답 없는 사랑과 버림받음의 경험은 다른 형태의 사회적 굴욕 못지않게 당사자의 인생을 뒤흔드는 결정적 타격이다.155)

너무 늦게 당신에게

우리 집에 놀러와.
꽃지기 전에 놀러와.
봄날 나지막한 목소리로
전화하던 당신에게
나는 끝내 놀러 가지 못했다.

나왔어.
문을 열고 들어서면
당신은 못 들은 척 나오지 않고

당신. 어서 나와요
춘매가 피려면 아직 멀었잖아요.
큰소리까지 치면서 문을 두드리면
꽃이 질 듯 꽃이 질 듯
흔들리고, 불빛 아래서
밤새 매화 떨어지는 소리 듣고 있겠지.

너무 늦게 당신에게 놀러 간다
당신은 매화꽃 그늘 아래 서성이고 있는데.

우리 집에 놀러와.
꽃지기 전에 놀러와.
나는 끝내 놀러 가지 못한다.

푸르른 날

서정주

눈이 부시게 푸르른 날은
그리운 사람을 그리워 하자

저기 저기 저, 가을 꽃 자리
초록이 지쳐 단풍 드는데

눈이 나리면 어이 하리야
봄이 또 오면 어이 하리야

내가 죽고서 네가 산다면!
네가 죽고서 내가 산다면!
눈이 부시기 푸르른 날은
그리운 사람을 그리워하자

- 『귀촉도』(은행나무, 2019)

Ⅴ. 나가는 글

동쪽 섬!

검은 바위들로만 이루어진 황량한 조그만 섬. 파도가 사방에서 부딪치며 하얗게 흩어진다. 그 바위 위에 몇 마리의 갈매기들이 앉아 이리저리 시선을 기웃거리고 있다. 마치 모든 것을 알고 있기라도 한 듯 무심히 반짝이며 돌아가는 갈매기의 시선. 어디선가 천상(天上; 하늘 위의 세계. 탐욕의 욕계천(欲界天), 미묘한 형체가 있는 색계천(色界天), 순 정신적 존재의 세계인 무색계천(無色界天)을 통틀어 이르는 말이다)에서라도 내려오기라도 하는 듯 노래가 울려나온다.

동쪽 바다를 따라 하염없이 가다 보면 닿게 되는 조그만 섬이 하나 있다. 그 섬은 작은 섬이지만 자세히 보면 다른 섬과 조금 다른 점을 발견할 수 있다. 그 섬 위에는 유난히도 빛이 많이 떠다닌다는 것이다. 이 섬은 생명이 있어 자기의 기분에 따라 바다 위아래로 떴다 가라앉았다 하기도 한다. 이 섬은 영혼의 비밀을 간직하고 있는 신비의 섬이다. 이 섬은 영혼의 비밀을 간직하고 있는 신비의 섬이다. 죽은 영혼들은, 또 새로 태어나려는 영혼들은 누구나 다 이 섬을 거쳐야 한다. 이 섬은 저승과 이승의 한가운데에 자리하면서, 저승과 이승에 영혼들이 새로운 모습으로 들어갈 수 있도록 만들어 주는 섬이다. 그래서 이 섬을 나갈 때는 영혼들은 가장 맑고 순수하고 가볍게 된다.

동쪽 섬에서 온 영혼들은 누구나 다 영생(永生; 영원히 죽지 않는 것을 말한다. 흔히 불로불사(不老不死), 불로장생(不老長生)라고도 한다)으로 살고 자기들이 원하는 것은 무엇이든지 다 얻을 수 있다. 그래서 처음 동족 섬에 온 영혼들은 그들이 과거에 누리지 못한 것을 탐닉하기에 바쁘다. 그들은 매일같이 축제를 열기도 하고, 밤낮없이 사랑도 하며, 스스로 왕이 되어, 신이 되어 온갖 것을 다 누린다.

그러나 아무리 모든 것을 누려도 영생 가운데서의 누림은 그들을 지치게만 할 뿐 결국 허무감과 허탈만이 남게 된다. 그들은 그 허무감과 공허감에 벗어나기 위해 몸부림치는 영생의 무대 위에서는 아무리 벗어나려고 해도 벗어날 수가 없다. 그러나 그들이 그 덧없음을 벗어날 수 있는 길이 딱 두 가지가 있으니 그것은 바로 '되씹을 수 있는 추억' 과 '죽음' 이다. '되씹을 수 있는 추억' 은 그들이 영겁(永劫; 영원한 시간)의 무대 위에서 단조롭게 떠다니는 것을 견딜 수 있게 도와 주며, '죽음' 은 그들의 영원한 허무를 종식시켜 준다. 그러나 그들이 살았을 때 되씹을 수 있는 절실한 추억을 만들지 못한 영혼들은 죽은 뒤에는 아무리 추억을 만들려 해도 만들 수 없다. 죽은 뒤의 세상은 시공을 초월한 세상이기에 삶과 같은 대립의 갈등이 없어 추억도 없기 때문이다. 도 그들은 이미 죽은 자들이기 때문에 다른 모든 것을 가질 수 있을지 몰라도 죽음만은 임의로 가질 수가 없다. 동쪽 섬에서 영혼들의 죽음은 이승에서의 삶을, 아니면 저승에서의 평온한 안식을 의미한다. 결국 동쪽 섬에 온 영혼들은 영겁 속에서의 지긋지긋한 허무와 적막을 벗어나기 위해 죽으려고 갖은 방법을 다 써 보나 아무리 해도 죽을 수 없다는 것을 깨닫게 되자 스스로 모든 것을 포기하고 하나 둘 빛이 되어 섬을 떠돌아다니게 된다. 결국 동쪽 섬에는 수많은 빛들 외에는 황량함이 남는다. 그곳에서 이제 사랑도, 축제도, 쾌락도, 즐거움도 사라지고 짙은 허무만이 맴돈다.

동족 섬에서 영혼들의 죽음은 파도를 통해 들려오는 어떤 부름에서만 가능하다. 그러나 파도를 통해 실려오는 부름이 있다고 해서 모든 영혼들이 다 따라갈 수 있는 것도 아니다. 파도를 타고 갈 수 있을 정도로 맑고 가벼워야만 따라갈 수 있다. 그 가벼움은 영혼의 순화된 정도에 비례한다. 그래서 처음 이 섬에 올 때부터 순수하거나 이 섬에 오래 있어 모든 덧없음을 맛봐 뒤늦게 순화된 영혼들은 이 섬을 떠날 수 있으나, 처음부터 더럽혀진 영혼이거나 아직도 욕심과 집착이 남아 덜 순화된 영혼들은 그들이 가벼워질 때까진 이 섬을 떠날 수 없다. 더럽혀진 영혼은 자신의 무게 때문에 섬에 부딪혀 돌아가는 파도를 탈 수 없기 때문이다. 이는 마치 남자가 여자 몸 속에 사정했을 때 정액의 파도를 타고 가장 빨리 달릴 수 있는 가볍고 민첩한 정자만이 난자에 도달해서 생명을 얻는 이치와 같다. 그렇게 해서 만들어졌기에 세상에 갓 태어난 아기들은 얼마나 맑고 순수하던가!

파도를 타고 떠나가는 영혼들은 자신들이 가진 운명의 업에 따라 바다 끝에 자리하고 있는 저승이나 파도 끝에 자리하고 있는 이승으로 들어가게 된다. 그러나 기껏 파도를 타고 이승으로 나갔던 영혼들 중에는 제대로 목적지까지 가지 못하고 되돌아오는 영혼들도 있다. 그들의 부모가 영혼이 육신으로 태어나기 전에 다시 그들을 죽였기 때문이다.[156]

사랑과 자유를 위한 투표

"언젠가 내게 말했지. 진실한 사랑은 정해진 룰에서 벗어나지 않는 거라고. 그럴 수도 있겠지 (…) 들어봐, 나의 사랑은 함께 숨쉬는 자유. 애써 지켜야 하는 거라면, 그건 이미 사랑이 아니지."

21대 국회의원 선거 사전투표를 위해 길고도 긴 줄에 서서 윤상의 '사랑이란'을 흥얼거렸다. 예전에 즐겨 듣던 곡인데, 특히 '룰'과 '자유'의 대비를 좋아했다.

사랑에서 룰이라고 하는 건 사회적으로 합의된 정상성의 규범들을 의미할 터다. 예컨대, "사랑의 완성은 결혼"이라는 말처럼. 반면에 자유는 우리를 옥죄는 고정관념을 깼을 때 만나게 되는 새로운 세계를 그려보게 한다. 규범에 저항하고 나답게 사랑함으로써 오롯이 존엄할 수 있는 상태. 문득, 제대로 사랑하기 위해 가족들과의 갈등을 기꺼이 감수했던 배윤민정 작가의 '가족 호칭 개선 투쟁기' 〈나는 당신들의 아랫사람이 아닙니다〉가 떠오르기도 한다.

하지만 사랑과 자유의 관계는 그렇게 단순하지 않다. 근대의 시작과 함께 신민(subject)에서 주체(subject)로 거듭난 개인은 신분적 운명을 비롯해 신앙과 전통 등 확실성의 토대를 잃었다. 그리고 이제는 모든 게 자유로운 개인의 선택과 노력에 달렸다는 신화가 근대인의 삶을 지배한다. 이런 믿음은 무한한 가능성과 함께 불안정 시대를 열어젖혔다.

그렇게 불안한 그의 앞에 '본능'이자 '가장 위대한 정신작용'으로서 '낭만적 사랑'이 새로운 운명으로 등장한다. 더불어 운명적 사랑으로 빚어낸 핵가족이야말로 나의 정체성과 지위를 보장해 줄 마지막 보루가 된다. 울리히 벡과 엘리자베트 벡-게른샤임은 〈사랑은 지독한 혼란〉에서 사랑이야말로 "세속적인 신흥종교"이자 "현대의 근본주의"라고 말한다. 문제는 근대적 핵가족이란 가정의 주인인 남성과 그에 종속된 여성(과 아이들)이라는 '성별지위'를 바탕으로 한다는 점이다.

에바 일루즈에 따르면 19세기까지는 이런 사랑이 구애와 청혼, 결혼식이라는 공공의 의례와 여전히 견고했던 가족 공동체의 승인을 통해 보증되었다. 하지만 20세기는 변혁운동의 시대였고, 낡은 사랑의 룰은 끊임없이 도전을 받았다. 여성운동은 성별지위를 뒤집어엎었고, 퀴어운동은 이성애 규범을 해부했다. 사랑은 이제 공동체로부터 분리돼 온전히 개인적인 것이 되었다. 사랑을 보증해주는 건 오직 파트너의 진정성뿐이지만, 이보다 더 불확실한 것이 어디에 있는가. 대중문화가 그토록 사랑타령에 목을 매는 건 이 때문이다. 사랑의 진정성을 셀링포인트로 삼아 대중을 위로하는 것이다. 다른 한편에선 그 불안을 아예 냉소해버린다. 사랑과 결혼을 그저 완수해야 할 프로젝트로 전락시키는 결혼 시장이 그렇다. 여기서 사랑은 결혼 중매 사이트의 '회원 정보'처럼 데이터화되어 버린다. 그래서 일루즈는 말한다. 사랑의 고통은 개인의 심리 탓이 아니라 사회 구조의 문제라고.

생각 없이 흥얼거리던 노래 탓에 기분이 착잡해지자, 이번에는 생활동반자법이 기억났다. 생활동반자법은 "혈연이나 혼인으로 이뤄진 민법상의 가족이 아닌 두 성인이 합의하에 함께 살며 서로 돌보자고 약속했을 때, 필요한 사회복지 혜택과 제도적 권리를 보장하고, 동거 생활을 시작하고 해소할 때 필요한 공정한 절차를 규정하는 법"(황두영, 〈외롭지 않을 권리〉)이다.

　정상과 비정상을 나누고 성별위계를 지속시키며 관계를 제약하는 룰을 깨고 나가되, 홀로 자유로울 수 있다는 환상이 만들어내는 불안을 위로하고, "함께 숨 쉬는 자유"를 준비하기 위한 대안. 그건 어쩌면 '동반자'에 대한 생각의 전환으로부터 가능할지도 모르겠다. 삶의 지향을 공유하고, 사소한 생활 습관을 이해하며, 서로를 어여삐 여기는 비빌 언덕으로서의 동반자. 꼭 성애적 관계가 아니라도 말이다.

　생각이 여기에 미쳤을 때, 손에는 두 장의 투표용지가 들려 있었다. 나는 사랑과 자유를 위해 투표했다.[157)

사랑 없이 사랑하는 법

붕괴된 삼풍백화점. 한국 역사상 최악의 건축물 붕괴사고로 '새의 선물'이 발간된 1995년에 발생했다. 이 사건은 소설 속에서 발생한 유지공장의 화재사건을 연상시킨다. 소설에서 95년에 발생한 사건들은 69년 당시의 사건, 사고와 겹쳐져 제시된다. 작가는 "90년대지만 지금도 세상은 나의 유년과 하나도 다를 바가 없다"고 한다.

마찬가지로 95년 발사된 무궁화 1호 위성은 69년 달에 처음으로 착륙한 유인우주선 아폴로 11호를 연상시킨다.

69년 KAL기 납북 사건 당시 북한에 착륙했던 대한항공

  1990년대는 환멸의 시대였다. 변혁에 대한 기대와 열망에도 불구하고 세상은 바뀌지 않았다. 오히려 80년대를 불태웠던 혁명의 열기가 스러진 자리엔 쓰라린 환멸만이 남았다. 세상은 변하지 않으리라는 차디찬 냉소가 가슴에 품었던 대의와 이상을 잠식했다. 은희경의 '새의 선물'(1995)은 이 환멸과 냉소의 시대 분위기를 비춘 거울과 같은 소설이다. 무엇보다 차가운 환멸과 차디찬 냉소는 이 소설을 지탱하는 지배적인 정조다. 작가의 환멸과 냉소의 시선은 누구나 믿고 싶어 하는 우리시대의 신화를 겨냥한다. 그 신화란 바로 낭만적 사랑의 신화다.

  낭만적 사랑? 낭만적 사랑은 근대에 이르러 비로소 생겨난 역사의 산물이다. 그것은 영원히 지속되리라 기대되는, 결혼을 통해서만 완성되는 사랑이다. 근대 이전에 결혼은 계급을 유지하거나 노동력을 확보하기 위한 수단에 불과했다. 그러니 거기에 사랑이 꼭 필요한 건 아니었다. 그러나 근대에 들어서면서 연애는 자기 영혼의 반쪽을 찾는 정신적 여정이며 결혼은 그렇게 해서 찾은 '특별한 사람'과의 운명이라는 의미를 얻는다.

  '날카로운 첫 키스(혹은 첫 섹스)의 추억은 운명의 지침을 바꾸어놓을' 정도로 강력한 서사적 힘을 갖게 된다. 특히 여성에게 낭

만적 사랑은 일종의 자기 발견의 서사 혹은 오디세이적 모험의 서
사로 받아들여졌다. 그에 따르면 사랑은 변하지 않는 것이다(그래
서 영화 '봄날은 간다'에서 유지태는 말한다. "사랑이 어떻게
변하니?"). 그리고 그것은 운명이다. 낭만적 사랑은 그렇게 누구나
믿고 싶어 하는, 삶의 판타지를 지탱하는 우리 시대의 신화가 됐
다.

　그러나 '새의 선물'의 화자 '나'는 말한다. "사랑은 냉소에
의해 불붙여지며 그 냉소의 원인이 된 배신에 의해 완성된다." 은
희경은 그렇게 낭만적 사랑의 신화를 부정한다. 그녀에 따르면 사
랑은 하찮은 우연의 연속에 불과하며 타인과의 순수한 만남 또한
허구일 뿐이다. 사랑은 오해의 순간에 생겨났다가 "배신에 의해
완성"된다. 우리가 운명이라고 믿었던 사랑은 "미혹"에 불과한
것이다. "영원하고 유일한 사랑"에 대한 환멸과 냉소야말로 은희
경 소설의 인장(印章)이다. 그리고 '새의 선물'은 바로 그러한
은희경식 농담이 시작되는 소설이다.

　'새의 선물'은 소도시 전문대학에 자리 잡은 서른여덟 살의
강진희가 열두 살이었던 1969년을 회상하는 소설이다. 작가는 이제
막 근대화가 시작되려는 시대의 풍속을 세밀하면서도 풍부하게 재
현한다. 두 채의 살림집과 한 채의 가겟집으로 이루어진 "우리
집"에 세 들어 사는 다양한 인간 군상이 빚어내는 에피소드가 소
설을 이끌어간다. 화자인 '나'(진희)는 열두 살이라는 나이가 무
색하게 영악하고 조숙한 아이다. '나'는 관찰한다. 철없고 순수
한 이모, 군대를 가기 위해 서울대 법대를 휴학 중인 삼촌, 그리고
이들을 보살펴주는 실질적 가장인 할머니가 우선적인 관찰의 대상
이다. 그리고 나머지 살림집과 가겟집에 세 들어 사는 사람들이 있
다. 이들의 일상을 관찰하는 '나'는 마치 전지적 시점의 화자와

같은 권능을 과시한다. '나'는 이들의 모든 것을 꿰뚫고 관찰하면서 이들이 빚어내는 소소한 일상 속의 비밀과 거짓말을 염탐하고 간파하고 분석한다. 이를 통해 '나'가 확인하는 것은, 짐작과는 다른 비루한 생의 이면이다.

　이때 '나'의 바라보는 행위는 두 가지 의미를 갖는다. 하나는 이 세계를 바라보는 전지적 시점을 확보함으로써 세계에 대한 우월한 구경꾼의 위치를 차지하는 것이다. 다른 하나는 외면하고 싶은 끔찍하고 추악한 현실을 오히려 거꾸로 뚫어지게 바라봄으로써 면역력을 길러 그 현실에서 해방되는 것이다. '나'가 바라보는 모든 대상은 이런 방식을 통해 조정되고 통제된다. '나' 자신 또한 거기서 예외는 아니다. 이를 위해 '나'는 의식의 조작을 통해 자신을 두 개의 '나'로 분열시킨다. '바라보는 나'와 '보여지는 나'가 그것이다.

　슬픔. 그렇다. 내 마음속에 들어차고 있는 것은 명백한 슬픔이다. 그러나 나는 자아 속에서 천천히 나를 분리시키고 있다. 나는 두 개로 나누어진다. 슬픔을 느끼는 나와 그것을 바라보는 나. 극기훈련이 시작된다. '바라보는 나'는 일부러 슬픔을 느끼는 나를 뚫어져라 오랫동안 쳐다본다. 찬물을 조금씩 끼얹다보면 얼마 안 가 물이 차갑다는 걸 모르게 된다. 그러면 양동이째 끼얹어도 차갑지 않다. 슬픔을 느끼자, 그리고 그것을 똑똑히 집요하게 바라보자.

　'나'의 어머니는 대인기피와 우울증으로 자살 시도를 하다가 끝내 요양원에 갇혀 자살로 생을 마감했고, 아버지는 그런 어머니를 내팽개치고 재혼해버렸다. 그로 인해 '나'는 상처받지만 결코 슬픔과 고통에 빠지진 않는다. 어떻게? '극기훈련'이 그것을 가능케 한다. '나'의 극기훈련이란 바로 자아를 '보여지는 나'와 '바라보는 나'로 분리한 뒤, 슬픔을 느끼려는 '보여지는 나'를

'바라보는 나'가 "뚫어져라 오랫동안" 관찰하게 하는 것이다.

이것은 연기(演技)로서의 삶이다. 이를 통해 '나'는 슬픔의 감정을 사소한 것으로 만들 뿐만 아니라 그것의 진정성조차 의심하게 만든다. 극복의 대상은 슬픔뿐만이 아니다. 쥐나 벌레에 대한 혐오감에서부터 타인에 대한 증오와 사랑, 심지어 진정성에 이르기까지, '나'의 마음을 뒤흔들고 '나'에게 영향을 미칠 수 있는 이 세계의 모든 것이 여기에 포함된다. 이것은 두려움과 공포의 대상을 응시함으로써 "고통에 대한 면역력"을 기르는 자기방어적 태도다. 즉 그것은 대상과의 무심한 거리를 확보하고 세계를 자신과는 무관한 것으로 치부함으로써 흔들리지 않는 평정심을 유지하려는 안타까운 노력이다.

그런 자기방어적 태도의 극명한 표현이 바로 성장의 거부다. 이 소설은 프롤로그와 에필로그에 등장하는 서른여덟 살인 현재의 '나'가 과거의 '나'를 회고하는 형식을 취한다. 거기서 우리는 이 소설이 무지에서 앎으로, 미숙함에서 성숙함으로, 불완전함에서 완전함으로 변화하는 성장의 과정을 보여줄 것으로 기대한다. 그러나 작가는 그 기대를 배반한다. 처음부터 프롤로그의 소제목은 '열두 살 이후 나는 성장할 필요가 없었다'라고 달려 있다. '나'의 성장은 열두 살에 완료된다. 그것은 '나'가 이 세상의 모든 의미와 가치에 대한 믿음을 삭제하는 일과 맞물려 있다.

'나'는 말한다. "그때 1969년 겨울, 나는 조그만 앉은뱅이책상 앞에서 '절대 믿어서는 안 되는 것들'이라는 제목의 목록을 지우고 있었다. 동정심, 선과 악, 불변, 오직 하나뿐이라는 말, 약속…." 그 목록을 다 지워버렸을 때, '나'의 성장은 완료된다. "나는 삶을 너무 빨리 완성했다." '나'의 성장은 세상의 모든 가치를 부정하고 세상이 좋게 변하리라는 기대마저 포기함으로써 완성된다. 그러나 이것은 성장이라기보다 '정체' 혹은 '지체'에 가깝다. '새의 선물'을 "성장 없는 성장소설"이라고 할 수 있는 것은 그 때문이다.

환멸과 냉소는 바로 그 순간 피어오른다. 그것은 더 이상 삶에 대한, 타인에 대한 아무런 기대도 없을 때 갖게 되는 정서 상태다. 특히 '나'는 주변 여성들이 겪는 사랑의 흥망성쇠를 냉정하게 관찰하며 냉소를 실천한다. 그것은 사랑에 덧씌워진 판타지를 벗겨내고 사랑의 허구성과 폭력성을 폭로하는 일이다. 그것을 한마디로 요약하면 "여자 팔자 뒤웅박 팔자"다. 강제로 "욕을 당해" 결혼한 뒤 외도와 구타를 일삼는 남편을 대신해 생계를 책임지면서도 이를 "팔자"로 받아들이는 광진테라 아줌마, 망한 집안의 생계를 위해 식모로 일하던 병원의 원장에게 겁탈당해 쫓겨난 뒤 서울에서 양공주가 된 방앗간집 맏딸 영숙 이모, 신분상승을 위해 뭇 남성에게 교태를 부리다가 끝내는 "가장 처지는 남자"와 함께 돈을 훔쳐 야반도주한 미스리, 유부남과의 사랑으로 많은 것을 잃은 혜자 이모, 첫사랑에게 배신당하고 혼전임신으로 중절수술을 하게 된 '나'의 이모.

'나' 또한 자신이 사랑했던 "하모니카와 염소의 실루엣"이 첫사랑이었던 허석의 것이 아닌, "더러운 낯빛의 구부정한 아저씨"였다는 사실을 뒤늦게 깨닫는다. 우리가 사랑하는 것은 '바로 그 사람'이 아니라 사랑이라는 관념일 뿐이다. 그렇기 때문에 사랑의 논리는 언제나 대상에 대한 왜곡과 오해를 통해서만 완성된다.

이렇듯 '나'는 성인의 세계로 입문하는 과정에서, 상투적인 낭만적 사랑의 신화에 빠져 공전하는 여성들의 삶을 지켜보며 "사랑에 대한 냉소를 갖게 된다". 그렇다면 '나'는 사랑에 대해 어떤 태도를 취할 것인가? '나'는 말한다. "다시는 사랑에 빠지지 않을 것인가. 절대 그렇지 않다." "사랑에 빠지는 일에 대한 두려움이 없기 때문에", '나'는 지치지 않고 사랑에 빠질 수 있으며 집착 없이 그 사랑에 열중할 수 있게 될 것이다. 그것은 사랑 없이 사랑하는 법이다. 사랑의 고통을 벗어나는 가장 적극적인 방법은 사랑에 무심해지는 것이다. 사랑에 대한 진정한 환멸과 냉소는 사랑을 거부하는 것이 아니라 사랑을 무가치한 것으로, '나'와는 무관한 '나' 바깥의 사건으로 만드는 것이다. 그것이 '새의 선물'이 주장하는 사랑의 전략이다.

'새의 선물'의 작가는 말한다. 사랑은 우연적 사건에 불과하며 단편적 이미지에 일시적으로 매혹된 것에 불과하다. 세상의 모든 가치도 마찬가지다. 그렇다면 우리는 무엇을 믿어야 할 것인가? '나'는 말한다. "나는 인간이 진심으로 사랑하는 것은 자기 자신뿐이라고 확신하고 있는 것이다." 오직 자기 자신만이 환멸과 냉소의 대상에서 제외된다. '새의 선물'은 세상에 대한 환멸과 냉소가 나르시시즘으로 귀결되어간 90년대 문학의 운명을 보여주는 매혹적인 징후다.[158)159)]

노년의 노래

김용수

허공을 향해 활을 쏜다
화살이 떨어지는 곳은 알 수 없다

그렇게 빠르게 날아가는
화살의 흔적을 뒤로하고
어찌 그 화살의 빠름을 쫓아가리오

허공을 향해 노래 부른다
그 누구도 강하고 날카로운 눈으로
사라져가는 그 노래를 따라 부를 수 있으랴

아주 먼 훗날 오동나무 가지에서
부러지지 않은 화살을 만났다

화살을 따라 부르는 그 노래
처음부터 끝 구절을 따라
기억나는 사람 속에서
찾을 수 있으려나

화살을 따라 부르던 노래는
또 언제 누구의 가슴 속에서 만날 수 있으려나

허공을 향해 활을 쏜다
화살이 떨어지는 곳을 알 수 없다

참고문헌

곽금주. 도대체, 사랑, 서울: 쌤앤파커스, 2012.

김정일. 가장 사랑하는 사람이 가장 아프게 한다, 서울: 웅진출판주
    식회사, 1996.

김정일. 가장 사랑하는 사람이 가장 아프게 한다 2, 서울: 도서출판
    두리미디어, 2007.

김영번. 사랑에 빠지면 왜 아프고 외로울까, 문화일보, 2012. 2. 10.

김진애. 여자 우리는 쿨하다, 서울: ㈜도서출판 한길사, 2000.

김진애. 남자 당신은 흥미롭다, 서울: ㈜도서출판 한길사, 2000.

김찬호. 생애의 발견, 서울: 인물과 사상사, 2010.

김춘수. 꽃, 그는 나에게로 와서 꽃이 되었다, 서울: 시인생각,
    2013.

김태균, 이해선. 새롭게 또 새롭게, 서울: ㈜ 해냄출판사, 2022.

나민애. 나민애의 시가 깃든 삶-약속의 후예들-, 동아일보, 2024. 2.
    2.

나민애. 나민애의 시가 깃든 삶-임께서 부르시면-, 동아일보, 2024.
    2. 16.

나민애. 나민애의 시가 깃든 삶-봄, 여름, 가을, 겨울-, 동아일보,
    2024. 2. 23.

나민애. 나민애의 시가 깃든 삶,-어떤 주례사-, 동아일보, 2024. 3.
    1.

나태주. 사랑은 불이어라. 박노해 시인의 숨고르기, 서울: 나눔문화,
    2013.

도종환. 흔들리며 피는 꽃, 서울: 문학동네, 2012.

박노해. 다시, 사랑만이 희망이다, 서울: 느린걸음, 2015.

박목월. 나그네, 청록집, 서울: 울유문화사, 2006.

박소정. 연애 정경, 서울: ㈜스리체어스, 2021.

박혜성. 사랑의 기술, 서울: ㈜경향신문사, 2022.

박혜성. 사랑의 기술 2, 서울: ㈜경향신문사, 2022.

박혜성. 사랑의 기술 3, 서울: ㈜경향신문사, 2022.

배한봉. 주남지의 새들, 서울: 천년의 시작, 2017.

소윤. 작은 별이지만 빛나고 있어, 서울: 북로망스, 2021.

신형철 외. 너의 아름다움이 온통 글이 될까봐, 서울: 문학동네, 2017.

오세영. 열매, 천년의 잠, 서울: 시인생각, 2012.

이성복. 달의 이마에는 물결무늬 자국. 서울: 문학과 지성사, 2012.

이용대. 그곳에 산이 있었다. 서울: 해냄, 2012.

이은정. 사랑하는 것이 외로운 것보다 낫다, 경기: 이정서재, 2014.

이필형. 숨결이 나를 이끌고 갔다. ㈜경향신문사, 2017.

이해인. 나를 키우는 말, 서로 사랑하면 언제라도 봄, 서울: 열림원, 2015.

전승환. 행복해지는 연습을 해요, 서울: ㈜ 백도씨, 2018.

전승환. 나에게 고맙다, 서울: 북로망스, 2022.

정덕희. 밤은 낮보다 짧다, 중앙 M&B, 1999.

정재찬. 우리가 인생이라고 부르는 것들, 서울: 인플루엔셜, 2023.

정한경. 안녕, 소중한 사람, 서울: 북로망스, 2020.

정현종. 모든 순간이 꽃봉오리인 것을. 사랑할 시간이 많지 않다, 서울: 문학과지성사, 2018.

정현주. 다시, 사랑, 서울: 스윙밴드, 2015.

정현주. 그래도, 사랑, 서울: ㈜중앙일보에스, 2023.

정현주. 거기, 우리가 있었다, ㈜중앙북스, 2015.

정혜신. 남자&남자. 서울: 도서출판 개마공원, 2011.

한무경. 또 다른 '젊은 나' 꿈꾸며, 매일경제, 2017년 6월 26일.

함성중. 인생 이모작, 제주일보, 2022. 12. 15.

로먼 크르즈나릭/강혜정 옮김, 서울: 원더박스, 1013.

사라베이크렐. 어떻게 살 것인가/김유신 옮김, 서울: 책읽는 수요일, 2012.

아리에스. 죽음에 선 인간/유선자 옮김, 서울: 동문선, 1997.

알랑드 보통. 왜 나는 너를 사랑하는가/정영목 옮김, 서울: 청미래, 2007.

알베르 카뮈. 이방인/김화영 옮김, 서울: 민음사, 2011.

울리히벡, 엘리자베스벡-게론샤임. 사랑은 지독한, 그러나 너무나 정상적인 혼란/강수영 번역, 서울: 새물결, 2002.

에리히 프롬. 사랑의 기술/황문수 옮김, 서울: 문예출판사, 2023.

헤르만 헤세. 싯다르타/박병덕 옮김, 서울: 민음사, 1997.

헤밍웨이. 노인과 바다/김욱동 옮김, 서울: 민음사, 2012.

헤밍웨이. 오후의 죽음/장왕록 옮김, 서울: 책미래, 2013.

Rolf Degen(롤프 데겐). 오르가슴/최상안 옮김, 경기: ㈜도서출판 한길사, 2007.

Anna Clark, A History of European Sexuality, New York & London, 2008: 55. Blechner, M. J. 'Sex Changes: Transformations in Society and Psychoanalysis.' New York and London: Taylor & Francis, 2009.

Fritsch, Sibylle/Wolf, Axel: Der schwierige Umgang. mit der Lust. Psychologie beute, August, 2000.

Hartmann, Uwe: Gegenwart und Zukunft der Lust. Ein Beirtag zu biopsychologischen und klinischen Aspekten sexueller Motivation. Sexuologie Nr. 3/4 2001, S.191-204.

Iain Wilkinson. A Sociological Introduction, Cambridge, 2005: 43

Judith Butrer. Subjects of Desire. Hegelian Reflections in Twentieth-Centure France, New York, 1987: 77.

Lawrence, D. H. 'Lady Chatterley's Lover.' New York: Signet, 1928/2003.

Levine, Roy J.: Human male sexulity: Appetite and arousal, desire and drive. In: Legg, Charles R./Booth, David(Hg.): Appetite. Oxford University Press, Oxford, 1994.

Masters & Johnson Human Sexual Response, Bantam, 1981 ISBN 978-0553204292; 1st ed. 1966.

Potts, Malcolm/Short, Roger,: Ever since Adam and Eve. The evolution of human sexuality. Cambridag Huiversity Press, Cambridge, 1999.

Roberts William A.: Are animals stuck in time? Psychological Bulletin, Bd. 128(2002), S. 473-489.

Robert Browning and Elizabeth Barrett. The Courtship Correspondence, 1845~1846, Oxford, 1989: 229

Susan K. Harris, The Courtship of Olivia Langdon and Mark Twain, Cambridge, 1996: 96.

Wallen, Kim: The Evolution of Female Sexual Desire. In: Abramson, Paul R./Pinkerton, Steven D.(Hg.): Sexual nature, sexual culture. University of Chicago Press, Chicago, 1995.

(주석)

1) 김정일. 가장 사랑하는 사람이 가장 아프게 한다 2, 서울: 도서출판 두리미디어, 2007: 188.
2) 한무경. 또 다른 '젊은 나' 꿈꾸며, 매일경제, 2017. 06. 26.
3) 함성중. 「인생 이모작」, 『제주일보』, 2022. 12. 15.
4) 김정일. 가장 사랑하는 사람이 가장 아프게 한다 2, 서울: 도서출판 두리미디어, 2007: 4.
5) 김정일. 가장 사랑하는 사람이 가장 아프게 한다 2, 서울: 도서출판 두리미디어, 2007: 161-162.
6) 이숙명. 나는 나를 사랑한다, 서울: 북로망스, 2021: 19-20.
7) Berne, Eric(1970). 『Sex in Human Loving』, Penguin, 130쪽. ISBN 0-671-20771-7.
8) 현재는 일반적으로 시나 음악의 신으로 알려져 있지만, 고대에는 널리 역사나 천문학까지도 포함하는 학예 전반의 신으로 간주되었다. 그 수(數)는 일정하지 않았는데, 로마 시대에 들어오면서부터 각각 맡은 일이 따로 있는 아홉 여신이라 하였다.
9) 댄스스포츠(Dance Sports)는 홀과 같이 넓은 공간에서 추는 춤인 볼룸 댄스(Ballroom Dance)를 스포츠 종목의 관점에서 부르는 명칭. 볼룸 댄스는 사교춤(Social Dance)과 스포츠댄스(Sport Dance)로 나뉘며, 스포츠댄스는 다시 경기용(Competition Dance), 시범용(Demonstration Dance)으로 구분된다. 종래에는 '스포츠댄스' 라는 용어가 사용되기도 했으나, 1980년대 이후 국제올림픽위원회 가입을 추진하면서 '볼룸 댄스' 라는 표현을 대신할 수 있는 '댄스스포츠' 라는 용어를 만들어 회원국 사이에서 사용하고 있다.
10) 이필형. 숨결이 나를 이끌고 갔다. ㈜경향신문사, 2017: 64.
11) 임의진. 짝사랑, 경향신문. 2024. 4. 10.
12) 박소정. 연애 정경, 서울: ㈜스리체어스, 2021: 141-145.
13) 국내에서 가장 인기 있는 해외 작가 중 한 사람인 알랭 드 보통은 30개국에서 베스트셀러를 기록한 유명 작가다. 1993년에 발표한 〈왜 나는 너를 사랑하는가〉는 알랭 드 보통의 첫 번째 작품이다. 1994년 〈우리는 사랑일까〉, 1995년 〈너를 사랑한다는 건〉을 연이어 발표하면서 세 작품을 '사랑과 인간관계 3부작' 으로 부른다. 이 장편소설들은 전 세계 20여 개 언어로 번역·출간되었는데, 이 독특한 연애소설 덕에 그는 '1990년대식 스탕달' 이라는 별명을 얻었다. 세 권의 연애소설 가운데 〈왜 나는 너를 사랑하는가〉는 우리나라에 2002년 소개된 이후 큰 반향을 일으켜 2022년 '70만 부 기념 리커버' 가 발행되

었다. 31년 전 발표한 작품이 지금도 공감을 불러일으키는 이유는 사랑과 이별이 안기는 감정은 어느 시대나 똑같기 때문이다. 당시 24세이던 보통은 20대 중반 남녀를 등장시켜 직접 경험했을 법한 사실에 자신의 철학과 방대한 독서 지식을 접목, 사랑에 빠진 사람만이 깨달을 수 있는 통찰력을 선보이며 전 세계 독자를 매료시켰다.

14) 이근미. '사랑-이별-사랑'의 오묘한 순환 고리에 빠지다, 한국경제, 2024. 1. 22.

15) 이근미 작가는 "사랑을 시작하기 직전, 사랑과 행복의 한가운데에서, 아픈 이별로 가슴이 저밀 때, 어떤 상황에서든 큰 울림을 주는 내용이다." 라고 평하고 있다.

16) 알랭 드 보통(Alain de Botton)은 1969년 스위스 취리히에서 태어나고 영국에서 자란 소설가, 수필가, 철학자. 유대계로 은행가이며 예술품 수집가인 아버지를 둔 덕택에 유복한 환경에서 자라났다. 여러 언어에 능통하며 영국 케임브리지 대학교에서 역사학을 전공하고 졸업했다. 이어 영국 킹스 칼리지 런던에서 철학 전공으로 석사학위를 받았다. 그러고 나선 미국으로 떠나 하버드대학교에서 프랑스 철학을 전공으로 박사 과정을 시작했으나 얼마지나지 않아, 대중서적을 집필하기 시작하면서 그만두었다.

17) 알랭 드 보통(Alain de Botton)은 스위스 취리히에서 태어난 철학자, 소설가, 수필가이다. 현재 영국 런던에서 가족과 함께 거주 중이다. 또한 '한국인이 가장 사랑하는 작가' 중 한 명으로 손꼽히는 알랭 드 보통은 2008년 영국 런던에 세운 '인생학교'의 교장으로 활동 중이다.

18) 정재찬. 우리가 인생이라고 부르는 것들, 서울: 인플루엔셜, 2023: 237-240.

19) 정이현. 알랭 드 보통이 말하는 '사랑의 기초, 중앙일보, 2012. 5. 19.

20) "Hello, Stranger!" 런던의 도심 한복판, 부고 기사를 쓰고 있지만 소설가가 꿈인 '댄'(주드 로)은 출근길에 눈이 마주친 뉴욕출신 스트립댄서 '앨리스'(나탈리 포트만)와 운명적인 사랑에 빠진다. 그녀의 삶을 소재로 글을 써서 드디어 소설가로 데뷔하게 된 '댄'은 책 표지 사진을 찍기 위해 만난 사진작가 '안나'(줄리아 로버츠)에게 '앨리스'와는 또 다른 강렬한 느낌을 받는다. "사랑은 순간의 선택이야, 거부할 수도 있는 거라고!" '안나' 역시 '댄'에게 빠져들었지만 그에게 연인이 있음을 알게 되고, 우연히 만난 마초적인 의사 '래리'(클라이브 오웬)와 결혼한다. 하지만 '댄'의 끊임없는 구애를 끊지 못한 '안나'는 그와의 관계를 지속하고, 이 둘의 관계를 알게 된 '앨리스'와 '래리'는 상처를 받게 되는데…

21) 서진. Gwen Archive of all the dusts from stars-Living through/Archives-, 너에게 썼던 편지-사랑한다는 건, 2023. 2. 28.

22) 아가페(Agape)의 사랑과 에로스(Eros) 사랑의 비교. 아가페 (Agape)의 사랑-자기를 주는 것이다. 위에서 내려오는 것이다. 하나님이 인간에게 오는 길이다. 값없는 선물이요 하나님의 구원의 역사이다. 아낌없이 자기를 소비하는 비(非)이기적인 것이다. 원래 하나님의 것이다. 주권적인 하나님의 사랑이다. 대상을 사랑하여 그 가치를 창조한다. 에로스 (Eros)의 사랑-자기를 위한 선(善)의 욕구이다. 상승하려는 인간의 노력이다. 인간이 하나님께 가는 길이다. 인간의

공적(功績)이요 구원 얻으려는 노력이다. 자기중심의 사랑이요 가장 높은 자기 주장의 형태이다. 원래 인간의 사랑이다. 그 대상을 따라 결정되는 것이요 유발되는 것이다. 대상의 가치 때문에 이를 사랑한다.

23) 연애조교. 에로스적 사랑 무엇을 의미할까요?! 같이 읽으면 도움이 되는 포스팅, 2024. 5. 1
24) 박소정. 연애 정경, 서울: ㈜스리체어스, 2021: 38-39.
25) 김정일. 가장 사랑하는 사람이 가장 아프게 한다 2, 서울: 도서출판 두리미디어, 2007: 75-81..
26) Eva Illouz(에바 일루즈). 사랑은 왜 아픈가/김희상 옮김. 서울: 돌베개, 2023: 31.
27) 《첨밀밀》(중국어 정체자: 甜蜜蜜, 병음: tián mì mì 톈미미[*], 영어: Almost a Love Story)는 1996년 제작된 홍콩의 영화이다. 천커신이 감독하였고, 장만옥과 여명이 주연으로 참여하였다. 제목의 첨밀밀(甜蜜蜜, 톈미미)은 꿀처럼 달콤하다는 의미를 가진 형용사이다. 대한민국에서는 ㈜서우영화사에서 수입하여 1997년 3월 1일에 극장 개봉하였고, 일본은 대한민국보다 1년이 늦은 1998년 2월 7일에 개봉되었다. 일본어권에서는 해당 영화를 러브송(일본어: ラヴソング)이라는 제목으로 소개된 적이 있다.
28) 김정일. 가장 사랑하는 사람이 가장 아프게 한다 2, 서울: 도서출판 두리미디어, 2007: 83-84.
29) 이은정. 사랑하는 것이 외로운 것보다 낫다, 경기: 이정서재, 2014: 224-225.
30) 김정일. 가장 사랑하는 사람이 가장 아프게 한다 2, 서울: 도서출판 두리미디어, 2007: 103-106.
31) 나민애. 나민애의 시가 깃든 삶-그대가 별이라면-, 동아일보, 2024. 03. 02.
32) 전희란, 박정훈. 살과 삶, 사람과 사랑에 관하여, BOOK&ART, 2024. 05. 02.
33) 부희령. 눈보라, 경향신문, 2022. 4. 27, 25면.
34) 김정일.「가장 사랑하는 사람이 가장 아프게 한다」, 『서울: 웅진출판주식회사』, 1996: 238-247.
35) 이선. 다이애나와 물망초, 경향신문, 2023. 5. 16.
36) 정현주. 거기, 우리가 있었다, ㈜중앙북스, 2015: 157.
37) Eva Illouz(에바 일루즈). 사랑은 왜 아픈가/김희상 옮김. 서울: 돌베개, 2023: 38.
38) 이은정. 사랑하는 것이 외로운 것보다 낫다, 경기: 이정서재, 2014: 226-227.
39) 김진애. 남자 당신은 홍미롭다, 서울: ㈜도서출판 한길사, 2000: 72-83.
40) 정기상. '외모와 사랑' 그 오묘한 방정식, 화이트페이퍼 2009. 08. 08.
41) 김정일. 가장 사랑하는 사람이 가장 아프게 한다 2, 서울: 도서출판 두리미디어, 2007: 145-154.
42) 김영훈. 행복의 정복, 중앙일보. 2023. 5. 11.
43) 포유류의 뇌와 뇌하수체에서 자연적으로 생성되며 통증 완화 효과를 지닌 단백질을 통틀어 이르는 말로 그 분비 체계는 인간의 즐거운 감정과 밀접한 관련이 있다.
44) 박혜성. 사랑의 기술, 서울: ㈜경향신문사, 2022: 24-26.
45) 박혜성. 사랑의 기술, 서울: ㈜경향신문사, 2022: 35.
46) 세계보건기구(世界保健機構), 약칭 WHO(World Health Organization)는 보건·위생 분야의 국제적인 협력을 위하여 설립된 유엔 체제하의 정부간 기관이다.

47) 박혜성. 사랑의 기술, 서울: ㈜경향신문사, 2022: 148-151.
48) 박혜성. 사랑의 기술 2, 서울: ㈜경향신문사, 2022: 13.
49) 루소는 자신의 저서 《참회록》에서 자신의 모든 것에 대해 숨김없이 솔직하
    게 고백했다. 그의 고백에 따르면, 일생 중 가장 결정적인 체험은 소년 시절
    여자 가정교사에게 매 맞은 일이다. 그때 맞은 매는 그의 전 생애에 걸쳐 최
    고의 쾌락이 되었다. 그러나 감히 그는 여자들에게 그와 같은 사랑의 봉사를
    해달라고 부탁하지는 못했다. 그는 또 평생 그를 따라다닌 자위행위의 버릇과
    음부노출증(이로 인해 그는 몽둥이찜질을 당할 뻔한 일도 있었다)에 대해서도
    아주 솔직하게, 그리고 약간은 자랑스럽게까지 기록하고 있다.
50) 박혜성. 사랑의 기술, 서울: ㈜경향신문사, 2022: 158-159.
51) 박혜성. 사랑의 기술, 서울: ㈜경향신문사, 2022: 159-163.
52) 이은정. 사랑하는 것이 외로운 것보다 낫다, 경기: 이정서재, 2014: 230.
53) 박혜성. 사랑의 기술 2, 서울: ㈜경향신문사, 2022: 12-13.
54) 박혜성. 사랑의 기술, 서울: ㈜경향신문사, 2022: 43-45.
55) 정양환. 구한말 '오입쟁이' 위관 이용기 알고보니.. 조선가요-요리책 쓴 재야

    지식인이었다. 신경숙 교수 연구 통해 재조명(동아일보, 2013. 3. 13).
56) 한국경제신문. 저승의 오입쟁이, 2010. 12. 21.
57) 순봉(順奉) 정억용. 오입쟁이 남편과 아내, 중앙일칠회, 2023. 9. 7.
58) 기원전 14세기부터 기원전 13세기 사이에 메소포타미아에서 팔레스타인으로
    옮겨 와 살던 고대 유목 민족. 사울이 도읍한 예루살렘을 중심으로 다윗과 솔
    로몬 때에 크게 번성하였으나, 후에 유다와 이스라엘의 두 왕국으로 갈려 결
    국은 멸망하였다.
59) Wallen, Kim: The Evolution of Female Sexual Desire. In: Abramson, Paul
    R./Pinkerton, Steven D.(Hg.): Sexual nature, sexual culture. University of
    Chicago Press, Chicago, 1995.
60) Rolf Degen(롤프 데겐). 오르가슴/최상안 옮김, 경기: ㈜도서출판 한길사, 2007:
    89.
61) Rolf Degen(롤프 데겐). 오르가슴/최상안 옮김, 경기: ㈜도서출판 한길사, 2007:
    89-95.
62) 박혜성. 사랑의 기술, 서울: ㈜경향신문사, 2022: 39-42.
63) 박혜성. 사랑의 기술, 서울: ㈜경향신문사, 2022: 152-154.
64) 박혜성. 사랑의 기술, 서울: ㈜경향신문사, 2022: 192-193.
65) 박혜성. 사랑의 기술 2, 서울: ㈜경향신문사, 2022: 235-236.
66) myboss2. 섹스가 행복한 결혼의 열쇠일 수 있다는 연구 결과가 나왔다,
    loves, 2024. 1. 29.
67) 임의진. 부럽지가 않어~, 경향신문. 2024. 4. 3.
68) 박혜성. 사랑의 기술, 서울: ㈜경향신문사, 2022: 177-178.
69) 김소희. 클리토리스, 그 무궁무진한 세계, 코스모폴리탄, 사진 Lynn Schimer,
    2018. 12. 13.
70) Ladas, AK; Whipple, B; Perry, JD. 《The G-Spot and other discoveries about
    human sexuality》 (영어). New York: Holt, Rinehart, and Winston.
71) Hines, Terence M. (2001년 8월). "The G-Spot: A modern gynecologic
    myth." (abstract). 《Clinical Opinion: American Journal of Obstetrics &
    Gynecology. 185(2)》 (영어). pages 359-362쪽. 2009년 9월 16일.

72) Ernest Gräfenberg (1950). "The role of urethra in female orgasm". 《International Journal of Sexology》 (영어) 3 (3): 145-148. 2016년 3월 3일, 2013년 7월 26일.

73) 박혜성. G스팟 자극해 오르가슴에 이르는 섹스 테크닉, 기획・김명희, 글・김정후, 사진・조영철, WOMAN DONGA, 2007년 8월 20일.

74) 박혜성. 사랑의 기술 2, 서울: ㈜경향신문사, 2022: 179-185.

75) 중앙 엔터테인먼트&스포츠(JES). 진정한 멀티 오르가슴을 아느냐?, 일간스포츠, 2008. 1. 10.

76) 약산진달래. 장미꽃 피는 사랑의 계절, brunch stoty, May 23, 2023.

77) 정용재. '섹스' 없이 살고 있다는 커플들이 밝히는 9가지 장점, 포스트쉐어, 2016. 12. 21.

78) 위티피드 및 MBC '그녀는 예뻤다'

79) https://postshare.co.kr/archives/202526. 오늘의 큐레이션 "포스트쉐어".

80) 정희은. "성관계 관심없다"...일본도 한국도 섹스리스 늘었다, 코메디닷컴, 2024. 2. 9일.

81) 늘푸른솔. 시와 수필...할미꽃, 사랑의 헌신과 배신에 눈물 흘리다, 2018. 5. 10.

82) 김정일. 가장 사랑하는 사람이 가장 아프게 한다 2, 서울: 도서출판 두리미디어, 2007.

83) Rolf Degen(롤프 데겐). 오르가슴/최상안 옮김, 경기: ㈜도서출판 한길사, 2007: 262-263.

84) Rettet den Sex! Der Stern, 27. 7. 2000.

85) 직장생활, 육아 등에 의해 성관계를 피하는 것을 말한다. 육체적・정신적 스트레스가 주된 요인으로 지목되고 있으며, 맞벌이를 하는 부부들이 많은 시대적 상황도 하나의 영향으로 작용하는 것으로 보인다.

86) 박혜성. 사랑의 기술, 서울: ㈜경향신문사, 2022: 212-213.

87) 이은정. 사랑하는 것이 외로운 것보다 낫다, 경기: 이정서재, 2014: 229-230.

88) 최만순. 정월대보름에 오곡밥과 나물을 먹는 이유, 부산일보, 2024. 2. 21.

89) Eva Illouz(에바 일루즈). 사랑은 왜 아픈가/김희상 옮김. 서울: 돌베개, 2023: 31.

90) Eva Illouz(에바 일루즈). 사랑은 왜 아픈가/김희상 옮김. 서울: 돌베개, 2023: 114-115.

91) Eva Illouz(에바 일루즈). 사랑은 왜 아픈가/김희상 옮김. 서울: 돌베개, 2023: 155-156.

92) Eva Illouz(에바 일루즈). 사랑은 왜 아픈가/김희상 옮김. 서울: 돌베개, 2023: 157-158.

93) Eva Illouz(에바 일루즈). 사랑은 왜 아픈가/김희상 옮김. 서울: 돌베개, 2023: 181-182.

94) Randall Craig(랜들 크레이). 『약속의 언어-빅토리아 시대의 법과 허구의 약혼』, Promisying Language. Betrotbal in Victorian Law and Fiction, Albang, 2000: 115.

95) Eva Illouz(에바 일루즈). 사랑은 왜 아픈가/김희상 옮김. 서울: 돌베개, 2023: 195-199.

96) 나민애. 나민애의 시가 깃든 삶-약속의 후예들-, 동아일보, 2024. 2. 2.

97) Eva Illouz(에바 일루즈). 사랑은 왜 아픈가/김희상 옮김. 서울: 돌베개, 2023:

117-118.

98) 김정일. 「가장 사랑하는 사람이 가장 아프게 한다」, 『서울: 웅진출판주식회사』, 1996: 12.

99) Eva Illouz(에바 일루즈). 사랑은 왜 아픈가/김희상 옮김. 서울: 돌베개, 2023: 219.

100) Eva Illouz(에바 일루즈). 사랑은 왜 아픈가/김희상 옮김. 서울: 돌베개, 2023: 220-222.

101) Eva Illouz(에바 일루즈). 사랑은 왜 아픈가/김희상 옮김. 서울: 돌베개, 2023: 232-233.

102) 102) Eva Illouz(에바 일루즈). 사랑은 왜 아픈가/김희상 옮김. 서울: 돌베개, 2023: 233.

103) Susan K. Harris, The Courtship of Olivia Langdon and Mark Twain, Cambridge, 1996: 96.

104) Robert Browning and Elizabeth Barrett. The Courtship Correspondence, 1845 ~1846, Oxford, 1989: 229

105) Eva Illouz(에바 일루즈). 사랑은 왜 아픈가/김희상 옮김. 서울: 돌베개, 2023: 223.

106) Eva Illouz(에바 일루즈). 사랑은 왜 아픈가/김희상 옮김. 서울: 돌베개, 2023: 237.

107) Anna Clark, A History of European Sexuality, New York & London, 2008: 55.

108) Eva Illouz(에바 일루즈). 사랑은 왜 아픈가/김희상 옮김. 서울: 돌베개, 2023: 247-248.

109) Eva Illouz(에바 일루즈). 사랑은 왜 아픈가/김희상 옮김. 서울: 돌베개, 2023: 253.

110) Judith Butrer. Subjects of Desire. Hegelian Reflections in Twentieth-Centure France, New York, 1987: 77.

111) Judith Butrer. Subjects of Desire. Hegelian Reflections in Twentieth-Centure France, New York, 1987: 49.

112) Eva Illouz(에바 일루즈). 사랑은 왜 아픈가/김희상 옮김. 서울: 돌베개, 2023: 254-255.

113) Eva Illouz(에바 일루즈). 사랑은 왜 아픈가/김희상 옮김. 서울: 돌베개, 2023: 298.

114) Eva Illouz(에바 일루즈). 사랑은 왜 아픈가/김희상 옮김. 서울: 돌베개, 2023: 309-310.

115) 백두대간에 위치한 강원특별자치도의 명산. 속초시와 양양군·고성군·인제군에 걸쳐 있다. 높이는 1,708m. 대한민국(남한)에서 한라산, 지리산 다음으로 세 번째로 높은 산이다. 설악산은 추석 무렵부터 이듬해 하지까지 눈이 쌓여 있다고 해서 설악이라 했다고 한다.

116) 대청봉은 설악산의 주봉으로서 예전에는 청봉(靑峯) 또는 봉정(鳳頂)이라고 불렀다. 이 중에서 청봉이라는 이름은 창산(昌山) 성해응(成海應)이 지은 ≪동국명산기(東國名山記)≫에서 유래 되었다고도 하고, 봉우리가 푸르게 보인다는 데서 유래 되었다고도 한다. 대청봉은 설악산에서 가장 높은 봉우리이며, 태백

산맥에서 가장 높고, 남한에서는 한라산 백록담(1,950m), 지리산 천왕봉 (1,915m)에 이어 세번째로 높다.

117) 김정일. 가장 사랑하는 사람이 가장 아프게 한다 2, 서울: 도서출판 두리미디어, 2007: 8-9.
118) 김정일. 가장 사랑하는 사람이 가장 아프게 한다 2, 서울: 도서출판 두리미디어, 2007: 9-10.
119) 이성기. 기다림!, kakao story, 2022. 9. 30.
120) 나우 이즈 굿(Now Is Good)은 2012년 개봉한 영국의 드라마 영화이다.
121) 최정아. '나우 이즈 굿' 당신의 지금은 행복한가요?, 세계일보, 2012. 11. 7.
122) 정현주. 다시, 사랑, 서울: 스윙밴드, 2015: 237.
123) 이성기. 왜 나는 단순하지 못하고 생각이 많은 걸까?, kakao story, 2022. 7. 3.
124) Eva Illouz(에바 일루즈). 사랑은 왜 아픈가/김희상 옮김. 서울: 돌베개, 2023: 363.
125) Eva Illouz(에바 일루즈). 사랑은 왜 아픈가/김희상 옮김. 서울: 돌베개, 2023: 364.
126) 온리 유(Only You)는 미국에서 제작된 노만 주이슨 감독의 1994년 코미디, 멜로/로맨스 영화이다. 마리사 토메이 등이 주연으로 출연하였고 로버트 N. 프리드 등이 제작에 참여하였다.
127) 일요신문은 올 가을, 평생 기다려온 운명을 찾아 이탈리아로 떠나는 6일간의 로맨틱 여행을 그린 온리 유(수입: ㈜메인타이틀픽쳐스 | 배급: ㈜영화사 빅 | 감독: 장하오 | 출연: 탕웨이, 리아오 판)가 영화 속 로맨틱한 명대사 BEST 3를 전격 공개했다.
128) 민지현. 온리 유, 로맨틱한 명대사 BEST 3 공개, 일요신문, 2015. 10. 23.
129) 정현주. 그래도, 사랑, 서울: ㈜중앙일보에스, 2023: 30-31.
130) 정덕희. 밤은 낮보다 짧다, 서울: 중앙 M&B, 1999: 11
131) 《앙: 단팥 인생 이야기》(일본어: あん)는 2015년에 공개된 일본의 드라마 영화이다. 2015년 제작된 일본, 프랑스, 독일 합작 영화로 카와세 나오미 감독의 전작인 하네즈에 출연했던 두리안 스케가와의 소설을 원작으로 만든 영화다. 제68회 칸 영화제 주목할만한 시선 개막작이었다.
132) 문성호. 가슴 뭉클한 감동 드라마 '앙: 단팥 인생 이야기' 티저 예고편, 서울신문, 2015. 7. 8.
133) 김진선. '앙: 단팥 인생이야기' 개봉 5일째 1만 관객 돌파, MBN ,2015. 9. 14.
134) 신소원. 앙: 단팥 인생이야기' 개봉 5일째 1만 관객 돌파, 마이데일리, 2015. 09. 14.
135) 정현주. 거기, 우리가 있었다, ㈜중앙북스, 2015: 245.
136) 나민애. 나민애의 시가 깃든 삶-임께서 부르시면-, 동아일보, 2024. 2. 16.
137) 강릉은 본래 동예이자 남말갈, 예국(濊國)의 땅으로 하슬라(河瑟羅)라고 불렸다. 일대가 비옥해 살기 좋았다고 한다. 고구려는 이곳을 하서량(河西良) 또는 하슬라(河瑟羅)라고 불리고 예국을 속국으로 삼아 이곳을 지배했다.
138) 절은 사원·사찰·가람(伽藍) 등이라고도 하며 우리말로는 절이라고 한다. 절[츄]의 어원은 상가람마(Sa○-ghā-rā-ma)로서, 교단을 구성하는 출가한 남자[比丘]와 출가한 여자[比丘尼]가 모여사는 곳이다. 이것을 한역(漢譯)하여 승가람마(僧伽藍摩)라 하였고, 줄여서 가람이라 표기하게 된 것이다.

139) 시몬 아돌핀 베유(Simone Adolphine Weil는 프랑스의 철학자, 신비주의자, 정치 활동가이다. 20세기 좌파 지식인 사이에서 이례적인 행보를 선택한 그는 점차 종교적이고 신비주의적인 것에도 관심을 갖게 되었다. 평생 동안 글을 썼지만, 대부분의 글은 사망 전까지는 많은 관심을 끌지 않았다. 1950년대, 1960년대에 들어 그의 글들이 유럽 대륙과 영어권 세계에서 명성을 얻었다. 그의 사상은 광범위한 분야에 걸쳐 폭넓은 학문적 주제를 다룬다. 알베르 카뮈는 시몬 아돌핀 베유를 "우리 시대의 유일한 위대한 정신"이라고 묘사하기도 했다. 오빠인 앙드레 베유는 니콜라 부르바키 클럽의 일원이기도 했던 수학자였다.

140) 프랑스의 사상가. 현대를 구성하는 정치·사회·종교·기술 등 다양한 구조 속에서 인간의 진정한 자유를 추구해온 신학자이자 사회학자이다. 1954년 발표한 〈기술 혹은 시대의 쟁점〉과 여러 저작을 통해 기술문명이 인간에게 어떤 영향을 주고있으며, 인간의 자유를 위해 국가 제도와 기술 문명에 어떻게 대응해야 하는가를 연구했다. 18세에 기독교로 개종한 이후 기독교와 신학에도 깊은 관심을 기울여, 국가 권력과 결합한 기독교의 왜곡된 양상을 비판적으로 논증했다. "세계적으로 사유하고, 지역적으로 행동하라."라는 말로 유명하다.

141) 이필형. 숨결이 나를 이끌고 갔다. ㈜경향신문사, 2017: 197-198.

142) 이필형. 숨결이 나를 이끌고 갔다. ㈜경향신문사, 2017: 213-214.

143) 김찬호. 생애의 발견, 서울: 인물과 사상사, 2010:125-128.

144) 김찬호. 생애의 발견, 서울: 인물과 사상사, 2010:128-129.

145) 독일의 시인·소설가극작가(1749~1832). 독일 고전주의의 대표자로, 자기 체험을 바탕으로 한 고백과 참회의 작품을 썼다. 대표작으로 희곡 〈파우스트〉, 소설 〈젊은 베르테르의 슬픔〉, 자서전 《시와 진실》 등이 있다.

146) 『이탈리아 기행』은 괴테가 1786년 9월부터 1788년 6월까지 약 20개월 동안 이탈리아를 여행하면서 독일의 지인들에게 보낸 서한과 일기, 메모와 보고를 손질하여 엮은 것이다. 본래 3부 구성으로 된 이 책은 1816년에 제1부가, 이듬해 10월에 제2부가 출간되었으며, 당시 제목은 "나의 삶으로부터, 제2편 1부와 2부" 였다. 1829년, 괴테 나이 80세에 제3부 '두 번째 로마 체류기'를 탈고한 다음에야 비로소 『이탈리아 기행』이 완성되었다.

147) 오비디우스는 〈사랑의 기술〉, 〈변형담〉으로 유명하다. AD 8년에 아우구스투스 황제의 명령으로 토미스로 추방되었는데, 흑해 연안에 있는 로마 제국의 오지인 토미스에서 그는 계속 글을 썼고, 여기서 쓴 글 가운데에는 특히 〈슬픔 Tristia〉이 유명하다. 오비디우스는 지나치게 회의주의적이었고 독자적인 지성을 갖고 있었기 때문에 시를 제외하고는 어떤 대의명분에도 헌신하지 못했다. 시에 대한 헌신은 절대적이었다. 오비디우스가 후세의 시문학에 미친 영향은 주로 기법과 관련한 것이었다. 그는 애가 2행연구를 완성했고, 6보격을 모든 목적에 맞는 운율과 유창한 의사 전달수단으로 만들었다. 음유시인과 궁정연애를 노래한 시인들, 초서·셰익스피어·괴테 및 에즈라 파운드 등이 그를 좋아했는데, 그 이유는 그가 여자를 하나의 성으로서 순수하게 좋아했다는

사실과 이런 그의 인간적 특성 때문이었다.

148) 『모비딕(Moby-Dick, 白鯨)』은 허만 멜빌(Herman Melville)의 장편소설로 『리어왕』,『폭풍의 언덕』과 함께 3대 비극으로도 꼽힌다. 인간과 자연의 투쟁을 다루고 있고, '모비딕(Moby-Dick)'은 소설 속 하얀 고래(白鯨)의 이름이다. 일등항해사 스타벅은 실제 낸터킷에서 포경업으로 유명해진 가문이다. 커피 전문점 스타벅스의 이름이 여기서 유래되었다.
149) 이필형. 숨결이 나를 이끌고 갔다. ㈜경향신문사, 2017: 13-23.
150) 이필형. 숨결이 나를 이끌고 갔다. ㈜경향신문사, 2017: 222-223.
151) 그리스의 대문호 니코스 카잔차키스(Νίκος Καζαντζάκης)가 1946년에 출판한 소설이다. 지중해 남쪽에 자리잡아 사시사철 온화한 기후의 크레타를 배경으로, 갈탄 광산을 운영하려는 주인공과 그가 고용한 일꾼 알렉시스 조르바가 함께 지내면서 벌어지는 에피소드들을 토막토막 다뤘다. 원제는 Βίος και Πολιτεία του Αλέξη Ζορμπά(알렉시스 조르바스의 삶과 모험, Vios ke politia tou alexi zorba). 한국어 제목 '그리스인 조르바'는 영어 제목 Zorba the Greek을 번역한 것이다. 그리스어의 소유격(속격) 변화 때문에 Αλέξης Ζορμπάς 끝에 붙은 시그마가 사라졌는데 이게 영어로 옮겨지면서 Zorba로 옮긴 걸로 보인다.
152) 버킷리스트는 2007년 영화 '버킷 리스트: 죽기 전에 꼭 하고 싶은 것들(The Bucket List)'을 통해 대중적으로 알려졌다. 영화에서 시한부 판정을 받은 두 주인공은 죽기 전 하고 싶은 일들의 목록을 작성해 함께 여행을 떠난다. 영화로 인해 버킷리스트는 삶의 만족도를 높이기 위해 활용되는 수단 중 하나로 널리 인식되었다. 마케팅이나 예술 등 여러 분야에서 버킷리스트를 모티브로 사용하기도 한다.
153) 정재찬. 우리가 인생이라고 부르는 것들, 서울: 인플루엔셜, 2023: 323-227.
154) Iain Wilkinson(이언 윌킨스). A Sociological Introduction, Cambridge, 2005: 43
155) Eva Illouz(에바 일루즈). 사랑은 왜 아픈가/김희상 옮김. 서울: 돌베개, 2023: 36-38.
156) 김정일.「가장 사랑하는 사람이 가장 아프게 한다」, 『서울: 웅진출판주식회사』, 1996: 265-268.
157) 손희정. 사랑과 자유를 위한 투표, 경향신문, 2020. 4. 12.
158) 김영찬, 심진경. 사랑 없이 사랑하는 법, 2017. 8. 9.
159) 은희경은 1995년 36세라는 늦은 나이에 '이중주'라는 소설로 동아일보 신춘문예 중편부문에 당선됐다. 같은 해 첫 장편소설인 '새의 선물'로 제1회 문학동네 소설상을 수상했다. '새의 선물'은 비평가는 물론 대중독자들에게 열렬한 지지를 받으면서 소설가로서 명성을 얻게 됐다. 97년에는 첫 소설집 '타인에게 말 걸기'로 동서문학상을 받았다. 이 소설집 또한 독서계와 출판계의 뜨거운 호응을 받았다. 98년에는 '새의 선물'의 주인공 강진희의 후일담에 해당하는 장편소설 '마지막 춤을 나와 함께'를 출판했으며, 단편소설 '아내의 상자'로 제22회 이상문학상을 수상했다. 이후 은희경은 한국의 대표 작가로 활발한 작품활동을 하면서 한국일보문학상 동인문학상 황순원문학상 등 유수의 문학상을 수상하면서 작품성을 인정받는다. 은희경 소설은 작가 특유의

냉소와 농담의 방법론으로 생의 비애를 희극적이면서 비극적으로, 가벼우면서도 무겁게 다룬다. '새의 선물'에서부터 은희경 소설의 특징이 된 연애소설 아닌 연애소설은 상투적 인간관계를 비틀고 뒤집어서 새로운 방식의 관계맺기에 도달하는 과정을 그리고 있다. 그 과정에서 작가는 지금까지와는 다른 낯선 소설작법을 실험하면서 한국문학을 더욱 다채롭게 만들고 있다. 소설집에는 '타인에게 말 걸기' '행복한 사람은 시계를 보지 않는다' '상속' '아름다움이 나를 멸시한다' '다른 모든 눈송이와 아주 비슷하게 생긴 단 하나의 눈송이' '중국식 룰렛'이 있고, 장편소설은 '새의 선물' '마지막 춤은 나와 함께' '그것은 꿈이었을까' '마이너리그' '비밀과 거짓말' '소년을 위로해줘' '태연한 인생'이 있다.

사랑보다 소중한 인연!

현실적 입장에서는 상황에 따라서 사랑이 가치를 다양하게 생각할 수 있다. 그러나 '사랑' 은 함부로 취급당할 대상은 아니라고 본다. 사랑은 돈이 줄 수 없는 많은 것을 줄 수 있고 사랑의 인연은 계산으로 함부로 다룰 수 있는 게 아니다. 이기적인 사람은 욕심만 많아 상대가 내 사람이다 싶으면 함부로 대하고 딴 데 눈 돌리곤 한다. 그러다 정작 상대가 떠나려고 하면 '정말 소중한 걸 놓쳤구나' 하는 뒤늦은 깨달음에 울고불고 매달린다. 사랑을 잘하려면 사랑의 인연을 소중히 해야 한다. 상대의 가치를 충분히 인정하고 고마워할 수 있고 또 사랑에 힘입어 열심히 살 수 있어야 한다. 사랑을 소홀히 해 사랑을 놓치면 평생 불행하고 되돌이킬 수 없기도 하다.

당신을 만난 것은 행운일까? 불행일까? 모든 건 다 나에게 달렸겠지요. 천사도 악마도 다 내 마음이 만드는 거니까요. 당신과 함께하는 세월, 영광으로 가득 차도록 노력할게요. 그래서 당신은 천사가 되고 나는 빛나는 존재가 돼서 한껏 드높아 볼게요.

영화 「당신이 섹스에 대해 알고 싶었던 모든 것(Everything You Always Wanted to Know About Sex(But Were Afraid to Ask)」에 서 오프닝 크레딧과 엔딩 크레딧은 콜 포터의 Let's Misbehave의 음악으로 많은 하얀 토끼를 소개한다.

성적 증진약은 효과가 있는가? (Do Aphrodisiacs Work?)

소도미는 무엇인가? (What is Sodomy?)

왜 어떤 여성은 오르가슴에 못 도달하는가? (Why Do Some Women Have Trouble Reaching an Orgasm?)

여장/남장하는 사람은 동성애자((同性愛)인가? (Are Transvestites Homosexuals?)

변태성욕(變態性慾)은 무엇인가? (What Are Sex Perverts?)

의사와 병원이 실행한 성과 관련된 연구와 실험의 결과는 정확 한가? (Are the Findings of Doctors and Clinics Who Do Sexual Research and Experiments Accurate?)

사정은 어떻게 하는가? (What Happens During Ejaculation?)